GREEK

LANGUAGE AND PEOPLE

This book accompanies the BBC
Television Series *Greek language
and people*, first broadcast in
October 1983 on BBC2 and
repeated on BBC1 in January 1984.

Series produced by Terry Doyle

Published to accompany a series of
programmes prepared in
consultation with the BBC
Continuing Education Advisory
Council

This book is set in 9 on 10 point
Times VIP by Tek Translation,
London W12

Printed in England by
Butler & Tanner Ltd, Frome and London

Cover printed by Belmont Press Ltd, Northampton

First published 1983
Reprinted 1985, 1986, 1988 (twice), 1990 1991, 1992 (twice),
1993, 1994, 1996, 1997, 1998
Published by BBC Books
an imprint of BBC Worldwide Publishing
BBC Worldwide Ltd, Woodlands,
80 Wood Lane, London W12 0TT
ISBN 0 563 16575 8

GREEK

LANGUAGE AND PEOPLE

A BBC course in Modern Greek for beginners

by
David A. Hardy
edited by
Terry A. Doyle

BBC BOOKS

Our thanks to

Peter Mackridge and Eirene Crooke
for their enthusiastic and constructive
comments on the course syllabus and
manuscripts.

Aliki Croney and Mary Sprent for
their background research and for
taking most of the photographs

Jill Butler for accomplishing the
Herculean task of typing the
manuscript with infinite patience
and skill

Roger Fletcher, the designer for
making elegant and brilliant sense
out of what was all Greek to him –
and probably still is!

David Hardy
Terry Doyle

Contents

Introduction

Greek — language and people is designed to give beginners in modern Greek a good basic introduction to the language, and at the same time a chance to learn something about Greece, and the way of life and customs of the Greek people. It is aimed at developing the ability to speak Greek, to understand spoken Greek, and to extract information from written texts.

The course consists of:

- this book
- two audio cassettes*

The book and cassettes are closely integrated and may be used independently of the television programmes by anyone wishing to learn Greek on their own, with another person or, if possible, in a class linked to the course. The course material has also been tried and tested in classroom situations, and should prove useful to teachers as a basis for or supplement to their own Greek course.

The book and cassettes are divided into twenty units, each unit consisting of a book chapter and the material on the cassette related to it. Units 1-10 (*Part One*) cover the same language and topics as the ten television programmes, though in greater depth, and with different illustrations. They contain enough simple Greek to enable you to deal confidently with everyday situations like ordering drinks and meals, booking a hotel room, finding your way around, making travel arrangements and so on.

You will also, by the end of Part One, be able to conduct simple conversations with the Greek people you meet about daily life, work, home and family, leisure interests, likes and dislikes and so on. You will, in fact, know more than enough Greek to 'get by' in Greece.

Part Two of the book consists of Units 11-20. When you have completed these second ten units you will, in addition, be able to express your opinions, talk about what you like doing, what you want to do, what you have to do, what you can do and so on, and also say more about yourself, and what you have been doing in the recent past, as well as discuss your plans for the future. You will also have developed your understanding of spoken Greek in all these areas. In short, you will have acquired a sound basic knowledge of the Greek language.

In the second part of the book, a few grammatical terms are introduced to help to explain the language, and the reference grammar at the end of the book contains a simple definition of all grammatical terms used in the course.

Each unit of the course consists of a number of dialogues, which are recorded on the audio cassettes, simple explanations of the language, related cultural information, and a series of exercises and puzzles – the last based mainly on material drawn from Greek newspapers, periodicals and other sources.

The course assumes that speaking and understanding a language is basically a *skill*, and that to acquire a skill it is essential to *practise*. The exercises are therefore not designed as tests of what you have learned, but as ways of practising each new 'piece' of language as you come to it.

* The publishers regret that LP records are no longer available for this course. References to records in the text should therefore be ignored.

7

At the end of most chapters there is a section called *Understanding Greek*. This has been included to develop your skills in *listening* to Greek. You are asked to listen to a dialogue without looking at it, and answer questions about what you hear. Although you will know most of the language in these dialogues, there will be some items you don't know at that stage: the aim is to reproduce something of the situation in which you will find yourself in Greece, where you will not understand every word you hear, and to help you practise concentrating on what you *do* know and getting the gist of what is being said. All these *Understanding Greek* dialogues are included in the key at the back of the book, but it's important to *listen* to the dialogue and answer the questions, *before* turning to this key.

The Greek Alphabet

In the course, the Greek alphabet is presented quite quickly. All the capital letters are introduced in chapter one and all the small letters in chapter two. The capitals are presented first partly because they are easier to read, and partly because they occur in many of the street signs and shop names that you will see in Greece. The first four units contain exercises designed specifically to familiarise you with the alphabet; fluency in reading the alphabet, however, is best acquired as part of the process of learning the language and *not* as a preliminary stage. Additionally, all the dialogues in the book are recorded on the cassettes, and by looking at the text as you listen to them, you will soon become familiar with the Greek letters and their sounds. You can gain further practice in speaking by stopping the cassette and repeating the dialogues line by line.

Hardly any of the Greek sounds present any difficulty for the English-speaker. Remember that the aim is to be understood, and this does not require a 'perfect accent'. In Greek, it does mean that you must *stress* the right part of the word: fortunately, all words of more than one syllable have a stress-mark.

If you are working without cassettes, you will find transliterated keys to the pronunciation exercises on page 232, as well as a general guide to the pronunciation of the Greek alphabet on page 278.

In addition, the glossary at the back of the book is designed to be a pronunciation guide as well as to give meanings. You will find a key in English letters to words you feel you can't say by looking them up in the glossary.

There are no hard and fast rules as to the best way to learn a language or use a course like this one; everyone has their own approach. The essential thing to bear in mind is that *practice* is the important thing – and that you should practise what you already know as well as new material.
If you do this, we hope you'll find *Greek – language and people* both an effective and an enjoyable introduction to modern Greek.

Footnote: The Greek in this course is based on the language spoken in Athens and in most of mainland and island Greece. Although there are local dialects in a few parts of Greece you'll certainly be understood everywhere when you speak the Greek you've learned from *Greek — language and people.* This is also true of Cyprus, which has a particularly distinct accent and dialect.

1 ΓΕΙΑΣΑΣ!

Ordering drinks

The Greek Alphabet

See 1 below

See 1 below

You might not think so at first sight, but the Greek alphabet has much in common with the Latin alphabet used in English and most other European languages. It is in fact much older than the Latin alphabet, which evolved from it. Many of the Greek letters, especially the capitals, will be familiar to you since they look like English letters and have a similar sound (e.g. A, K, M). A small group look like English letters but have a different sound (e.g. B, H, P), and a number of Greek letters have an unfamiliar appearance, though most of them have sounds similar to English sounds (e.g. Θ, Σ, Φ). There are 24 letters altogether. You'll soon become familiar with them as you listen to and practise the words and phrases contained in the early chapters of this book. There is also a key to the pronunciation of the Greek alphabet on page 278.

The words listed below are all in capital letters and are very common. You'll either see them in shop and street signs, or find them useful when ordering drinks.

For pronunciation key see page 232

1 ΚΑΦΕ	11 ΤΣΑΪ	21 ΓΑΛΑ
2 ΚΑΦΕΝΕΙΟ	12 ΟΥΖΟ	22 ΠΑΓΩΤΟ
3 ΦΑΡΜΑΚΕΙΟ	13 ΜΕΤΡΙΟ	23 ΨΩΜΙ
4 ΤΑΒΕΡΝΑ	14 ΜΕΖΕΔΕΣ	24 ΠΑΡΑΚΑΛΩ
5 ΜΠΑΡ	15 ΛΕΜΟΝΙ	25 ΕΥΧΑΡΙΣΤΩ
6 ΜΠΥΡΑ	16 ΛΕΜΟΝΑΔΑ	26 ΕΙΣΟΔΟΣ
7 ΝΕΣΚΑΦΕ	17 ΠΟΡΤΟΚΑΛΑΔΑ	27 ΕΞΟΔΟΣ
8 ΦΡΑΠΕ	18 ΣΟΥΠΕΡΜΑΡΚΕΤ	28 ΞΕΝΟΔΟΧΕΙΟ
9 ΜΟΥΣΕΙΟ	19 ΖΑΧΑΡΟΠΛΑΣΤΕΙΟ	29 ΑΘΗΝΑ
10 ΠΑΣΤΑ	20 ΤΑΧΥΔΡΟΜΕΙΟ	30 ΘΕΣΣΑΛΟΝΙΚΗ

1 These words are recorded on your cassettes or records. You will first hear the appropriate *number* spoken in English and in Greek (e.g. ONE...ENA) and then the *word* that goes with it (e.g. KAΦE). This will be followed by a *pause* for you to *repeat* the word. You will then hear it again so that you can check if you've got it right. Go through the words more than once until you are satisfied with your performance.

Stress
See also page 23. The stress is also indicated in the pronunciation key on page 232 and in the pronunciation guide in the glossary.

Try to get the stress right. Accents, or stress marks, are not normally indicated on words in capitals: listen carefully and try to make sure you stress the right part of the word.

Many signs end in 'N', but it's not pronounced in everyday speech: you'll frequently *see* ΦΑΡΜΑΚΕΙΟΝ, ΚΑΦΕΝΕΙΟΝ, ΞΕΝΟΔΟΧΕΙΟΝ, ΖΑΧΑΡΟΠΛΑΣΤΕΙΟΝ and ΜΟΥΣΕΙΟΝ for example, but you should *say* them without the final 'N'.

2 Rewind your cassette to the beginning of exercise 1. This time use the pause button immediately after you hear the numbers, and try *reading* the word *before* you hear it. Go through the list several times until you are satisfied, paying particular attention to the stress.

The words in the list contain all 24 Greek capital letters. You'll become increasingly familiar with them as you progress through the course.

Meanwhile, to sum up:

A E Z I K M N O T all look and sound like English letters.

See pronunciation guide on page 278

B H P Y X look like English letters but have a different sound.

See also chapter 4 page 51

Γ Δ Θ Λ Ξ Π Σ Φ Ψ Ω are foreign to the English alphabet.

See also chapter 4 page 51

ΜΠ combined represent the sound 'b' for which Greek has no single letter: e.g. ΜΠΥΡΑ.

11

ΚΑΦΕ: means 'coffee', not 'cafe'! Greek coffee (sometimes referred to as 'Turkish' coffee) is black, very strong, and served in small but intense doses! There are three basic kinds, depending on the amount of sugar, and since this is added to the *'briki'* (a long-handled copper or brass coffee pot) before boiling, you should order according to taste: ΣΚΕΤΟ – without sugar; ΜΕΤΡΙΟ – medium; and ΓΛΥΚΟ – sweet. Instant coffee is ΝΕΣΚΑΦΕ, or simply ΝΕΣ, and ΦΡΑΠΕ is cold black coffee shaken until it has a head, and served with ice. To insist on Greek coffee, ask for ΕΛΛΗΝΙΚΟ ΚΑΦΕ. ΤΣΑΪ is tea – served either with ΛΕΜΟΝΙ (lemon) or ΓΑΛΑ (milk). Whatever you're drinking, it will probably be served with a glass of ΝΕΡΟ (*water*).

ΚΑΦΕΝΕΙΟ: a place to drink ΚΑΦΕ. It is traditionally a place where men gather to play cards or *távli* (backgammon), read newspapers, or simply to talk – whether to solve the latest political crisis or clinch a new business deal, or just for the pleasure of talking. It's also a place to while away the time, perhaps in peaceful meditation with a *kombolói* (worry beads) – one cup of coffee may last for hours!

See chapter 2

ΤΑΒΕΡΝΑ: a restaurant, usually distinguished by its social atmosphere.

ΜΠΥΡΑ: Greek beer, which comes in a large bottle ΜΕΓΑΛΗ or small ΜΙΚΡΗ.

ΜΟΥΣΕΙΟ: a museum. In Athens some museums you may care to visit are: the Archaeological Museum, the Benaki and the Byzantine Museum.

ΟΥΖΟ: the clear Greek aperitif distilled from grape skins, tasting of aniseed, and also known as *tsípouro* or *rakí*. It is drunk either neat, or with water or ice, in which case it turns a milky colour, and is usually taken with a ΜΕΖΕ: something to eat with the drink. ΜΕΖΕΔΕΣ (plural) may simply consist of a slice of cheese, tomato or cucumber and a piece of bread ΨΩΜΙ, but might also be a whole plate of tempting titbits that can be a meal in itself. Greeks rarely drink alcohol without at least a little food to go with it.

ΖΑΧΑΡΟΠΛΑΣΤΕΙΟ: a cafe where people meet to chat over coffee, tea, soft drinks such as ΠΟΡΤΟΚΑΛΑΔΑ (orangeade) or ΛΕΜΟΝΑΔΑ (lemonade), perhaps a ΠΑΣΤΑ (cake) or a ΠΑΓΩΤΟ (ice-cream), or maybe something stronger. Unlike the ΚΑΦΕΝΕΙΟ, it is a place where young people, families and mixed groups tend to gather.

ΤΑΧΥΔΡΟΜΕΙΟ: a post office, usually open from about 8.00 to noon though hours vary from city to town to island.

ΠΑΡΑΚΑΛΩ and ΕΥΧΑΡΙΣΤΩ: please and thank you.

ΕΙΣΟΔΟΣ and ΕΞΟΔΟΣ: entrance and exit.

See chapter 7

ΞΕΝΟΔΟΧΕΙΟ: a hotel.

ΑΘΗΝΑ: Athens, the capital city since 1834.

ΘΕΣΣΑΛΟΝΙΚΗ: the second largest city, in the north of Greece; a major port and commercial outlet for the Balkans.

ΧΑΙΡΕΤΕ!

ΓΕΙΑ ΣΑΣ!

ΓΕΙΑ ΣΟΥ!

Greeting people

Two useful 'all-purpose' greetings are ΧΑΙΡΕΤΕ and ΓΕΙΑ ΣΑΣ. Both are either 'hello' or 'goodbye', and can be used at any time of day. You can use them to greet either one person with whom you are on formal terms, or have just met, or more than one person. The informal version to use with one person you know well is ΓΕΙ ΣΟΥ: this is also 'hello' or 'goodbye'.

When you're ordering or asking for something, such as 'a coffee' or a 'a beer', the word for 'a' will sometimes be ΕΝΑ and sometimes ΜΙΑ. Whether you use ΕΝΑ or ΜΙΑ depends on the word in question: ΕΝΑ ΚΑΦΕ but ΜΙΑ ΜΠΥΡΑ. As you'll see later, there are a number of basic patterns that will help you to decide which to use. So, it's:

ΕΝΑ ΚΑΦΕ	ΕΝΑ ΝΕΣΚΑΦΕ	ΜΙΑ ΛΕΜΟΝΑΔΑ
ΣΚΕΤΟ	ΦΡΑΠΕ	ΠΟΡΤΟΚΑΛΑΔΑ
ΜΕΤΡΙΟ	ΟΥΖΟ	ΜΠΥΡΑ
ΓΛΥΚΟ	ΠΑΓΩΤΟ	ΠΑΣΤΑ

For pronunciation of EY see page 279.

The sign is a question mark in Greek.

To be polite, just add ΠΑΡΑΚΑΛΩ to your order. And, when it comes, you can say ΕΥΧΑΡΙΣΤΩ.

You'll find that if you just ask for ΕΝΑ ΚΑΦΕ, the response will probably be ΤΙ ΚΑΦΕ ΘΕΛΕΤΕ; – what kind of coffee do you want? – so it's wise to decide in advance and order ΕΝΑ ΜΕΤΡΙΟ, ΕΝΑ ΣΚΕΤΟ, etc.

It's quite customary to drink people's health with coffee or lemonade, as well as with alcoholic drinks. You can either clink glasses, or simply raise them and say ΣΤΗΝ ΥΓΕΙΑ ΣΑΣ (to your health), or, if it's a friend, ΣΤΗΝ ΥΓΕΙΑ ΣΟΥ.

 3 Listen to your cassette or record. You will hear a waiter ask ΤΙ ΘΑ ΠΑΡΕΤΕ; – What will you have? – and various customers place an order. Match their order with one of the pictures and note the number. You'll find the answers on page 232. Notice that the word for 'and' is ΚΑΙ and 'with' is ΜΕ.

1   2   3   4   5   6   7

4 The waiter again asks ΤΙ ΘΑ ΠΑΡΕΤΕ; This time *you* should place your order during the pause. Choose the item or items illustrated numbers 1 to 7 in that order. The correct item will then be repeated for you to check.

If you are working without recorded materials, simply practise ordering the items illustrated by saying e.g. ΜΙΑ ΜΠΥΡΑ ΠΑΡΑΚΑΛΩ.

5 Rearrange the letters to make a word that means:

a large town in the north of Greece:	ΚΗΣΕΣΟΛΑΘΙΝ
a place to relax over an evening meal:	ΑΤΒΡΕΝΑ
a place to post a letter:	ΑΡΟΜΧΕΥΔΤΙΟ
a place to stay overnight:	ΟΧΟΔΕΞΙΝΟΕ
a Greek coffee:	ΕΡΙΤΟΜ
a place to drink it:	ΟΧΙΠΕΡΑΛΑΣΑΖΤΟ
a place to buy aspirin:	ΕΚΜΙΦΟΑΡΑ
a way in:	ΔΙΟΣΕΣΟ

15

ΠΡΟ·ΠΟ

ΛΑΧΕΙΑ

6 The Greek football pools are called ΠΡΟ ΠΟ. The coupon illustrated was issued before the start of the Greek season, and listed 13 English games. Study it carefully, and then say:

- who played Liverpool?
- which of the two Manchester teams played Ipswich?
- which one played Tottenham?
- which two Yorkshire teams played each other?
- which Welsh team played Stoke?
- who played away at Brighton?
- which London team was at home to Birmingham?

ΛΑΧΕΙΑ: lottery tickets.

	ΟΜΑΔΑ 1η ΟΜΑΔΑ 2η	2	4	8	16			
1	ΑΣΤΟΝ ΒΙΛΛΑ - ΝΟΤΤΙΓΧΑΜ					Ε	III	
2	ΓΟΥΑΤΦΟΡΝΤ - ΜΠΡΟΜΓΟΥ·Ι·ΤΣ					Π		
3	ΓΟΥΕΣΤ ΧΑΜ - ΜΠΕΡΜΙΓΧΑΜ					Ι		
4	ΚΟΒΕΝΤΡΥ - ΑΡΣΕΝΑΛ					Τ	II	
5	ΛΙΒΕΡΠΟΥΛ - ΛΟΥΤΟΝ					Υ		
6	ΜΑΝΤΣΕΣΤΕΡ ΓΙΟΥΝ.- ΙΠΣΟΥ·Ι·ΤΣ					Χ		
7	ΜΠΡΑ·Ι·ΤΟΝ - ΣΑΝΤΕΡΛΑΝΤ					Ι		
8	ΝΟΡΓΟΥ·Ι·ΤΣ - ΣΑΟΥΘΑΜΠΤΟΝ					Ε		
9	ΝΟΤΤΣ ΚΑΟΥΝΤΥ - ΕΒΕΡΤΟΝ					Σ	I	
10	ΣΤΟΟΥΚ ΣΙΤΥ - ΣΟΥΩΝΣΗ							
11	ΤΟΤΤΕΝΑΜ - ΜΑΝΤΣΕΣΤΕΡ ΣΙΤΥ							
12	ΝΙΟΥΚΑΣΤΛ - ΤΣΕΛΣΗ							
13	ΣΕΦΦΙΛΝΤ ΓΟΥΕΝ. - ΛΗΝΤΣ							

1 Χ 2 ΔΕΛΤΙΟ 13 ΑΓΩΝΩΝ ΠΡΟ·ΠΟ **33** **3672471** **Σ**

ΑΓΩΝΕΣ ΤΗΣ 11-12.9.1982 ΣΤΕΛΕΧΟΣ

Ο.Π.Α.Π. ΣΤΗΝ ΥΠΗΡΕΣΙΑ ΤΟΥ ΕΛΛΗΝΙΚΟΥ ΑΘΛΗΤΙΣΜΟΥ

ΠΡΑΚΤΩΡΑΣ

Γράφετε καθαρά μέ κεφαλαῖα τό ὀνοματεπώνυμό σας

Ἐπώνυμο

Ὄνομα

Διεύθυνση

Πόλη

ΑΡΙΘΜΟΣ ΠΡΑΚΤΟΡΕΙΟΥ	ΑΥΞΩΝ ΑΡΙΘΜΟΣ	ΣΤΗΛΕΣ

7 Athens has a huge number of cinemas. Here are the names of some of the international stars whose films were shown in 1982. How many can you identify?

ΤΖΗΝ ΧΑΚΜΑΝ

ΜΙΑ ΦΑΡΟΟΥ

ΤΖΑΚ ΝΙΚΟΛΣΟΝ

ΜΑΪΚΛ ΚΑΙΗΝ

ΡΙΤΣΑΡΝΤ ΜΠΑΡΤΟΝ

ΛΙΖ ΤΑΙΗΛΟΡ

ΓΟΥΩΡΡΕΝ ΜΠΗΤΤΥ

ΦΑΙΗ ΝΤΑΝΑΓΟΥΑΙΗ

ΜΑΡΛΟΝ ΜΠΡΑΝΤΟ

ΒΙΝΣΕΝΤ ΠΡΑΪΣ

Understanding Greek

Each unit in this course contains a Greek dialogue which is slightly more difficult than the language you'll have mastered at that stage. The aim is for you to develop the skill of understanding the gist of spoken Greek even though you may not know every word.

Listen to the conversation on your cassette or record. A young Greek, Nikos, meets two of his friends and suggests they go for a coffee. They decide to go to the cafe in the ΠΛΑΤΕΙΑ (square), where they place their order. Later they leave and go their separate ways. Notice that when his friends speak to Nikos they call him Niko: the final 's' is left off the end of a name when you're addressing the person directly. You will also hear the word ΠΑΜΕ – 'let's go' or, as a question, 'shall we go?' – ΠΑΜΕ;

Do they go to a ΚΑΦΕΝΕΙΟ or a ΖΑΧΑΡΟΠΛΑΣΤΕΙΟ?
What do they order?

Summary

1 Greetings

When greeting people for the first time, say ΓΕΙΑ ΣΑΣ: When you know them better, say ΓΕΙΑ ΣΟΥ: And you'll also hear ΧΑΙΡΕΤΕ: All these words can mean both hello and goodbye.

2 Ordering drinks

The waiter might ask: ΤΙ ΘΑ ΠΑΡΕΤΕ;

You may reply:

ΕΝΑ	ΟΥΖΟ ΚΑΦΕ ΤΣΑΙ	ΠΑΡΑΚΑΛΩ

ΜΙΑ	ΜΠΥΡΑ ΠΟΡΤΟΚΑΛΑΔΑ	ΠΑΡΑΚΑΛΩ

17

If you order coffee the waiter may follow up with:

ΤΙ ΚΑΦΕ ΘΕΛΕΤΕ;

In which case you can choose:

ΕΝΑ ΜΕΤΡΙΟ
ΕΝΑ ΣΚΕΤΟ
or
ΕΝΑ ΓΛΥΚΟ

And when it comes, don't forget to say ΕΥΧΑΡΙΣΤΩ.

3 Cheers!

All dialogues in chapters 1-3 are transliterated in the key to the exercises page 232

To drink someone's health, clink glasses and say
ΣΤΗΝ ΥΓΕΙΑ ΣΑΣ or, if it's a friend, ΣΤΗΝ ΥΓΕΙΑ ΣΟΥ.

You should now be able to read and understand the following dialogues between waiter and customer:

1
- ΤΙ ΘΑ ΠΑΡΕΤΕ;
- ΕΝΑ ΚΑΦΕ ΠΑΡΑΚΑΛΩ.
- ΤΙ ΚΑΦΕ ΘΕΛΕΤΕ;
- ΕΝΑ ΜΕΤΡΙΟ.

2
- ΤΙ ΘΑ ΠΑΡΕΤΕ ΠΑΡΑΚΑΛΩ;
- ΜΙΑ ΜΠΥΡΑ.
- ΕΝΑ ΟΥΖΟ ΠΑΡΑΚΑΛΩ.
- . . . ΕΥΧΑΡΙΣΤΩ . . .
- ΣΤΗΝ ΥΓΕΙΑ ΣΟΥ.
- ΣΤΗΝ ΥΓΕΙΑ ΣΟΥ.

Pronunciation see page 233

Listen to them regularly on the sound cassette, and you'll soon be speaking them too. And if progress is not as swift as you would like, a touch of Greek philosophy may help: ΕΤΣΙ ΕΙΝΑΙ Η ΖΩΗ – such is life!

Present-day Greece, ΕΛΛΑΔΑ, is a country of around 10 million inhabitants, and covers an area of about 132,500 square kilometres (only slightly more than the area of England). Roughly one sixth of this area consists of some 2,000 islands, 80% of the land is mountainous and no part of the country is more than 100 km from the sea.

Northern Greece consists of the provinces of *Macedonia* ΜΑΚΕΔΟΝΙΑ and *Thrace* ΘΡΑΚΗ which became part of Greece as recently as 1912. The largest town, capital of the North and the second city of Greece, is *Thessaloniki* ΘΕΣΣΑΛΟΝΙΚΗ (also known as Salonika).

Western Greece consists of the mountainous province of *Epirus* ΗΠΕΙΡΟΣ and the Ionian islands. *Yannena* ΓΙΑΝΝΕΝΑ, the largest town of the region, was once, under the nineteenth century rule of Ali Pasha, the busiest town in Greece.

Thessaly is a vast agricultural plain surrounded by mountains – to the north by the range of Mount Olympus ΟΛΥΜΠΟΣ, home of the gods, and to the west by the Pindus range. It's Greece's richest agricultural region, producing most of the country's wheat.
Kalambaka ΚΑΛΑΜΠΑΚΑ is the base from which to visit the rock pillars and late Byzantine monasteries of *Meteora* ΜΕΤΕΩΡΑ, while *Volos* ΒΟΛΟΣ, the chief port of Thessaly, leads to the beautiful holiday region of *Pilion* ΠΗΛΙΟΝ and is also the port for the *Sporades Islands* ΣΠΟΡΑΔΕΣ, e.g. Skiathos ΣΚΙΑΘΟΣ, and Skiros ΣΚΥΡΟΣ.

The North East Aegean Islands, greener and more fertile than the Cyclades, and the nearest to Turkey: Limnos ΛΗΜΝΟΣ, Lesvos ΛΕΣΒΟΣ, Hios ΧΙΟΣ, Samos ΣΑΜΟΣ and Ikaria ΙΚΑΡΙΑ, where Ikaros flew too close to the sun . . .

Central Greece ΣΤΕΡΕΑ ΕΛΛΑΔΑ includes not only the mainland area between the north of Greece and the Gulf of Corinth, but also the long narrow island of *Evia* ΕΥΒΟΙΑ (ancient Euboea) in the east, *Attiki* ΑΤΤΙΚΗ (and therefore *Greater Athens*) and *Piraeus* ΠΕΙΡΑΙΑΣ.
The mainland area north of the Gulf of Corinth ΚΟΡΙΝΘΙΑΚΟΣ ΚΟΛΠΟΣ is often referred to as Roumeli ΡΟΥΜΕΛΗ. *Amfissa* ΑΜΦΙΣΣΑ is the centre of the olive trade (particularly the large blue-black variety), *Arahova* ΑΡΑΧΩΒΑ is the base for a visit to Mount Parnassos ΠΑΡΝΑΣΣΟΣ, to the monastery of *Osios Loukas* ΟΣΙΟΣ ΛΟΥΚΑΣ, and, of course, to *Delphi* ΔΕΛΦΟΙ, the home of the oracle and, to the ancient Greeks, the centre of the world.

Greater Athens ΑΘΗΝΑ contains over three and a half million people (more than one third of the whole population of Greece) who inhabit not only the well-known areas of Central Athens, from *Omonoia* ΟΜΟΝΟΙΑ to *Sindagma* ΣΥΝΤΑΓΜΑ, *Plaka* ΠΛΑΚΑ to *Kolonaki* ΚΟΛΩΝΑΚΙ, but also the suburbs such as *Glifada* ΓΛΥΦΑΔΑ, *Kaisariani* ΚΑΙΣΑΡΙΑΝΗ, *Kifisia* ΚΗΦΙΣΙΑ and *Marousi* ΜΑΡΟΥΣΙ. The sprawl extends to Piraeus ΠΕΙΡΑΙΑΣ, the main port of Greece and departure point for both inter-island ferries and international shipping.

19

DRAMA
ΔΡΑΜΑ

KAVALA
ΚΑΒΑΛΑ

NAOUSA
ΝΑΟΥΣΑ

THESSALONIKI
ΘΕΣΣΑΛΟΝΙΚΗ

SAMOTHRAKI
ΣΑΜΟΘΡΑΚΗ

KASTORIA
ΚΑΣΤΟΡΙΑ

VERIA
ΒΕΡΟΙΑ

KOZANI
ΚΟΖΑΝΗ

ATHOS
ΑΘΩΣ

LIMNOS
ΛΗΜΝΟΣ

OLYMPUS
ΟΛΥΜΠΟΣ

METSOVO
ΜΕΤΣΟΒΟ

KALAMBAKA
ΚΑΛΑΜΠΑΚΑ

YANNENA
ΓΙΑΝΝΕΝΑ

METEORA
ΜΕΤΕΩΡΑ

RFU
ΡΚΥΡΑ

IGOUMENITSA
ΗΓΟΥΜΕΝΙΤΣΑ

DODONI
ΔΩΔΩΝΗ

VOLOS
ΒΟΛΟΣ

LESVOS
ΛΕΣΒΟΣ

PAXI
ΠΑΞΟΙ

ALONISOS
ΑΛΟΝΗΣΟΣ

SKOPELOS
ΣΚΟΠΕΛΟΣ

SKIROS
ΣΚΥΡΟΣ

LEFKADA
ΛΕΥΚΑΔΑ

EVIA
ΕΥΒΟΙΑ

HIOS
ΧΙΟΣ

AMFISSA
ΑΜΦΙΣΣΑ

DELFI
ΔΕΛΦΟΙ

ITHAKI
ΙΘΑΚΗ

ARAHOVA
ΑΡΑΧΩΒΑ

OSIOS LOYKAS
ΟΣΙΟΣ ΛΟΥΚΑΣ

KEFALONIA
ΚΕΦΑΛΛΟΝΙΑ

MESOLONGI
ΜΕΣΟΛΟΓΓΙ

ANDROS
ΑΝΔΡΟΣ

SAMOS
ΣΑΜΟΣ

ATHENS
ΑΘΗΝΑ

PIRAEUS
ΠΕΙΡΑΙΑΣ

ZAKINTHOS
ΖΑΚΥΝΘΟΣ

CORINTH
ΚΟΡΙΝΘΟΣ

EGINA
ΑΙΓΙΝΑ

SOUNIO
ΣΟΥΝΙΟ

TINOS
ΤΗΝΟΣ

IKARIA
ΙΚΑΡΙΑ

MYCENAE
ΜΥΚΗΝΑΙ

POROS
ΠΟΡΟΣ

SIROS
ΣΥΡΟΣ

MIKONOS
ΜΥΚΟΝΟΣ

EPIDAVROS
ΕΠΙΔΑΥΡΟΣ

IDRA
ΥΔΡΑ

DILOS
ΔΗΛΟΣ

NAXOS
ΝΑΞΟΣ

KALIMNOS
ΚΑΛΥΜΝΟΣ

MISTRAS
ΜΥΣΤΡΑΣ

SPETSES
ΣΠΕΤΣΕΣ

SERIFOS
ΣΕΡΙΦΟΣ

KALAMATA
ΚΑΛΑΜΑΤΑ

KOS
ΚΩΣ

SIFNOS
ΣΙΦΝΟΣ

PILOS
ΠΥΛΟΣ

IOS
ΙΟΣ

SIMI
ΣΥΜΗ

KORONI
ΚΟΡΩΝΗ

MONEMVASIA
ΜΟΝΕΜΒΑΣΙΑ

MILOS
ΜΗΛΟΣ

FOLEGANDROS
ΦΟΛΕΓΑΝΔΡΟΣ

SANTORINI (THIRA)
ΣΑΝΤΟΡΙΝΗ

RHODES
ΡΟΔΟΣ

PILIO
ΠΗΛΙΟ

KARPATHOS
ΚΑΡΠΑΘΟΣ

0   50   100   150   200   250 Km
0   50   100   150 Miles

CRETE
ΚΡΗΤΗ

The Peloponnese ΠΕΛΟΠΟΝΝΗΣΟΣ is reached via *Corinth* ΚΟΡΙΝΘΟΣ. Transformed from an isthmus into an island by the cutting of the Corinth Canal in 1893, it is surrounded by water: the Gulf of Corinth to the north, open Mediterranean to the south, the Ionian Sea on the west and, on the east, the Aegean. The name means 'the island of Pelops' – the grandson of Zeus and the grandfather of Agamemnon, Greek leader in the Trojan War.

The ancient sites of the Peloponnese are world-renowned: *Mycenae* ΜΥΚΗΝΑΙ, *Pylos* ΠΥΛΟΣ, *Epidavros* ΕΠΙΔΑΥΡΟΣ. Less well-known perhaps are the Byzantine remains of *Mistras* ΜΥΣΤΡΑΣ and *Monemvasia* ΜΟΝΕΜΒΑΣΙΑ. To the south lies the busy coastal town of *Kalamata* ΚΑΛΑΜΑΤΑ (like Amfissa, an olive centre) and the strange, half-abandoned peninsula of the *Mani* ΜΑΝΗ. Off the southern coast lies the island of *Kithira* ΚΥΘΗΡΑ.

The Argo-Saronic Islands are for Greeks a refuge from the traffic and pollution of Athens: *Egina* ΑΙΓΙΝΑ, *Idra* ΥΔΡΑ, *Poros* ΠΟΡΟΣ, *Spetses* ΣΠΕΤΣΕΣ.

The Cyclades Islands ΚΥΚΛΑΔΕΣ personify the words 'Greek island', though in fact each island has its own character and may vary from the fertile to the barren, from the peaceful to the cosmopolitan, from the prosperous to the poor. They include: *Andros* ΑΝΔΡΟΣ, *Dilos* ΔΗΛΟΣ, *Ios* ΙΟΣ, *Mikonos* ΜΥΚΟΝΟΣ, *Milos* ΜΗΛΟΣ, *Naxos* ΝΑΞΟΣ, *Paros* ΠΑΡΟΣ, *Santorini* ΣΑΝΤΟΡΙΝΗ also known as *Thira, Sifnos* ΣΙΦΝΟΣ, *Siros* ΣΥΡΟΣ, and *Tinos* ΤΗΝΟΣ.

The Dodecanese ΔΩΔΕΚΑΝΗΣΑ (meaning 'the twelve islands'), off the south west coast of Asia Minor, were united to Greece as recently as 1947, after a period of Italian rule. *Rhodes* ΡΟΔΟΣ and *Kos* ΚΩΣ are perhaps the best known.

Finally, of course, there is *Crete* ΚΡΗΤΗ, the largest of all the Greek islands, with a culture and identity all its own.

2

ΚΑΛΗ ΟΡΕΞΗ!

Ordering a meal

Many signs in Greece, as well as other printed matter (such as the menu in a restaurant) are written in small letters as well as capitals, so it's important to be able to recognise both.

The Greek Alphabet

α β γ δ ε ζ η θ ι κ λ μ ν ξ ο π ρ σ/ς τ υ φ χ ψ ω

σ is used at the beginning and in the middle of words and ς at the end of words.

The words below are the same as those listed at the beginning of chapter one, this time written with small letters. Compare the two lists.

1 καφέ	11 τσάι	21 γάλα
2 καφενείο	12 ούζο	22 παγωτό
3 φαρμακείο	13 μέτριο	23 ψωμί
4 ταβέρνα	14 μεζέδες	24 παρακαλώ
5 μπαρ	15 λεμόνι	25 ευχαριστώ
6 μπύρα	16 λεμονάδα	26 είσοδος
7 νεσκαφέ	17 πορτοκαλάδα	27 έξοδος
8 φραπέ	18 σουπερμάρκετ	28 ξενοδοχείο
9 μουσείο	19 ζαχαροπλαστείο	29 Αθήνα
10 πάστα	20 ταχυδρομείο	30 Θεσσαλονίκη

1 Rewind your cassette to Unit 1, exercise 1. After each number, *listen* to the word, *repeat* it, and *listen and check*, to see if you've got it right.

2 Rewind again, and proceed as in Unit 1, exercise 2. This time, after the number *attempt* your reading of the word, then *listen and check*.

Stress marks

See also page 144
katharevousa/dimotiki

There are different versions of the new system: in the one used here, *all* words with more than one syllable and *a few* words with only one syllable have a stress mark.

When written in small letters, most Greek words have an accent sign, to show which part of the word is stressed. In 1981 a new system (called the monotonic system) was adopted that uses only one stress mark, but in books, shop signs etc. from before that date you will still see the former system. This had three different accents: ´ ` ˜ but there is no difference in their effect – they all show what part of the word is stressed. The earlier system also had two signs that used to be found at the beginning of some words: ʼ ʽ. These have no effect at all on the way the word is pronounced, and are not used in the new system (examples: ευχαριστώ in the new system was εὐχαριστῶ in the old; and ούζο was οὖζο). The new system is used in this book. When you see words written in the old system, remember that whatever the shape of the accent, it indicates the part of the word to be *stressed*, and that the signs ʼ ʽ can be ignored.

23

The following list is a mixture of words in small letters and words in capitals. Some are common street or shop signs and some are similar to English words derived from them.

1 ΟΤΕ	9 ΚΡΗΤΗ	17 ΕΠΙΤΡΕΠΕΤΑΙ
2 βόλτα	10 χιλιόμετρο	18 ΑΠΑΓΟΡΕΥΕΤΑΙ
3 χορός	11 μουσική	19 ΝΑΥΠΛΙΟ
4 ζάχαρη	12 ΤΟΥΑΛΕΤΤΑ	20 ψάρι
5 γκαζόζα	13 ΝΤΙΣΚΟΤΕΚ	21 τυρόπιττα
6 ΕΣΤΙΑΤΟΡΙΟ	14 αντίο	22 ΓΑΛΑΚΤΟΠΩΛΕΙΟ
7 ρετσίνα	15 ΣΑΝΤΟΥΙΤΣ	23 ΦΩΤΟΓΡΑΦΙΕΣ
8 κρασί	16 ΤΡΑΠΕΖΑ	24 εντάξει

3 These words are recorded on your cassette or record. The pattern is *listen, read, listen and check*.

4 Rewind to the beginning of exercise (3) and use the pause button to try your reading of the word first. Then *listen and check*.

See also chapter 4 page 51

Greek has no single letter for the sound 'd': instead it uses the combination ντ: e.g. ντισκοτέκ, αντίο.

ΟΤΕ: an abbreviation for the Greek telecommunications organisation, from which it is possible to send a telegram, or make a long-distance phone call.

βόλτα: In small towns and villages people traditionally take a 'stroll' (*βόλτα*) in the evening, particularly on Sundays. It's a kind of ritual parade, at which people can 'see and be seen', particularly younger people looking for the ideal partner . . .

χορός: a dance. In the ancient theatre the chorus *danced* in the area called the orchestra.

ζάχαρη: sugar. A *ζαχαροπλαστείο* is where 'sugar-products' are made and sold. If you want your drink 'without sugar', say: *χωρίς ζάχαρη*.

γκαζόζα: a clear, fizzy drink.

ΕΣΤΙΑΤΟΡΙΟ: a restaurant.

ρετσίνα: resinated wine. When commercially produced usually white (*άσπρο*), though local varieties also come in red (*κόκκινο*) or rosé (*κοκκινέλι*). In the days before casks and bottles existed, the Greeks kept their wine (*κρασί*) in goat-skins and poured pitch-pine on top to preserve it. They came to expect their wine to taste of pitch-pine or resin, so that even after bottles and casks had been invented they continued to add resin to wine. Many foreigners who lack centuries of conditioning find retsina an acquired taste . . .

ΚΡΗΤΗ: the largest and southernmost of the Greek islands. It has its own dialect and accent, though standard Greek is also understood and spoken in Crete. It also has a tradition of fierce independence, and Cretans take great pride in being Cretan.

ΤΟΥΑΛΕΤΤΑ: toilet. You'll also see the signs ΓΥΝΑΙΚΩΝ and ΑΝΔΡΩΝ for WOMEN and MEN.

ΤΡΑΠΕΖΑ: a bank. Banks are usually open Monday to Friday, 8:00–13:30.

ΕΠΙΤΡΕΠΕΤΑΙ: 'allowed' (the opposite of ΑΠΑΓΟΡΕΥΕΤΑΙ).

ΑΠΑΓΟΡΕΥΕΤΑΙ: 'forbidden', as in ΑΠΑΓΟΡΕΥΕΤΑΙ ΤΟ ΚΑΠΝΙΣΜΑ (no smoking).

ΝΑΥΠΛΙΟ: a small coastal town in the north-east *Peloponnese* ΠΕΛΟΠΟΝΝΗΣΟΣ popular as a tourist resort with both Greeks and foreigners, and a centre for visiting the ancient sites of *Epidavros* ΕΠΙΔΑΥΡΟΣ, *Mycenae* ΜΥΚΗΝΑΙ, and *Tiryns* ΤΙΡΥΝΣ.

ψάρι: fish. See also *Eating Out*.

τυρόπιττα: cheese pie. Many people eat a *τυρόπιττα* or a *σπανακόπιττα* (spinach pie) or *κρεατόπιττα* (meat pie) about mid-morning, to help them to survive until lunch, which is usually eaten between two and three o'clock in Greece. There are countless take-away 'fast food' shops selling them. Recently, toasted and plain sandwiches (*Τοστ* and *Σάντουιτς*) have also become popular.

ΓΑΛΑΚΤΟΠΩΛΕΙΟ: a shop selling dairy products (remember that γάλα is milk) – it's a good place to buy yoghourt (γιαούρτι) for example.

ΦΩΤΟΓΡΑΦΙΕΣ: photographs, not photography.

εντάξει: OK, all right.

5 On Greek radio the third programme (Τρίτο Πρόγραμμα) devotes a lot of time to classical music. Here are the names of some composers taken from the Greek equivalent of 'Radio Times' (Ραδιοτηλεόραση). Can you identify them?

Μπετόβεν	Βάγκνερ
Βέρντι	Μότσαρτ
Ραβέλ	Στραβίνσκι
Μπαχ	Ντβόρζακ
Μάλερ	Σοπέν

Greeting people 2
See also chapter 1 and page 90 'The Greek Day'

In addition to the all-purpose χαίρετε, γειά σας and γειά σου, there are more specific greetings: καλημέρα, or 'good morning', which can be used until lunch time (about 2 pm): καλησπέρα, or 'good evening', from about 5:30 onwards (between 2 and 5:30, use γειά σας, χαίρετε): and καληνύχτα, 'good night', late in the evening. All three can have σας ('to you') added to them: καλημέρα σας, καλησπέρα σας, καληνύχτα σας. This has the effect of making the greeting slightly more formal.

Finally, a common way of saying 'goodbye' is αντίο or αντίο σας.

In fact, you'll find that Greeks usually wait for the stranger to speak first, so don't be afraid to take the initiative.

6 Turn to your cassette or record. You're strolling through a small village and, not being sure of yourself, wait for other people to greet you. Respond by saying exactly the same greeting back to them. It will then be repeated for you to check.

Attracting attention 1

In a restaurant or a ζαχαροπλαστείο you can attract the waiter's attention by saying the word for 'please' – παρακαλώ. You can also call γκαρσόν ('waiter'). Some people also attract attention by clapping their hands, snapping their fingers, or clinking a knife against a plate or glass, but these methods should only be used as a last resort!

Yes and No

Όχι is 'no' and one of the common ways of saying 'yes' is ναι. To many foreigners this word sounds as though it should mean 'no', so be careful you don't say yes when you mean no!! Other words commonly used for 'yes' are μάλιστα (slightly more formal) and πώς (in the sense of 'of course').

Greek people use many facial and other gestures to communicate without actually speaking. To indicate 'no' the head is tilted backwards and upwards (sometimes accompanied by a click of the tongue) and for 'yes' it is inclined forward and slightly to one side. Both of these movements can be so slight that it is very easy to miss them. The 'no' gesture in particular is frequently reduced to little more than a slight raising of the eyebrows.

Another common gesture is the shaking of the head from side to side (a bit like the English 'no' gesture) with a quizzical expression in the eyes: this indicates a query. It is very often used to mean 'What do you want?' (when you go into a shop for example) or 'Sorry, what did you say?' if the person has not understood you.

Eating Greek-style is a very informal business – between breakfast (i.e. a cup of black coffee) and dinner (taken very late in the evening, rarely before ten o'clock), Greeks nibble away until lunch, which is often huge! People like to eat out and a visitor to Greece is more likely to be invited to a meal in a restaurant than in a home.

There are two main categories of restaurant: the ταβέρνα and the εστιατόριο, though in many provinces and islands the distinction is becoming blurred.

See chapter 9 on Greek dance

The ταβέρνα tends to be open only in the evenings, and is primarily a place where people go for entertainment – to spend a night out, usually with a group of friends, often to hear live music, and perhaps dance. It will have a

limited range of main disches: meat or fish cooked on a charcoal grill, and quite a wide variety of starters – μεζέδες (μεζεδάκια) or ορεκτικά, such as τζατζίκι (tzatziki), ταραμοσαλάτα (taramosalata), ντολμάδες (dolmathes – stuffed vine leaves), σκορδαλιά (skorthalia – garlic salad), μελιτζανοσαλάτα (melitzanosalata – aubergine salad). A ταβέρνα is quite likely not to have a menu: the waiter will usually recite a list of the ορεκτικά available, and later on, a list of the main dishes. Or you may be invited into the kitchen to see what looks good. This has nothing to do with not being able to understand the menu or checking the cleanliness of the kitchen – it's simply a way of making sure you eat what you fancy!

29

The εστιατόριο is more likely to be open all day, and is particularly busy at lunch time, between 2 and 3 pm. Most of the dishes are pre-cooked in large tureens, so you can get quick service, though sometimes the εστιατόριο will also have a grill operating during the evening. There will almost certainly be a menu, though here too it is quite customary to go into the kitchen and see the food before choosing.

A taverna specialising in fish (ψάρι) and sea food is called a ψαροταβέρνα and a restaurant that serves only grilled meats is a ψησταριά.

See grammar page 269

See page 257 genders

See page 125

Ordering a meal

When you try to attract the waiter's attention, he may reply ορίστε; (yes, what is it?), or say αμέσως or έφτασα (just a minute) – not to be taken too literally!

When he comes to take your order, he will ask Τι θα φάτε; (What will you eat?) and Τι θα πιείτε; (What will you drink?).

You can ask for the menu by saying τον κατάλογο παρακαλώ (The menu please). As he hands it over, he may again say ορίστε, this time meaning 'Here you are'. Or you can ask τι έχετε; (What do you have?). And if you want a particular dish, μήπως έχετε . . .; (Do you have any . . .?) The answer may be ναι, 'yes', όχι, 'no', or simply a gesture.

To order, you can just name the item you want: ένα μουσακά παρακαλώ (moussaka please), or μία σαλάτα παρακαλώ (a salad please); whether you use ένα or μία again depends on what you're ordering.

You can also say μου φέρνετε ένα μουσακά; (Would you bring me moussaka?) or φέρτε μου ένα μουσακά (Bring me moussaka). If you're with a group of people, say μας φέρνετε . . . and φέρτε μας (bring us . . .). If you're ordering a portion of something like meat balls or stuffed tomatoes you use μία: μία κεφτέδες, μία ντομάτες γεμιστές.

If you go into the kitchen to choose, you may at first be unfamiliar with what is on offer. You can identify the various dishes by asking τι είναι αυτό; (What is that/this?)

You can order κρασί (wine) by the μπουκάλι (bottle) or you may prefer to try the local house wine, in which case ask for το δικό σας ('your own'). It will usually be appreciated if you raise your glass to wish fellow-diners καλή όρεξη, 'Good appetite'.

To call for the bill say το λογαριασμό παρακαλώ (The bill please). The service charge will normally be included.

Greek restaurants do not have a wide range of sweets: mainly fresh fruit or preserves. It is not a Greek habit to drink coffee after meals, so coffee is not usually available, except in restaurants that cater to the tourist trade. People often go to a ζαχαροπλαστείο after a meal to eat an ice cream or a cake.

7 Listen to the recording. You will hear the waiter ask τι θα φάτε; and four people ordering their meal. The first person orders one dish from the section ΟΡΕΚΤΙΚΑ and one dish from ΤΗΣ ΩΡΑΣ. The second person orders from the section ΣΑΛΑΤΕΣ and one dish from the section ΚΥΜΑΔΕΣ. The third person orders from the ΟΡΕΚΤΙΚΑ and the ΨΑΡΙΑ. The fourth person orders

ΚΑΛΗ ΟΡΕΞΗ   μέ Ούζο μπουταρη

ΟΡΕΚΤΙΚΑ	APPETIZERS
Ντολμαδες	Stuffed Vine-leaves
Τζατζικι	Tzatziki (Garlic + Yoghurt
Ταραμοσαλατα	Eggfish Salad
Μελιτζανοσαλατα	Eggplant Salad
ΨΑΡΙΑ	**FISH**
Αστακος (κιλο)	Lobster (kilogram)
Μπαρμηουνια (κιλο)	Red Mullet (kilogram)
ΛΑΔΕΡΑ	**COOKED IN OIL**
Φασολακια Φρεσκα	String Beans
Μπαμιες	Okra
Γιγαντες	Beans
ΚΥΜΑΔΕΣ	**MINCED MEAT**
Ντοματες Γεμιστες	Tomatoes Stuffed
Μακαρονια με Κιμα	Spaghetti and Mince
Μελιτζανες Παπουτσακια	Eggplants "Shoes"
Μουσακα	Moussaka
ΕΝΤΡΑΔΕΣ	**ENTREES**
Μοσχαρι: Πατατες	Veal with: Potatoes
Γιουβετσι	Veal in clay bowl
Στιφαδο	Onion Stew
Αρνακι:	Lamb with:
Πατατες	Potatoes
Μακαρονια	Spaghetti
Πιλαφι	Rice
Φασολακια	String Beans

ΨΗΤΑ	GRILLED
Μοσχαρι	Veal
Αρνι	Lamb
Κοτοπουλο	Chicken
ΤΗΣ ΩΡΑΣ	**A LA MINUTE**
Σουβλακι	Veal on Skewer
Μπριζολες	Meat Cutlets
Μπιφτεκια	Mince Burgers
Συκωτι	Liver
Παιδακια	Lamb Chops
ΣΑΛΑΤΕΣ	**SALADS**
Ντοματα με Ελιες	Tomato & Olives
Χωριατικη	Greek Salad
Κολοκυθακια	Courgettes
Αγγουρι	Cucumber
ΤΥΡΙΑ	**CHEESES**
Φετα	Feta
Κασσερι	Kasseri
Γιαουρτι	Yoghurt
ΦΡΟΥΤΑ	**FRUIT**
Αχλαδια (κιλο)	Pears (kilogram)
Μηλα (κιλο)	Apple (kilogram)
Πεπονι	Melon
Καρπουζι	Watermelon
ΓΛΥΚΑ	**DESSERTS**
Κρεμ Καραμελε	Creme Caramel
Μπακλαβας	Baclavah
Παγωτο	Ice-Cream

from the section ΛΑΔΕΡΑ and the section ΨΗΤΑ . Identify these dishes on the menu and write the English equivalents here:

●			
●			
●			
●			

8 The waiter again asks τι θα φάτε; This time *you* give the order, as follows:

- Beans and chicken.
- Tzatziki, and moussaka.
- Stuffed vine-leaves, and red mullet.
- Greek salad, and veal on skewer.

It will then be repeated for you. If you are working without the recorded materials, practise ordering the items by saying e.g. ένα τζατζίκι και ενα μουσακά παρακαλώ.

9 This time the waiter asks τι θα πιείτε; Order during the pause, choosing the items illustrated 1–4.
The correct item is then repeated for you to check.

1

a bottle of wine

2

a beer

3

a lemonade

4

a bottle of retsina

How do you say:

1 Good evening

2 Waiter!

3 The menu

4 Wine

5 Salad

6 Chicken

7 Veal

8 Here you are!

9 Greek salad

10 The bill

10 Try the following puzzle. If you get the answers to the horizontal clues right, the shaded vertical column should spell out a good place to eat lunch.

Understanding Greek

Listen to the conversation on your cassette or record. You will hear a Greek παρέα (group of friends) eating out at a ταβέρνα. Initially there is a debate about what to drink. They then ask what ορεκτικά are available. The waiter gives them a list and they choose. After they've decided, he asks και μετά, τι θα φάτε; – what will you eat afterwards? Again they decide. Finally they call for the bill and leave. Notice that one man suggests πάμε σιγά-σιγά; – Shall we think about leaving? (Literally, shall we go slowly-slowly?)

After you've listened to the conversation, answer these questions:

● What do they decide to drink?

● What ορεκτικά do they choose?

● What main dishes do they select?

Summary

1 Attracting attention

To attract the waiter's attention, say *παρακαλώ* or *γκαρσόν*.

To call for the menu, say: *τον κατάλογο παρακαλώ*.
         the bill   *το λογαριασμό παρακαλώ*.

2 Ordering a meal

The waiter may ask:
τι θα φάτε;
τι θα πιείτε;

To order, you can simply state what you want:
ένα μουσακά παρακαλώ,
μία σαλάτα παρακαλώ.

Or you can say:
μας (μου) φέρνετε . . .
φέρτε μας (μου) . . .

To ask
'Have you got . . .?' say: *μήπως έχετε . . .;*
'What have you got?'   *τι έχετε;*
'What's that (this)?'   *τι είναι αυτό;*

Now try reading the following conversations, which are recorded on your cassette or record. Listen to them, and practise saying them aloud as often as possible.

1 Have you got . . .?
- Τον κατάλογο παρακαλώ.
- Ορίστε.
- Ευχαριστώ. Μήπως έχετε μουσακά;
- Όχι.
- Μήπως έχετε κεφτέδες;
- Όχι.
- Μήπως έχετε σουβλάκια;
- Όχι.
- Τι έχετε;
- Μόνο κοτόπουλο.

κεφτέδες	meat balls
σουβλάκια	pieces of meat grilled on a skewer
μόνο	only
κοτόπουλο	chicken

2 What have you got, and what's that?
- Τι θα φάτε;
- Τι έχετε;
- Ελάτε να δείτε.

. . . .

- Τι είναι αυτό;
- Ντομάτες γεμιστές.

34

- Και αυτό;
- Ψάρι.
- Εντάξει – μία ντομάτες γεμιστές παρακαλώ.
- Μάλιστα.

| Ελάτε να δείτε | Come and look |
| ντομάτες γεμιστές | stuffed tomatoes |

3 And to drink?
- Τι θα πιείτε;
- Ένα μπουκάλι ρετσίνα παρακαλώ.
- Μάλιστα.
- Μας φέρνετε και νερό παρακαλώ.
- Αμέσως.
- Ευχαριστούμε.

Notice και before the word: 'water as well'

ευχαριστούμε   (We) thank you

You should now be starting to become familiar with the Greek script, but remember the Greek saying *σιγά-σιγά* ('take it easy') – don't be surprised if you don't master it entirely in such a short time!

Dionysos lives . . .

Words on wine labels
are often katharevousa
forms e.g. οίνος (wine) see page 144

The Greek god of wine Dionysos (Διόνυσος) is alive and well in many a Greek cafe and taverna called after him. Greek wine (κρασί) may be red (κόκκινο or μαύρο), white (άσπρο) or rosé (ροζέ); it may be dry (ξερό) or sweet (γλυκό).

And of course there is an abundance of local wine (ντόπιο κρασί) produced from region to region, and from island to island – particularly in Crete. It'll usually be served draught (χύμα) and ordered by the half kilo or kilo.

No visitor to Greece will go for long without eating a so-called 'Greek salad' (χωριάτικη), which actually means 'village salad', the mainstay of which is the ubiquitous salted sheep's milk cheese known as φέτα. But not all Greek cheese (τυρί) is φέτα:

Κασέρι (kaséri): is a firm yellowish cheese

Μυζήθρα (mizíthra): a white goat's or ewe's milk cheese, a version of which called μανούρι (manoóri) resembles full fat soft cheese

Γραβιέρα (graviéra): the Greek version of Gruyère.

Of course no χωριάτικη would be complete without olives (ελιές), the main centres for which are Amfissa and Kalamata.

3

ΠΟΥ ΕΙΝΑΙ...;

Asking the way

To find your way around a Greek village or town you'll need to be able to read the signs, and become familiar with certain place names and landmarks. The following list contains some common examples of these as well as some useful vocabulary for asking the way. They are all in capital letters.

1 ΑΝΟΙΧΤΟ	11 ΟΔΟΣ	21 ΞΕΝΟΣ
2 ΚΛΕΙΣΤΟ	12 ΕΙΣΙΤΗΡΙΟ	22 ΕΥΡΩΠΗ
3 ΒΙΒΛΙΑ	13 ΤΗΛΕΦΩΝΟ	23 ΠΕΛΟΠΟΝΝΗΣΟΣ
4 ΒΙΒΛΙΟΠΩΛΕΙΟ	14 ΦΟΥΡΝΟΣ	24 ΑΥΡΙΟ
5 ΠΛΑΤΕΙΑ	15 ΣΤΑΘΜΟΣ	25 ΑΥΤΟΚΙΝΗΤΟ
6 ΟΜΟΝΟΙΑ	16 ΧΑΛΚΙΔΙΚΗ	26 ΚΑΘΑΡΙΣΤΗΡΙΟ
7 ΣΥΝΤΑΓΜΑ	17 ΦΕΣΤΙΒΑΛ	27 ΚΕΝΤΡΟ
8 ΑΓΓΛΙΑ	18 ΠΕΡΙΠΤΕΡΟ	28 ΜΕΤΕΩΡΑ
9 ΕΛΛΑΔΑ	19 ΕΚΚΛΗΣΙΑ	29 ΜΕΤΣΟΒΟ
10 ΟΥΖΕΡΙ	20 ΟΛΥΜΠΟΣ	30 ΠΗΛΙΟ

1 Turn to your record or cassette. As before, the pattern is *listen, repeat, listen and check*.

2 Rewind the cassette to the beginning of (1). Use the pause button after the numbers and try your own reading first. Then *listen and check*.

3 Now here are the same words, this time written with small letters. Compare the two lists.

1 ανοιχτό	11 οδός	21 ξένος
2 κλειστό	12 εισιτήριο	22 Ευρώπη
3 βιβλία	13 τηλέφωνο	23 Πελοπόννησος
4 βιβλιοπωλείο	14 φούρνος	24 αύριο
5 πλατεία	15 σταθμός	25 αυτοκίνητο
6 Ομόνοια	16 Χαλκιδική	26 καθαριστήριο
7 Σύνταγμα	17 φεστιβάλ	27 κέντρο
8 Αγγλία	18 περίπτερο	28 Μετέωρα
9 Ελλάδα	19 εκκλησία	29 Μέτσοβο
10 ουζερί	20 Όλυμπος	30 Πήλιο

Rewind your cassette and complete the same pattern as in (1) and (2).

ανοιχτό, κλειστό: 'open' and 'closed'. These are the spoken versions; on shop doors etc. you will still often see ΑΝΟΙΚΤΟΝ, ΚΛΕΙΣΤΟΝ.

See also page 11

See chapter 5: Buying Things

βιβλία: books, to be bought in a *βιβλιοπωλείο*. Note that words with the ending *-πωλείο* have to do with selling: e.g. *παντοπωλείο*, a grocer's or general store.

πλατεία: 'square': both in the villages and the larger towns, the *πλατεία* is an important centre of activity, where people gather to sit and talk at various times of the day, and particularly in the early evening, under a plane tree, sipping a glass of ouzo or retsina . . .

Ομόνοια, Σύνταγμα: the two main squares in Athens. The former has an underground station connecting with the port of *Πειραιάς* (Piraeus), and the latter is the site of the Parliament building. It's a favourite place for a leisurely coffee at one of the many *ζαχαροπλαστεία*.

Αγγλία: England. Scotland is: *Σκωτία*, Ireland: *Ιρλανδία*, Wales: *Ουαλία*. Northern Ireland is: *Βόρεια Ιρλανδία*.

Ελλάς is the Katharevousa form of Ελλάδα

Ελλάδα: Greece.

See also chapters 1 and 2

ουζερί : a place to drink *ούζο*, and eat *μεζέδες*.

οδός: the word for street, that you'll see on most Greek street names, though you'll hear people often refer to just '*Panepistimíou*', '*Stadíou*', etc.

εισιτήριο: ticket, whether for a bus, a museum, theatre, or football match.

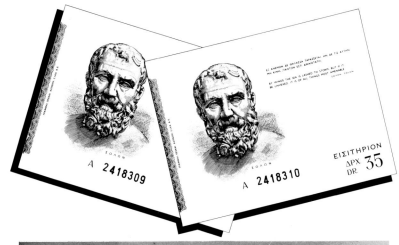

τηλέφωνο:telephone. You'll also see the sign: *εδώ τηλεφωνείτε* – 'telephone from here'.

See also page 64

φούρνος : oven – this is what you ask for to find the baker's; the sign over his shop will be completely different – ΑΡΤΟΠΟΙΕΙΟΝ, ΑΡΤΟΠΩΛΕΙΟΝ or ΠΡΑΤΗΡΙΟΝ ΑΡΤΟΥ – but don't be misled by this! ΑΡΤΟΣ is the ancient word for bread, which is now known as *ψωμί*. In many Greek villages you'll often see women carrying their *ταψί* (*tapsí* – i.e. a shallow metal baking tray) to the baker's oven, which serves as a communal oven in small communities and even in parts of Athens.

Χαλκιδική : an attractive, wooded area in the north of Greece, east of *Θεσσαλονίκη*, consisting of three southward projecting promontories. The one to the east is Mount Athos, which is also called the 'Holy Mountain'. It is the site of a number of monastic communities, some of them over a thousand years old. No female, human or animal, is allowed on this part of the promontory.

περίπτερο: a street kiosk, that sells a thousand and one useful items, from pick-me-ups to postcards, deodorants to detergents, shaving cream to suntan lotion, and is open much longer hours than the shops. Often run by war-injured: ΑΝΑΠΗΡΟΣ ΠΟΛΕΜΟΥ – is a sign you'll sometimes see on the wall of a kiosk.

In addition, the *periptero* usually has a telephone, from which you can make local calls, and, if a special meter has been installed, even long-distance and international calls.

Όλυμπος: Mount Olympus, the home of the ancient gods, in Thessaly. It rises to almost 3,000 metres, and a road on the inland side goes up to about 2,000 metres. On a clear spring day there is a spectacular view of the mountain from *Θεσσαλονίκη*.

ξένος: 'stranger'. The word is used for anyone who is not from your town or village. It means 'foreigner', but an Athenian in *Ναύπλιο*, for example, is also a *ξένος*. Because of the Greek tradition of extending hospitality to strangers, it also means 'guest'.

Ευρώπη: 'Europe'. Greece is often called the 'cradle of European civilization'. Many aspects of Greek life are in fact connected with eastern influences and Greece's position within the Byzantine and Ottoman Empires. The link with Europe was firmly established when Greece became a member of the common market (EOK=EEC) on 1st January 1981.

Πελοπόννησος: the southernmost part of mainland Greece – the Peloponnese.

αύριο: tomorrow.

See chapter 6

αυτοκίνητο: motor car.

καθαριστήριο: a place to get your clothes dry-cleaned (*καθαρός*: clean).

Μετέωρα: Meteora – a spectacular cluster of pillars of rock rising vertically from the plain of Kalambaka in Thessaly (Northern Greece), on top of which are perched fourteenth century Byzantine monasteries, some still inhabited by monks.

Μέτσοβο: Metsovo – a mountain village in Epirus, Northern Greece, which has preserved many aspects of traditional Greek village life, alongside discotheques and a modern cheese factory using milk from imported Swiss cows. Nomadic Vlach shepherds tend the sheep in the surrounding hills and the Vlach language (akin to modern Roumanian) can be heard in the village itself.

Μετέωρα

Πήλιο: Pilion – the mountainous region reached via the port of Volos, offering beautiful beaches in summer and skiing in winter, as well as examples of traditional *arkhondiká* architecture in villages such as Makrinítsa and Visítsa.

εκκλησία: church. The Greek Orthodox Church split with the Roman Catholic church in 1054. Apart from its religious function, the church is very much a social and political force in Greece. Parish priests often marry and have children and share the labours of the community; politicians crack coloured eggs alongside bishops at Easter time. Greek villages are often named after a saint: *αγιος*, e.g. *Άγιος Νικόλαος*.

κέντρο: 'centre'. On a road sign it means 'town centre'. It is also often used to mean a 'centre of entertainment' – a place for a night out – often a taverna with a dance floor (*πίστα*) and live music. People often drive long distances to enjoy a meal at an *εξοχικό κέντρο* – a 'centre' in the countryside.

Attracting attention 2

Pronunciation: see (4) and (6)

Asking the way

See Grammar, page 257
(masculine, feminine, neuter)

If you want to stop a passer-by to ask the way, you can do so by saying
παρακαλώ. Or you can say συγγνώμη or με συγχωρείτε (excuse me).

To find the way to a specific place, ask: Πού είναι . . .; (Where is . . .?). For
example:

Πού είναι ο φούρνος;	Where is the baker's?
Πού είναι η τράπεζα;	Where is the bank?
Πού είναι το ταχυδρομείο;	Where is the post office?

There are three different words for 'the': *o, η, το*. You should try to
remember which to use with each new word as you meet it. In this chapter,
all words ending in --*ος* have *o*: those ending --*α* have *η*: and those ending in
--*o* have *το*. This pattern doesn't always work, but it's generally a useful
guide to help you remember which word for 'the' to use.

4 On your record or cassette you will hear a woman asking her way to some
of the places marked on the map below. Listen carefully as she asks *Με
συγχωρείτε, πού είναι . . .;* and then *repeat* the question, following the
intonation of her voice as closely as possible. You will then hear *the question*
again, so that you can check if you've got it right. Finally, identify each place
she is asking the way to on the map, and put the number next to it in the
appropriate box.

1 baker's	**7 chemist's**
2 bus station	**8 hotel**
3 square	**9 taverna**
4 church	**10 kiosk**
5 bank	**11 patisserie**
6 post office	**12 toilet**

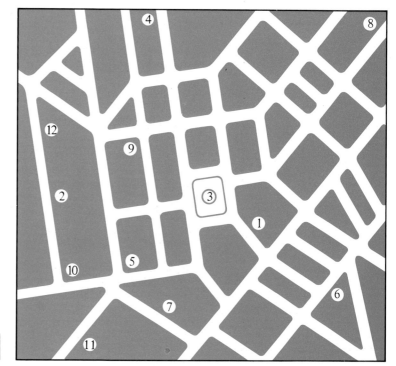

If you are working without the recorded materials, practise asking your way to the places numbered 1-6 on the map, using the pattern *Με συγχωρείτε, πού είναι . . .;*

If you want to know whether there's a baker's, bank, post office etc. nearby, you can ask: *Υπάρχει . . . εδώ κοντά;* (Is there a . . . nearby?)

Notice that in this pattern there is no word for 'a':

For pronunciation see (6) below

Υπάρχει φούρνος εδώ κοντά;	(baker's)
Υπάρχει τράπεζα εδώ κοντά;	(bank)
Υπάρχει ταχυδρομείο εδώ κοντά;	(post office)

5 This time you will hear a man asking if there's a bank etc. nearby: *Συγγνώμη, υπάρχει . . . εδώ κοντά;* Again, *repeat* the *question, listen* to it again and check. This question has a different intonation from the one in 4 – again, try to imitate it as closely as possible. Now identify the place he is asking for on the map and put the number next to it in the appropriate box.

1	2	3	4	5	6

If you are working without the recorded materials, ask the question *Συγγνώμη, υπάρχει . . . εδώ κοντά;* filling the gap with the places numbered 7-12.

Questions

You can ask a question either by using a 'question word' such as *πού;* (where?), *τι;* (what?), and so on, or by changing the intonation. The statement *Υπάρχει τράπεζα στο Σύνταγμα* (There is a bank in Sindagma) can be made a question – *Υπάρχει τράπεζα στο Σύνταγμα;* (Is there a bank in Sindagma?) – just by the way you say the words. Listen out for this intonation whenever you can, whether in the recorded material for this course (5 above) or when you are in Greece, and try to imitate it as closely as possible.

Understanding directions

When you're given directions, you should concentrate on picking out the important words in the answer, rather than trying to understand every single word that is said to you. Key words are:

For pronunciation listen to dialogue (6)

αριστερά: left
δεξιά: right
ευθεία or ίσια: straight on

6 Listen again to your record or cassette. You'll hear a girl asking her way to some places and this time receiving directions. Listen carefully to them, and mark each time she has to turn left or right, or is told to go straight on, in the spaces below, using the signs → ← ↑ :

You'll also need to know στενό (side-street), δρόμος (street) and γωνία (corner).

Also: πρώτο, δεύτερο, τρίτο (first, second, third).

Many of the island and mountain villages are very hilly, and you'll often hear πάνω (up) and κάτω (down).

 7 Listen again to (6). This time note whether she has to turn at the first, second, or third street.

1 ....

2 ....

3 ....

4 ....

If you want to know whether it's a long way, ask Είναι μακριά; The answer may be όχι, είναι κοντά (No, it's nearby.)

If you can't follow the directions you receive, you can always say δεν κατάλαβα (I didn't understand) or δεν καταλαβαίνω (I don't understand) and ask people to speak πιο αργά παρακαλώ (more slowly please). You'll sometimes get the response δεν ξέρω – I don't know, or ξένος είμαι – I'm a stranger, which you'll also find useful when Greeks ask *you* the way!

8 Many streets and squares in Greece are named after foreign statesmen who have played an important role in Greek history. Try to work out who the following were named after; note that some of them have been given a Greek ending. (The last two are often used as landmarks when giving directions in Athens.)

άγαλμα = statue

1 Οδός Τσώρτσιλλ   5 Πλατεία Κάνιγγος

2 Οδός Χιλλ   6 Άγαλμα Βύρωνος

3 Οδός Τζων Κέννεντυ   7 Άγαλμα Τρούμαν

4 Οδός Φρ. Ρούζβελτ

Streets and squares are also named after famous Greeks of course. The street in the illustration bears the name of Hippocrates, the physician.

47

Understanding Greek

On your record or cassette you will hear two people trying to find their way to the 'Alex' theatre (θέατρο). Some confusion arises, because there is also a cinema (σινεμά) called the 'Alex'. Listen carefully to the recording and then answer the questions.

- What directions are they given by the passer-by?
- Why are the directions incorrect?
- Where do they next ask the way?
- What directions are they now given?
- Do they arrive in time for the performance?

θα πάρετε	you take
να ρωτήσουμε στο περίπτερο	let's ask at the kiosk
νάτο!	there it is
θα πάτε	you go
εκεί	there
άρχισε η παράσταση;	has the performance begun?

If you've managed to get this far, you'll no doubt feel the same relief as one of the characters in the dialogue and want to give credit where it's due:
Δόξα σοι ο Θεός Praise be to God – or simply 'Thank Goodness'!

Summary

1 Attracting attention 2

παρακαλώ
συγγνώμη
με συγχωρείτε

2 Asking where something is

To ask where something is, say:

Πού είναι	*ο φούρνος;*
	η τράπεζα;
	το ταχυδρομείο;

3 Asking if there's one nearby

To ask if there's a baker's etc. nearby, say:

Υπάρχει	*φούρνος*	*εδώ κοντά;*
	τράπεζα	
	ταχυδρομείο	

Make sure the intonation's right.

4 Asking if it's far

Word order in Greek is flexible: you'll also hear: όχι, είναι κοντά.

To ask if it's far, say: *Είναι μακριά;*

If it's not, you may be told: *Όχι, κοντά είναι.*

5 Understanding directions

You'll need to recognise when you're told:

αριστερά, δεξιά, ευθεία or *ίσια*
στενό, δρόμος, γωνία
πρώτο, δεύτερο, τρίτο
πάνω, κάτω

6 If you don't understand

When you don't understand, say:

Δεν κατάλαβα
Δεν καταλαβαίνω

To get people to speak more slowly, say:

Πιο αργά παρακαλώ.

 Now look at the following conversations, which are recorded on your cassette or record. Listen to them several times and practise saying them as often as you can.

1 Where's the bank?
- Παρακαλώ. Πού είναι η τράπεζα;
- Ίσια, δεξιά.
- Είναι μακριά;
- Όχι, πολύ κοντά.
- Ευχαριστώ.

2 Where's the chemist's?
- Παρακαλώ, πού είναι το φαρμακείο;
- Κάτω στην πλατεία. Δεξιά κάτω.
- Πιο αργά παρακαλώ. Δεν κατάλαβα.
- Δεξιά κάτω.
- Ευχαριστώ πολύ.

3 Where's the post office?
- Συγγνώμη. Πού είναι το ταχυδρομείο;
- Θα πάρετε το τρίτο στενό αριστερά.
- Ευχαριστώ πολύ.
- Παρακαλώ.

στην: in the

Θα πάρετε = Take

4 TI KANETE;

Meeting people

So far, the Greek you've learnt has been mainly functional: ordering drinks or food, and finding your way around. This chapter is more to do with getting to know Greeks as people. Before that, however, a final look at the Greek alphabet.

The words listed below are all taken from chapters one to three. They contain all the letters of the Greek alphabet.

1 πλατεία	11 Αγγλία	21 κοτόπουλο
2 ΑΠΑΓΟΡΕΥΕΤΑΙ	12 γειά σας	22 λογαριασμό
3 εκκλησία	13 ΤΟΥΑΛΕΤΤΑ	23 ΕΣΤΙΑΤΟΡΙΟ
4 ΖΑΧΑΡΟΠΛΑΣΤΕΙΟ	14 βόλτα	24 εντάξει
5 ΤΑΧΥΔΡΟΜΕΙΟ	15 τυρόπιττα	25 Όλυμπος
6 ΕΞΟΔΟΣ	16 καλησπέρα	26 ανοιχτό
7 Θεσσαλονίκη	17 γκαρσόν	27 εισιτήριο
8 μεζέδες	18 ΦΑΡΜΑΚΕΙΟ	28 ευχαριστώ
9 παγωτό	19 αύριο	29 μπύρα
10 αυτοκίνητο	20 ντομάτες	30 ΨΑΡΟΤΑΒΕΡΝΑ

1 Turn to your recording. After you hear the number, *listen* to the word, *repeat* it and then *listen and check* if you've got it right.

You should now be quite familiar with the letters of the Greek alphabet and their sounds. Here they are in alphabetical order:

Α Β Γ Δ Ε Ζ Η Θ Ι Κ Λ Μ Ν Ξ Ο Π Ρ Σ Τ Υ Φ Χ Ψ Ω
α β γ δ ε ζ η θ ι κ λ μ ν ξ ο π ϱ σ/ς τ υ φ χ ψ ω

Notice that, broadly speaking, the letters that either *look* or *sound* like English letters (Α Β Η Π) are in the same order as the English alphabet. The letters that occur in a 'surprising' position are Γ Ζ Θ Ξ and the four at the end of the alphabet: Φ Χ Ψ Ω. With a little practice, you'll soon find your way about the alphabet so that you can look up words you don't know in the glossary at the end of the book.

A complete guide to the pronunciation of the letters and groups of letters is set out on page 278.

At this stage, note the following combinations of letters:

ντ represents the sounds 'nd' and 'd'. Broadly speaking the letters are pronounced 'nd' when they occur in the middle of a word (εντάξει) and 'd' at the beginning of a word (ντισκοτέκ).

μπ represents the sounds 'mb' and 'b'. Broadly speaking, they are pronounced 'mb' in the middle of a word, and 'b' at the beginning of a word (μπαρ, μπράβο).

γγ is 'ng' as in Αγγλία.

γκ is 'g' at the beginning of a word (γκαζόζα, γκαρσόν) and 'ng' in the middle of a word.

Some letters or combinations of letters represent exactly the same sound: η, ι, υ and the pairs ει and οι are all pronounced in exactly the same way (εισιτήριο, μπύρα, ανοιχτό), ε and αι are also exactly the same sound (χαίρετε) and there is no difference between ο and ω (παγωτό).

This means that it is not always easy to spell a Greek word that you hear; but, unlike English, any letter or combination of letters is generally pronounced in the same way, so you can usually be sure of saying a word correctly when you see it written down. The best way to remember the sounds and letters is to review constantly the dialogues in this book and on the cassettes, as well as the word lists in chapters 1 to 4. If you do this, you'll soon wonder why the Greek alphabet ever seemed such an obstacle!

How are you?

Saying how you are

When you want to ask someone how they are, you can say τι κάνετε; ('formal') or τι κάνεις; ('informal'). You can also say:

πώς είσαστε; ('formal') or πώς είσαι; ('informal'). These all mean 'how are you?'.

Listen to the following conversations on your cassette or record and then read them through aloud. Whenever possible, practise them with another person.

See page 265 (Grammar)

1 Mr Lekkas meets Mrs Anousaki, from the apartment opposite.
● Καλημέρα σας κυρία Ανουσάκη.
● Καλημέρα κύριε Λέκκα. Τι κάνετε;
● Καλά ευχαριστώ. Εσείς τι κάνετε;
● Πολύ καλά ευχαριστώ . . .

Mr Phokas is greeted by a distant acquaintance.
- Χαίρετε κύριε Φωκά.
- Καλησπέρα σας. Πώς είσαστε;
- Καλά ευχαριστώ. Εσείς;
- Πολύ καλά . . .

Maria meets her friend Nikos.
- Γειά σου Νίκο.
- Γειά σου Μαρία. Τι κάνεις;
- Καλά. Εσύ τι κάνεις;
- Μιά χαρά . . .

Note the stress on μιά in this expression.

Eleni encounters a fellow student, Yorgos.
- Καλημέρα Γιώργο.
- Καλημέρα Ελένη. Τι κάνεις;
- Μιά χαρά. Εσύ;
- Καλά. Ας τα λέμε καλά . . .

You would say τι κάνετε; or πώς είσαστε; to several people, or to someone you have just met, or with whom you're on formal terms.

To someone you know well, you would say τι κάνεις; or πώς είσαι;

κι is a contraction of και (and)

The reply might be: καλά (well), πολύ καλά (very well), μιά χαρά (fine), έτσι κι έτσι (so-so), or ας τα λέμε καλά (can't complain).

To respond to the question τι κάνετε; you can ask in return εσείς τι κάνετε; (how are *you*?) or, more commonly, just εσείς; (and you?).

If the question is τι κάνεις; you can respond with εσύ τι κάνεις; or simply εσύ;

2 Fill in the gaps in the following conversations by choosing the appropriate word or words from the right-hand column. Then listen to the completed dialogue on your cassette or record.

1 Mr Sklirakis meets a business associate.
- Γειά σας κύριε Σκληράκη .... *Εσείς;*
- Καλά ευχαριστώ .... *Τι κάνετε;*
- ....ευχαριστώ. *Πολύ καλά*

2 Aliki sees her friend Kostas.
- .... Κώστα. *Τι κάνεις;*
- Γειά σου Αλίκη .... *Εσύ τι κάνεις;*
- Μιά χαρά .... *Καλά*
- .... *Γειά σου*

3 Two neighbours meet each other at the bus stop.
- Καλησπέρα. *Ας τα λέμε καλά*
- Καλησπέρα σας .... *Πολύ καλά*
- .... ευχαριστώ .... *Τι κάνετε;*
- .... *Εσείς;*

53

When you're addressing someone directly, you leave the final 'ς' off the name, if it has one:

γειά σου Κώστα (his name is Κώστας)
γειά σας κύριε Σκληράκη (his name is Σκληράκης).

And when a woman marries, she takes her husband's name, but without the final 'ς': Mr Sklirakis's wife would be called Σκληράκη. If her husband's surname ends in --ος her surname will end in --ου: ο κύριος Μαύρος but η κυρία Μαύρου.

You also only use κύριε when speaking directly to someone. See page 262

Saying who you are and what you do

You'll find that when people meet each other casually in Greece, the conversation very quickly moves into areas that can be quite surprising to the English sense of reserve. 'What do you do?', 'How much do you earn?', 'Are you married?', 'How many children do you have?' are all common conversational questions. This does not mean that people are 'prying' – feel free to ask the same kind of question yourself. You can ask:

Also: where are you staying?

Από πού είσαστε;	Where are you from?
Πού μένετε;	Where do you live?
Τι δουλειά κάνετε;	What work do you do?
Πώς σας λένε;	What's your name?

You would use these questions with someone you didn't know very well. Informally, you could ask:

Από πού είσαι;
Πού μένεις;
Τι δουλειά κάνεις;
Πώς σε λένε;

Listen to the following conversations on your cassette or record, and then read them through aloud.

5 A young Greek, Kostas, falls into conversation with Peter, an English tourist. Kostas lives in Kaisariani, a suburb of Athens, though he's originally from Nafplio, a resort in the Peloponnese. Kostas speaks first.

See page 21

Notice again that the order of words is often different from English

- Γειά σου.
- Γειά σου.
- Έλληνας είσαι;
- Όχι, Άγγλος. Από πού είσαι;
- Από το Ναύπλιο.
- Στην Αθήνα μένεις;
- Ναι. Στην Καισαριανή.
- Τι δουλειά κάνεις, αν επιτρέπεται;
- Δουλεύω σε εργοστάσιο.
- Μάλιστα. Πώς σε λένε;
- Κώστα. Εσένα;
- Πήτερ.
- Χαίρω πολύ, Πήτερ.

Greek	English
Έλληνας είσαι;	Are you Greek?
αν επιτρέπεται;	if you don't mind (my asking)
δουλεύω σε εργοστάσιο	I work in a factory
εσένα;	(and) you?
χαίρω πολύ	pleased to meet you

See grammar page 265

6 Thanos Mavilis from Veria introduces himself to Yorgos Kondos at a party. Kondos speaks first.

- Καλησπέρα σας.
- Καλησπέρα. Πως σας λένε;
- Γιώργο Κοντό.
- Θάνος Μαβίλης. Χαίρω πολύ.
- Από πού είσαστε κύριε Μαβίλη;
- Από τη Βέροια.
- Και πού μένετε τώρα;
- Στη Θεσσαλονίκη. Έχω διαμέρισμα εκεί.
- Τι δουλειά κάνετε, αν επιτρέπεται;
- Δικηγόρος. Εσείς;
- Είμαι καθηγητής.

See map page 20

τώρα	now
έχω διαμέρισμα εκεί	I have a flat there
δικηγόρος	lawyer
καθηγητής	teacher, professor

Apartments

Greeks live either *στο χωριό* (in the village) or *στην πόλη* (in the town).

In Athens and Thessaloniki, and some of the provincial towns, people tend to live more and more in a *διαμέρισμα* (apartment) in a *πολυκατοικία* (apartment building).

Almost all apartments from the first floor upwards have a *μπαλκόνι* (balcony), however small, since Greek life tends to be lived outside the house for most of the year, because of the climate; in some ways the *μπαλκόνι* is the urban version of the *αυλή*, or courtyard, of a village home.

See numbers, page 71

The apartments themselves are described according to the number of rooms. A *γκαρσονιέρα* nowadays usually means a one-room flat; a *δυάρι* has two rooms, a *τριάρι* three, and so on. This number does not include the kitchen, bathroom or hall: a *δυάρι* will have a *σαλόνι* (sitting room), *κρεββατοκάμαρα* (bedroom), *κουζίνα* (kitchen), *λουτρό* (bathroom) and probably a small *χωλ* (hall).

o . . . η . . . το

The word for 'the' is used much more in Greek than in English.
Athens is *η Αθήνα*, for example. Some towns have *o* and some have *το*:

o Βόλος,   *το Ναύπλιο*.

Most of the islands have *η*, even though they end in --ος,

η Άνδρος,   *η Σίφνος*,   *η Μύκονος*.

This is also the case with the names of foreign towns: London is *το Λονδίνο*, and New York is *η Νέα Υόρκη*. And with countries:

See below page 60

η Αγγλία,   *η Αμερική*,   *η Ελλάδα*.

The word 'the' is also used with personal names: Nikos is *o Νίκος*, and Maria is *η Μαρία*. More formally, Mr Sklirakis is *o κύριος Σκληράκης* and his wife *η κυρία Σκληράκη*.

Where are you from?
Where do you live?

η becomes τη or την and ο becomes
το or τον – see grammar page 260

When a person wants to say he's 'from Athens' it's:

    από την Αθήνα
and *από το Βόλο*   : from Volos
    από το Ναύπλιο : from Nafplio

In Athens is   *στην Αθήνα*
In Volos: *στο Βόλο*
In Nafplio: *στο Ναύπλιο*.

If you want to say you're from London or New York, it's:

από το Λονδίνο   *από τη Νέα Υόρκη*

and 'in London', 'in New York' is:

στο Λονδίνο   *στη Νέα Υόρκη*.

With countries, it's:

(from) *από την Αγγλία*   *από την Αμερική*   *από την Ελλάδα*
(in)   *στην Αγγλία*   *στην Αμερική*   *στην Ελλάδα*

What's your job?

When you want to say what you do, you can simply state your job or profession: *ταξιτζής* (taxi-driver), *δάσκαλος* (teacher) or *δασκάλα* (if you're a woman), *ναυτικός* (sailor), and so on. Or you can say *είμαι ταξιτζής* (I'm a taxi-driver). You may also want to say *δουλεύω σε* (I work in/at) – *δουλεύω σε τράπεζα* – I work in a bank. Or *έχω γραφείο* (I have an office), *έχω χωράφια* (I have a farm).

Negatives

You can make any statement negative by adding *δεν*:

είμαι ταξιτζής   I'm a taxi-driver
δεν είμαι ταξιτζής   I'm not a taxi-driver
δουλεύω σε τράπεζα   I work in a bank
δεν δουλεύω σε τράπεζα I don't work in a bank.

Similarly with questions:
υπάρχει ταβέρνα εδώ κοντά;   Is there a taverna near here?
δεν υπάρχει ταβέρνα εδώ κοντά; Isn't there a taverna near here?

3 A census was taken in Greece in 1981. Imagine that you were one of the interviewers collecting the information, and questioned three people who happened to be on the island of Andros on holiday. The answers are given for you: ask the questions (using the 'formal' form), and then listen to the completed dialogues on your cassette or record.

1 Maria, an office-worker from Athens.

Από πού είσαστε;   Από την Αθήνα.
....   Στη Βέροια.
....   Μαρία Νικολαΐδη.
....   Δουλεύω σε γραφείο.

Andros, which can be reached by ferryboat from the port of Rafina, is one of the greenest of the Cyclades Islands, and claims to have the most water (it's a well-known source of mineral water). It's popular with Greek tourists and shipowners (who own many of the fine Venetian mansions), and survives also on its agriculture and on the revenue from the many sailors for which the island is renowned.

2 Yorgos, a taxi-driver from Nafplio.

....   Στη Θεσσαλονίκη.
....   Γιώργο Πετρόπουλο.
....   Ταξιτζής.
....   Από το Ναύπλιο.

3 Nikos, a teacher from Volos.

....   Νίκο Αθανασιάδη.
....   Από το Βόλο.
....   Στην Αθήνα.
....   Είμαι δάσκαλος.

4 Island hopping

Unscramble the following islands:

ΣΝΑΔΟΡ   ΜΑΣΣΟ
ΟΣΥΜΝΟΚ   ΔΟΟΡΣ
ΦΙΣΣΟΝ   ΗΤΚΡΗ

The Greek for 'island' is: *το νησί*.

Do you speak English?

If you want to ask 'do you speak English?', say: μιλάτε Αγγλικά; or, informally, μιλάς Αγγλικά;

Listen to the following two dialogues on your recording, and read them through aloud.

7 An encounter on the beach
- Γειά σου.
- Γειά σου.
- Από πού είσαι;
- Από την Αγγλία.
- Μπα! Αγγλίδα, και μιλάς Ελληνικά;
- Ε! Λίγα. Εσύ μιλάς Αγγλικά;
- Καθόλου.
- Δεν πειράζει . . . .

Αγγλίδα	English woman
Ελληνικά	Greek (language)
Ε! λίγα	just a little
καθόλου	not at all
δεν πειράζει	never mind, it doesn't matter

59

8. In the hotel foyer
- Καλησπέρα σας.
- Καλησπέρα.
- Από πού είσαστε; Είσαστε Γερμανός;
- Όχι, είμαι Αγγλος. Από την Αγγλία.
- Και μιλάτε Ελληνικά;
- Λίγα μιλάω. Εσείς μιλάτε Αγγλικά;
- Μερικές λέξεις.

Γερμανός   German
μερικές λέξεις   a few words

England is *η Αγγλία*, and English (the language) is *Αγγλικά*. A man from England is called an *Αγγλος* and a woman an *Αγγλίδα*. Look at this list, and notice the connection between the name of the country, the language, and the words for a man and a woman national.

You'll also hear Εγγλέζικα, Εγγλέζος and Εγγλέζα.

You'll also hear Αμερικανικά and Αμερικανός, stressed on the last syllable.

Country	Language	Man	Woman
η Αγγλία	Αγγλικά	Αγγλος	Αγγλίδα
η Ελλάδα	Ελληνικά	Ελληνας	Ελληνίδα
η Γαλλία	Γαλλικά	Γάλλος	Γαλλίδα
η Ιταλία	Ιταλικά	Ιταλός	Ιταλίδα
η Αμερική	Αμερικάνικα	Αμερικάνος	Αμερικανίδα
η Ρωσσία	Ρωσσικά	Ρώσσος	Ρωσσίδα
η Γερμανία	Γερμανικά	Γερμανός	Γερμανίδα
η Ισπανία	Ισπανικά	Ισπανός	Ισπανίδα
η Αυστραλία	–	Αυστραλός	Αυστραλέζα

πρόεδρος = president

5 Here are the names of some world leaders taken from the Greek press in 1982. What is the name of their country?

1 ο πρόεδρος Ρήγκαν   .....
2 ο πρόεδρος Καραμανλής   .....
3 ο πρόεδρος Μιττεράν   .....
4 ο πρόεδρος Μπρέζνιεφ   .....
5 η κυρία Θάτσερ   .....
6 ο Μενάχεμ Μπέγκιν   .....
7 ο κύριος Σπαντολίνι   .....
8 ο Γιασέρ Αραφάτ   .....
9 ο Τεγκ Σιάου Πιγκ   .....
10 ο Αντρέας Παπανδρέου   .....

Understanding Greek

On your cassette or record, you will hear a conversation between a man and a woman who are obliged to share the same table at lunch on a crowded inter-island boat. Listen carefully to it, and then answer the questions.
- Where is the woman going?
- Where does she come from?
- Where does she live?
- Where does the man live?
- Where does he come from?
- What does he do?
- What is his name?

επιτρέπεται να καθήσω;   May I sit here?
βεβαίως   of course
καθηγητής πανεπιστημίου   university teacher

Below decks on a Greek
ferryboat.

Summary

1 Saying how you are

To ask 'How are you?', say:

Τι κάνετε;	or	*Τι κάνεις;*
Πώς είσαστε;	,,	*Πώς είσαι;*

To say how you are:

(πολύ) καλά
μιά χαρά
έτσι κι έτσι
ας τα λέμε καλά.

And to enquire in turn:

Εσείς;	or	*Εσείς τι κάνετε;*
Εσύ;	,,	*Εσύ τι κάνεις;*

**2 Saying who you are and
what you do**

Πώς σας λένε;	or	*Πώς σε λένε;*
Από πού είσαστε;	,,	*Από πού είσαι;*
Πού μένετε;	,,	*Πού μένεις;*
Τι δουλειά κάνετε;	,,	*Τι δουλειά κάνεις;*

To say where you're from:

(ειμαι)
από την Αθήνα
από το Βόλο
από το Ναύπλιο
από το Λονδίνο
από την Αγγλία
από τη Νέα Υόρκη
από την Αμερική

To say where you live:

στην Αθήνα
στο Βόλο
στο Ναύπλιο
στο Λονδίνο
στην Αγγλία
στη Νέα Υόρκη
στην Αμερική

To say what you do:

(είμαι) ταξιτζής
δουλεύω σε εργοστάσιο
έχω γραφείο

3 Do you speak . . .?

To ask 'Do you speak . . .?', say:

Μιλάτε Αγγλικά;   or   *Μιλάς Αγγλικά;*
Μιλάτε Ελληνικά;   „   *Μιλάς Ελληνικά;*

And remember, the best way to make contact with Greeks in their own language is simply to have a go and not worry about making mistakes. You'll find that Greeks truly appreciate your attempts, however rudimentary, to wrestle with their language, of which they're very proud. If your Greek is less than perfect, *δεν πειράζει* – it doesn't matter!

5 ΠΟΣΟ ΚΑΝΕΙ;

Buying things

Shopping Greek-style, like so many other aspects of Greek society, is changing rapidly with the impact of Greece's entry in 1981 into the EEC (EOK) and the increasing penetration of foreign goods and chain stores into the Greek market. The Athenian housewife, and indeed Greeks in most of the large towns and tourist areas, are more and more likely to do their weekly shopping in the supermarket (σουπερμάρκετ). These replace the traditional market (αγορά) in some communities, though in Athens the itinerant street market (λαϊκή) still preserves its colourful bustle, and in rural communities fruit and veg and also fish are still more likely to be sold from the back of a small van travelling from village to village, announcements of available goods and Greek pop music blaring alternately from its loudspeaker. Look for the sign ΑΓΡΟΤΙΚΟΝ (i.e. 'agricultural produce') on the side of the van.

And of course the traditional individual shop (*το μαγαζί* if it's small, *το κατάστημα*, usually larger) abounds not only in island and village communities but also in towns all over Greece, as well as Athens itself. What they sell will usually be illustrated in the sign above the shop (often

See page 144

ending in -ΠΩΛΕΙΟΝ, indicating that something is for sale). These signs, as noted elsewhere, are frequently quite different from the spoken words used to refer to the shops or shopkeepers. The written words retain the archaic (*katharévousa*) forms, whereas the spoken words are those used in common *dimotikí* speech. You've already come across this distinction with, for example, the baker (*ο φούρνος* – ΑΡΤΟΠΩΛΕΙΟΝ), and the chemist (*το φαρμακείο* – ΦΑΡΜΑΚΕΙΟΝ). You only need to *recognise* the written forms; always *use* the spoken forms.

bookshop	το βιβλιοπωλείο	ΒΙΒΛΙΟΠΩΛΕΙΟΝ
butcher	ο χασάπης	ΚΡΕΟΠΩΛΕΙΟΝ
fishmonger	ο ψαράς	ΙΧΘΥΟΠΩΛΕΙΟΝ
greengrocer	ο μανάβης	ΟΠΩΡΟΠΩΛΕΙΟΝ
grocer	ο μπακάλης	ΠΑΝΤΟΠΩΛΕΙΟΝ
stationer	το χαρτοπωλείο	ΧΑΡΤΟΠΩΛΕΙΟΝ
tobacconist	το καπνοπωλείο	ΚΑΠΝΟΠΩΛΕΙΟΝ

Asking the price

Or πόσο κάνουν; – see page 267

To ask how much things cost, say:

Πόσο κάνει;	How much does it cost?
Πόσο κάνουνε;	How much do they cost?

Listen to the following conversations on your cassette or record, and then read them through aloud.

1 Mrs Vasiliou is out shopping. Her first call is at the cheese shop (look out for the sign ΤΥΡΟΚΟΜΙΚΑ or ΤΥΡΟΠΩΛΕΙΟΝ).

● Πόσο κάνει η φέτα;
● Εκατόν είκοσι δραχμές.
● Καλά. Ένα τέταρτο παρακαλώ.
● Ευχαρίστως. Ορίστε.

η φέτα	sheep's milk cheese
εκατόν είκοσι δραχμές	120 drachmas (i.e. per kilo)
ένα τέταρτο	a quarter (of a kilo)

2 Next she calls at the greengrocer's for apples and a melon.

● Πόσο κάνουνε τα μήλα;
● Ογδόντα πέντε το κιλό.
● Δύο κιλά παρακαλώ.
● Ορίστε.
● Και ένα πεπόνι.
● Μάλιστα. Τίποτ' άλλο;
● Όχι ευχαριστώ.

τα μήλα	apples
ογδόντα πέντε το κιλό	85 (drachmas) a kilo
δύο κιλά	two kilos
ένα πεπόνι	a honeydew melon
τίποτ' άλλο;	anything else?

65

3 Finally, she buys cookies and milk at the γαλακτοπωλείο.

● Μισόκιλο κουλουράκια παρακαλώ.
● Μάλιστα . . . άλλο;
● Ένα γάλα.
● Ορίστε.
● Πόσο κάνουνε;
● Εξήντα τέσσερεις.

μισόκιλο κουλουράκια	half a kilo of cookies
άλλο;	(what) else?
εξήντα τέσσερεις	64

When you're asking the price of more than one of a particular item, the ending of the word in question changes:

Πόσο κάνει η μπύρα;   Πόσο κάνουνε οι μπύρες;

Πόσο κάνει ο δίσκος;   Πόσο κάνουνε οι δίσκοι;

Πόσο κάνει το βιβλίο;   Πόσο κάνουνε τα βιβλία;

Πόσο κάνει το πεπόνι;   Πόσο κάνουνε τα πεπόνια;

The word for 'the' also changes: *o* and *η* both become *οι*, and *το* becomes *τα*. The pattern is:

SINGULAR		PLURAL	
o	--ος	οι	--οι
η	--α	οι	--ες
το	--ο	τα	--α
το	--ι	τα	--ια

1 Turn to your cassette or record, and look at the pictures below. After you hear the number, ask the price of the item or items illustrated, saying *πόσο κάνει* . . .; or *πόσο κάνουνε* . . .; where appropriate. You will then hear the correct version. Try to imitate the intonation of the questions as closely as possible. If you are working without the recorded materials, just practise asking the price of the items illustrated.

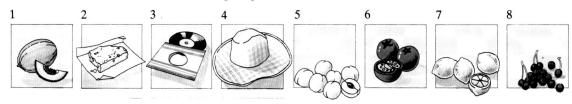

1	2	3	4	5	6	7	8
το πεπόνι	η φέτα	ο δίσκος	το καπέλλο	τα ροδάκινα	οι ντομάτες	τα λεμόνια	τα κεράσια

If you want to ask the price of something and you don't know the Greek word, you can point and ask:

Πόσο κάνει αυτό;	How much is this/that? or
Πόσο κάνουνε αυτά;	How much are these/those?.

If you feel it's expensive, you can say:

Είναι ακριβό	It's expensive or
Είναι ακριβά	They're expensive.

See also chapter 9

66

Saying what you want

Ορίστε has several meanings depending on the context. (See also chapter 2.)

When you go into a shop, you may be asked:

Παρακαλώ;	Yes, please?
Ορίστε;	What can I do for you?
Τι θέλετε;	What do you want?

To say what you want, you can just name the item:
Ένα πεπόνι παρακαλώ.

Or you can ask for it in one of the following ways:

Θέλω ένα πεπόνι	I want . . .
Θα ήθελα ένα πεπόνι	I'd like . . .
Δώστε μου ένα πεπόνι	Give me . . .
Μου δίνετε ένα πεπόνι;	Would you give me . . .?

If you're not sure that they have what you want, you can ask:

| Μήπως έχετε . . .; | Do you have any . . .? or |
| Μήπως έχει . . .; | Is/are there any . . .? |

to which the response may be

Τι . . . θέλετε;	What kind of . . . do you want?
Πόσα θέλετε;	How many do you want?
Δυστυχώς δεν έχουμε	I'm afraid we don't have any.

If you don't know the word for what you want, just point and say: ένα τέτοιο: 'one of those'. Finally you may be asked:

| Τίποτ' άλλο; | Anything else? |
| Άλλο; | What else? |

Now listen to and read these conversations:

4 Mrs Vasiliou goes back to the γαλακτοπωλείο for eggs . . .

- Καλημέρα σας.
- Καλημέρα. Τι θέλετε παρακαλώ;
- Μήπως έχετε αυγά;
- Μάλιστα. Πόσα θέλετε;
- Δέκα.
- Ορίστε.
- Πόσο κάνουνε;
- Πενήντα.

αυγά	eggs
δέκα	10
πενήντα	50 (drachmas)

5 On the way home, she calls at the grocer's for a packet of rice.

- Καλημέρα.
- Καλημέρα σας. Ορίστε;
- Μου δίνετε ένα πακέτο ρύζι;
- Δυστυχώς δεν έχουμε ρύζι.
- Καλά. Δώστε μου ένα πακέτο μακαρόνια. Το ίδιο είναι.

ένα πακέτο ρύζι	a packet of rice
μακαρόνια	spaghetti
το ίδιο είναι	it's all the same

6 A young girl tries to buy a record, but has to settle for a cassette.
- Ορίστε, τι θέλετε;
- Μήπως έχετε δίσκους;
- Βεβαίως. Τι δίσκο θέλετε;
- Ένα με τον Ξυλούρη.
- Α . . . έχουμε τον Ξυλούρη μόνο σε κασέτα.
- Δώστε μου μία κασέτα λοιπόν.

δίσκους	records
μόνο σε κασέτα	only on cassette
λοιπόν	in that case, then
Με τον Ξυλούρη . . .	Nikos Xylouris was a Cretan singer and lyra player.

7 A tourist buys postcards and envelopes at a περίπτερο.
- Θα ήθελα τρεις κάρτες και τρεις φάκελλους παρακαλώ.
- Μάλιστα. Τίποτ' άλλο;
- Μήπως έχετε γραμματόσημα;
- Δυστυχώς όχι. Στο ταχυδρομείο.

τρεις κάρτες	three postcards
φάκελλους	envelopes
γραμματόσημα	stamps
δυστυχώς όχι	unfortunately not

Weights and measures

The measurement of weight used in Greece is *το κιλό* – the kilo. Half a kilo is *μισόκιλο* and a quarter *ένα τέταρτο*. You have already seen that liquids, such as draught wine, are also sold by weight: a kilo is approximately one litre.

When you ask for a kilo of . . ., a bottle of . . ., a packet of . . ., a box of . . ., etc., there is no word for 'of': *ένα κιλό ντομάτες, ένα μπουκάλι ουίσκυ, ένα πακέτο ρύζι.*

2 You will be asked *Ορίστε, τι θέλετε*; Reply in the form *θέλω* . . . *παρακαλώ*, filling the gap with the items illustrated below.

1 ένα κιλό μήλα
2 μισόκιλο ντομάτες
3 ένα τέταρτο φέτα
4 ένα μπουκάλι κρασί
5 μισόκιλο κεράσια
6 ένα τέταρτο λεμόνια

1	2	3	4	5	6

3 You've called at the greengrocer's to buy a few picnic items. The shopkeeper's part of the conversation is given: say your own part aloud, and then listen to the completed dialogue on your cassette or record.

80 drachmas

65 drachmas

say good morning	Καλημέρα σας. Τι θέλετε;
ask how much the apples are	Ογδόντα δραχμές.
two kilos please	Τίποτ' άλλο;
say you'd like a quarter of feta	Ορίστε.
ask if they have any lemons	Βεβαίως. Πόσα θέλετε;
give me half a kilo please	Ευχαρίστως. Ορίστε.
ask how much they are	Εξήντα πέντε.

Numbers

Most of the time, you will need to *say* only small numbers when you're shopping (you'll rarely want to buy more than twenty of anything!). The numbers 1-20 are:

1 ένα	11 έντεκα
2 δύο	12 δώδεκα
3 τρία	13 δεκατρία
4 τέσσερα	14 δεκατέσσερα
5 πέντε	15 δεκαπέντε
6 έξι	16 δεκαέξι
7 εφτά	17 δεκαεφτά
8 οχτώ	18 δεκαοχτώ
9 εννιά	19 δεκαεννιά
10 δέκα	20 είκοσι

Notice that the teens are simply the small number with δέκα added at the beginning.

You'll need to *recognise* larger numbers, when you're being told prices and so on (and you'll occasionally want to use them, when you're changing money, or asking for the key to your hotel room). They're set out on page 277 below. Three and four are sometimes *τρεις* and *τέσσερεις* and sometimes *τρία* and *τέσσερα*. When to use which form is also explained on page 277.

You saw on page 66 above that words have different endings for singular and plural.

The distinction is between subject and object; see Grammar page 261.

Words like *δίσκος* also change their endings depending on whether you're asking how much they cost, or whether you're saying you would like . . ., want . . . and so on, or simply ordering. The pattern of the changes is as follows:

ο δίσκ**ος**	οι δίσκ**οι**
Πόσο κάνει ο δίσκ**ος**;	Πόσο κάνουνε οι δίσκ**οι**;
Δώστε μου ένα δίσκ**ο**.	Μήπως έχετε δίσκ**ους**;

4 You're out shopping, and constantly change your mind. Complete the following sentences by asking for two of everything. Practise reading the whole sentence aloud. The correct versions are given on your cassette or record.

Θέλω μία μπύρα παρακαλώ . . . όχι, δώστε μου δύο μπύρες.
Θέλω μία πορτοκαλάδα παρακαλώ ....
Θέλω ένα μήλο παρακαλώ ....
Θέλω ένα πεπόνι παρακαλώ ....
Θέλω ένα δίσκο παρακαλώ ....
Θέλω ένα κουτί σπίρτα παρακαλώ ....

ένα κουτί σπίρτα – a box of matches

5 This time you're the shopkeeper, and a little low on stock; you seem to have only one of everything left. Reply to the customer's requests by saying *δυστυχώς έχω μόνο ένα/μία* . . . The first one is done for you.

Δύο πεπόνια παρακαλώ. Δυστυχώς έχω μόνο ένα πεπόνι.

Δύο μήλα παρακαλώ. ....

Δύο μπουκάλια κρασί παρακαλώ. ....

Δύο μπύρες παρακαλώ. ....

Δύο δίσκους παρακαλώ. ....

Δύο κάρτες παρακαλώ. ....

Money

See page 277 – numbers (Grammar)

The Greek unit of currency is the *δραχμή*. Prices are often quoted as numbers, without the word *δραχμές*.

The following banknotes and coins are in circulation:

- χιλιάρικο (*1000*)
- πεντακοσάρικο (*500*)
- κατοστάρικο (*100*)
- πενηντάρικο (*50 note and coin*)
- εικοσάρικο (*20*)
- δεκάρικο (*10*)
- τάληρο (*5*)
- δίφραγκο (*2*)
- φράγκο (*1*)

73

There are two words for 'change': ψιλά is 'small change' and ρέστα is the change you get back from a large note or coin. If you're stuck with a large note, a useful phrase to pacify an irate shopkeeper with is: Συγγνώμη, δεν έχω ψιλά . . . I'm sorry, I've no change.

Listen to the next two conversations on your cassette or record, and then read them aloud.

8 Trying to buy matches . . .
- Ένα κουτί σπίρτα παρακαλώ.
- Ορίστε.
- Έχω χιλιάρικο.
- Αμάν! Δεν έχετε ψιλά;
- Δυστυχώς.
- Για να δούμε . . . ορίστε τα ρέστα σας.

αμάν!	exclamation of dismay
δυστυχώς	unfortunately (not)
για να δούμε	let's see, let's have a look

9 And a bottle of whisky.
- Ορίστε;
- Θέλω ένα μπουκάλι ουίσκυ παρακαλώ.
- Το θέλετε για δώρο;
- Όχι ευχαριστώ. Πόσο κάνει;
- Τετρακόσιες είκοσι.
- Δυστυχώς, έχω μόνο χιλιάρικο.
- Δεν πειράζει.

το θέλετε για δώρο;	do you want it for a present? (i.e. gift wrapped)
τετρακόσιες είκοσι	420 (drachmas)

6 Bookshops in Athens often have sales in the spring with a fixed reduction, sometimes 20%, off all sales. The advertisements for the sales in 1982 included the following international authors, all translated into Greek. Can you identify them?

Ευγένιος Ιονέσκο	Δάντε Αλιγκέρι
Τζών Στάινμπεκ	Ουίλιαμ Φώκνερ
Αντον Τσέχωφ	Μάξιμ Γκόρκι
Σώμερσετ Μωμ	Σιμόν ντε Μπωβουάρ
Χένρυ Μίλλερ	Γαμπριέλ Γαρσία Μαρκέζ

7 The European games were held in Athens in 1982. The illustration shows the final results table, with the medals (μετάλλια) divided by gold (χρυσά), silver (αργυρά) and bronze (χάλκινα). The winners were East Germany, with West Germany second, the Soviet Union third and Great Britain fourth.

- Which two countries won one gold, no silver and one bronze?
- How many medals did Spain win?
- Which country won the same number of medals as Holland?
- Which two eastern bloc countries won exactly the same number of medals?
- Which countries won no medals at all?

	Χρ.	Αργ.	Χάλκ.
Α.Δ. Γερμαν.	13	8	7
Δ. Γερμανία	8	1	4
Σοβ. Ενωση	6	12	8
Μ. Βρετανία	3	5	1
Τσεχ/κια	1	4	4
Ισπανία	1	2	2
Ιταλία	1	2	2
Βουλγαρία	1	2	1
Πολωνία	1	2	1
Ρουμανία	1	2	0
Φινλανδία	1	0	3
Ελλάδα	1	0	1
Σουηδία	1	0	1
Ολλανδία	1	0	0
Πορτογαλία	1	0	0
Βέλγιο	0	1	1
Γαλλία	0	0	3
Νορθηγία	0	0	1
Ουγγαρία	0	0	1

● Μετάλλια δεν πήραν Γιουγκοσλαβία, Τουρκία, Β. Ιρλανδία, Ελβετία, Δανία, Γιβραλτάρ, Ισλανδία, Αυστρία, Μάλτα.

Understanding Greek

On your cassette or record you will hear a conversation between a shopkeeper and a customer. Listen carefully to it and then answer the following questions.

- How much are the peaches?
- How many does she buy?
- Does she buy one or two kilos of apples?
- Does the shopkeeper have any onions?
- How many beers does she ask for?
- What note does she pay with?

τα ροδάκινα	peaches
εξήντα	60 (drachmas)
ευχαρίστως	with pleasure
τα κρεμμύδια	onions
παγωμένες	chilled
όλα μαζί	all together
διακόσιες πενήντα	250 (drachmas)

Summary

1 Asking the price

To ask the price of things, say:

Πόσο κάνει;
Πόσο κάνουνε;

2 Saying what you want

To say what you want:

Μισόκιλο φέτα παρακαλώ.
Θέλω
Θα ήθελα
Μου δίνετε | *μισόκιλο φέτα (παρακαλώ).*
Δώστε μου

To ask if they have any . . .

Μήπως έχετε . . .;
Μήπως έχει . . .;

3 Understanding the shopkeeper

When you enter, the shopkeeper may say:

Παρακαλώ;
Ορίστε;
Τι θέλετε;

When you say what you want, he may reply:

Πόσα θέλετε;
Τι . . . θέλετε;
Δυστυχώς δεν έχουμε.

And when he's served you with one thing, he may ask:
Τίποτ' άλλο; or
Άλλο;

If at this stage you're still struggling with Greek numbers, and making mistakes in Greek grammar, don't worry! The Greeks will be the first to admit that we're all human: *άνθρωποι είμαστε!*

SO FAR SO GOOD

. . . a summary of the grammar contained in Chapters 1 to 5

1.1 Articles: THE

1.1 There are various words for 'the' in Greek; which you use depends on the word you are using it with. If the word is masculine, it's *o*; if it's feminine it's *η*; and if it's neuter, it's *το*.

There are also different forms when the word it's used with is plural; with masculine and feminine words it's *οι*, and with neuter words it's *τα*.

	singular	plural
m	o φούρνος	οι φούρνοι
f	η τράπεζα	οι τράπεζες
n	το ταχυδρομείο	τα ταχυδρομεία

1.2 The word for 'the' (the definite article) is used much more in Greek than in English: with personal names, and the names of towns and countries, for example:

o Νίκος, ο Κώστας η Μαρία, η Ελένη
o κύριος Σκληράκης η κυρία Σκληράκη
o Βόλος, η Αθήνα, το Ναύπλιο
η Ελλάδα, η Αγγλία, η Αμερική
το Λονδίνο, η Νέα Υόρκη

1.3 When you want to say 'from' or 'in' (e.g. I'm from Athens, or I live in Athens), the article changes; with masculine words it becomes *το* or *τον*, and with feminine words it becomes *τη* or *την*; with neuter words, it's still *το*. Look at these examples:

From . . .	από το Βόλο	από τον Όλυμπο
	από τη Βέροια	από την Αθήνα
	από το Ναύπλιο	από το Ηράκλειο
In . . .	στο Βόλο	στον Όλυμπο
	στη Βέροια	στην Αθήνα
	στο Ναύπλιο	στο Ηράκλειο

στο etc. is σε + το –
see grammar, page 262

Whether you use *το* or *τον*, *τη* or *την* with masculine and feminine words depends on the letter at the beginning of the following words: it it's a vowel, they end in *ν*. (This does *not* apply to neuter words: cf. στο Ηράκλειο above.)

See also Grammar, page 262

77

2.1 Articles: A . . .

See also grammar page 260, 261

2.1 The word for 'a' (the indefinite article) also varies according to the word you're using it with. *When you're ordering things, asking for things,* etc., you use *ένα* with masculine and neuter nouns, and *μία* with feminine nouns:

M	F	N
ένα καφέ	μία πορτοκαλάδα	ένα παγωτό

2.2 You leave out the word for 'a' in expressions like:

Υπάρχει τράπεζα εδώ κοντά;
Δουλεύω σε εργοστάσιο.

3.1 Nouns

See also grammar page 257

Exception: ο καφές
See Grammar, page 260

3.1 The names of people and things (nouns) are divided into three groups, called masculine, feminine and neuter. The ending of a word often gives a clue as to which group it belongs to; this is not a sure guide, because there are always exceptions, but it's worth observing the basic patterns.

Of the words you've met so far, those ending in --*ος* or --*ης* are masculine; those ending in --*α* or --*η* are feminine; and those ending in --*ο* or --*ι* are neuter.

The only absolutely sure guide to which group a noun belongs to is the article used with it, and it's best to remember this with each new noun you meet. The common patterns you have met so far are:

masculine	feminine	neuter
ο φούρνος	η τράπεζα	το μήλο
ο καθηγητής	η δραχμή	το πεπόνι

Just as the article changes when the noun is plural, so does the ending of the noun itself. The plurals of the nouns set out above are:

Exception: οι καφέδες

masculine	feminine	neuter
οι φούρνοι	οι τράπεζες	τα μήλα
οι καθηγητές	οι δραχμές	τα πεπόνια

3.2 All these endings are used in sentences like 'Where is . . .?', 'How much is . . .?'.

Πού είναι ο φούρνος;
Πόσο κάνει το μήλο;

Πού είναι οι τράπεζες;
Πόσο κάνουνε τα πεπόνια;

When you want to say 'Give me . . .', 'I want . . .', or when you're simply asking for things, *masculine* words have a different set of endings; in the singular they leave off the final 'ς':

ο δίσκος:	ο χάρτης:
θέλω ένα δίσκο	ένα χάρτη παρακαλώ

In the plural, --οι changes to --ους, but --ες stays the same:

οι δίσκοι:	οι χάρτες:
μήπως έχετε δίσκους;	Μήπως έχετε χάρτες;

4.1 Verbs

See also grammar page 267

4.1 Words that indicate doing something (verbs) also change their endings. You have seen that *Πόσο κάνει*; is 'how much does it cost?' and *Πόσο κάνουνε*; is 'how much do they cost?'. And that you say *Τι κάνεις*; ('How are you?' when being informal) or *Τι κάνετε*; (How are you?' when you're being formal, or talking to more than one person).

4.2 These are all forms of the verb *κάνω*, the basic meaning of which is 'I do':

κάνω	I do, or am doing	κάνουμε	We do, or are doing
κάνεις	You do, or are doing	κάνετε	You do, or are doing
κάνει	He (she, it) does, is doing	*κάνουνε	They do, or are doing.

*Or κάνουν.

The *ending* shows whether it's 'you', 'he', 'it' and so on, that is *doing*. And because you can tell this from the ending of the verb, there's no need to use the words 'I', 'you', 'we' and so on.

Once you have become familiar with the endings, you can use them with most Greek verbs (the 'regular' verbs). Here is the verb δουλεύω – I work:

δουλεύω	I work, am working
δουλεύεις	You work, are working
δουλεύει	He (she, it) works, is working
δουλεύουμε	We work, are working
δουλεύετε	You work, are working
δουλεύουνε	They work, are working

Notice where the stress falls.

4.3 You have also seen the verb μιλάω, which has a different set of endings:

μιλάω	I speak, am speaking	μιλάμε	We speak, are speaking
μιλάς	You speak, are speaking	μιλάτε	You speak, are speaking
μιλάει	He (she, it) speaks, is speaking	μιλάνε	They speak, are speaking

All verbs that end in --άω have this set of endings. Notice that in this case, the stress is always on the part of the verb that has the -ά- sound.

4.4 Finally, the verb είμαι – I am – changes in a way quite unlike any other verb:

είμαι	I am	είμαστε	We are
είσαι	You are	*είσαστε	You are
είναι	He (she, it) is	είναι	They are

*Or είστε – see grammar page 271

The verb έχω – I have – is quite regular:

έχω	I have	έχουμε	We have
έχεις	You have	έχετε	You have
έχει	He (she, it) has	έχουνε	They have

Diminutives

The endings -άκι, ούλα, -ίτσα are often added to Greek words. Technically they are 'diminutive' endings that imply a *smaller* version of the original word (like -let or -ling in English: drop – droplet, duck – duckling).

A σούβλα is a large iron spit on which you can roast a whole lamb, at Easter for example; σουβλάκι is the smaller version (skewer) on which pieces of meat can be grilled, and gives its name to the dish. Similary, κολοκύθια are large marrows, and κολοκυθάκια are the smaller version, courgettes.

These endings are added in an *affectionate* way to personal names; men called Λάκης, Τάκης and so on, have names like Νικόλαος, which becomes Νικολάκης and then Λάκης.

Similarly: Κωνσταντίνος – Κώστας – Κωστάκης – Τάκης
Παναγιώτης – Παναγιωτάκης – Τάκης.
Αθανάσιος – Θανάσης - Θανασάκης – Σάκης

And women called Νούλα, Σούλα, Νίτσα, Λίτσα have names like Άννα (Αννούλα), Αναστασία (Αναστασούλα), Ελένη (Ελενίτσα). Here the endings indicate endearment.

This principle extends throughout the entire language, and many people add these endings to other words too; you should not be surprised if you are offered a καφεδάκι, or if the waiter asks 'Κρασάκι, μπυρίτσα;'.

When words are converted in this way, those ending in -άκι are neuter and those ending in -ούλα, -ίτσα are feminine.

6

ΚΑΛΟ ΤΑΞΙΔΙ!

Getting around: transport and time

Greek time: As you'll soon discover when making appointments with Greeks, or using public transport in Greece (especially boats), the Greek notion of time (*ο καιρός* – which also means 'weather') can be deliciously (if you're on holiday) or irritatingly (if you're trying to do business) vague.

One thing that does usually run on time is the train service. If you're travelling by train (*με το τραίνο*) from Athens, the two main line stations are: *Σταθμός Λαρίσης*, for trains going to northern Greece and abroad; *Σταθμός Πελοποννήσου*, for trains going south, to the Peloponnese.

Station signs to look out for:

ΕΙΣΙΤΗΡΙΑ : Tickets
ΠΛΗΡΟΦΟΡΙΑΙ : Information
ΑΝΑΧΩΡΗΣΕΙΣ : Departures
ΑΦΙΞΕΙΣ : Arrivals
ΚΙΝΔΥΝΟΣ : Danger

The symbol for the Greek underground railway.

If you want to take a trip from Athens to Kifisia (a garden suburb) or to Piraeus to catch a boat for the islands, you can travel by underground (*με τον ηλεκτρικό*) from *Ομόνοια* station. The underground is known as *ο ηλεκτρικός* or *ο υπόγειος*.

If you go on an organised tour or sight-seeing trip in Greece, you'll probably travel by coach: *με το πούλμαν*. Otherwise the cheapest, most efficient and perhaps most enjoyable way of travelling around the Greek mainland (and on the islands) is by bus, *με το λεωφορείο*. Bus stop signs are not always easy to spot: look out for the sign ΣΤΑΣΙΣ by the side of the road.

When you want to ask what time the bus leaves, you can say:
Τι ώρα φεύγει το λεωφορείο;

And 'how long does the journey take?' is:
Πόση ώρα κάνει το ταξίδι;

1 Catching the bus to Nafplio
● Τι ώρα φεύγει το λεωφορείο για το Ναύπλιο;
● Στις έντεκα.
● Και πόση ώρα κάνει το ταξίδι;
● Τρεις ώρες περίπου.
● Δύο εισιτήρια. Πόσο κάνουνε;
● Πεντακόσιες εξήντα δραχμές.
● Ορίστε.

στις έντεκα	at eleven
τρεις ώρες περίπου	about three hours
δύο εισιτήρια	two tickets
πεντακόσιες εξήντα δραχμές	560 drachmas

When you want to ask what time it arrives, say:
Τι ώρα φτάνει;

2 Catching the bus to Veria
● Δύο εισιτήρια για τη Βέροια παρακαλώ.
● Μάλιστα.
● Τι ώρα φεύγει το λεωφορείο;
● Σε μισή ώρα.
● Και τι ώρα φτάνει;
● Στις τρεισήμιση περίπου.
● Ωραία.

| σε μισή ώρα | in half an hour |
| στις τρεισήμιση περίπου | at about half past three |

Much of your travelling in Greece is, of course, likely to be by boat (με το πλοίο or με το καράβι) to and from the Greek islands. If it's a ferry-boat you want, ask for το φέρρυ-μποτ; a small rowing boat or fishing boat is μία βάρκα, and the large fishing boats which are often hired by Greeks as well

as foreigners for excursions are called caiques: ένα καΐκι. Schedules, especially off season, are hard to verify and are subject to such variable factors as the μελτέμι – the north wind that can make for rough seas, particularly in the Cyclades.

For information about the boat services ask at the ΠΡΑΚΤΟΡΕΙΟΝ, or ticket agency. It's always worth checking at more than one, as rival agencies are often reluctant to disclose information about each other's boats.

To find out how frequent the boat service is, ask:
Κάθε πότε έχει καράβι; (How often is there a boat?).

And when you're buying a boat ticket, you may be asked what class you want:
Τι θέση θέλετε;

You can choose between:		
1η	Πρώτη	First
2η	Δεύτερη	Second
	Τουριστική	Tourist
3η	Τρίτη or	Third or
	Κατάστρωμα	Deck class

3 Booking the boat to Sifnos:
● Κάθε πότε έχει καράβι για τη Σίφνο;
● Κάθε μέρα, στις εφτά το πρωί.
● Πόση ώρα κάνει το ταξίδι;
● Έξι ώρες.
● Μου δίνετε τρία εισιτήρια;
● Για πότε;
● Για αύριο το πρωί.
● Τι θέση θέλετε;
● Τουριστική.
● Ορίστε.
● Πόσο κάνουνε;
● Χίλιες πεντακόσιες.

κάθε μέρα	every day
στις εφτά το πρωί	at seven in the morning
για πότε;	for when?
για αύριο το πρωί	for tomorrow morning
χίλιες πεντακόσιες	1,500 (drachmas)

To find out where the boat leaves from, you can ask:
Από πού φεύγει το καράβι;

And to check that you've found the right one, you can say:
Για τη Φολέγανδρο πάει αυτό;
(Does this boat go to Folegandros?) or
Στη Φολέγανδρο πάει αυτό;

4 Catching the boat from Milos to Folegandros

Three Greek tourists want to catch the boat from Milos to Folegandros, the next island on the line, but they're not sure which port on the island it leaves from.

Finding out where it leaves from:
● Από πού φεύγει το καράβι για τη Φολέγανδρο;
● Από τον Αδάμαντα.
● Είναι μακριά;
● Μία ώρα με τα πόδια.

με τα πόδια	on foot

A taxi to the port:
● Είσαστε ελεύθερος;
● Βεβαίως. Περάστε.
● Στον Αδάμαντα παρακαλώ
  ....
● Τι οφείλουμε;
● Τριακόσιες δραχμές.
● Ευχαριστούμε.

είσαστε ελεύθερος;	are you free?
περάστε	get in
τι οφείλουμε;	what do we owe?

Checking it's the right boat:
- Για τη Φολέγανδρο πάει αυτό;
- Μάλιστα.
- Πού βγάζουνε εισιτήρια;
- Στο πρακτορείο απέναντι.

πού βγάζουνε εισιτήρια;   where do they issue tickets?
απέναντι   opposite

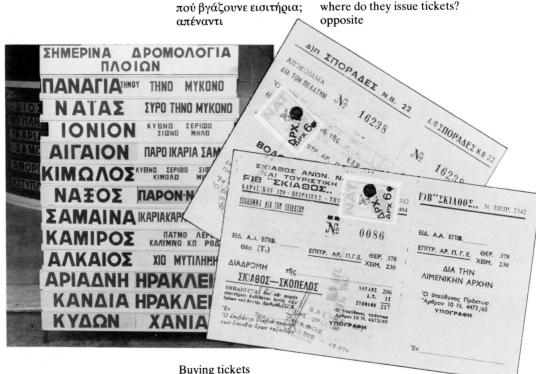

Buying tickets
- Τρία για τη Φολέγανδρο παρακαλώ.
- Τι θέση θέλετε;
- Κατάστρωμα.
- Ορίστε.
- Πόσο κάνουνε;
- Χίλιες διακόσιες.
- Ορίστε. Τι ώρα φεύγει;
- Σε τρεις ώρες. Έχει καθυστέρηση.

χίλιες διακόσιες   one thousand two hundred
έχει καθυστέρηση   there's a delay

If you see a taxi waiting by the roadside, you can check if it's available by asking:
Είσαστε ελεύθερος; Are you free?

To stop one as it goes by, shout ταξί, with the stress very heavily on the last syllable.

5 A taxi to the airport

Mr Lekkas is flying to London for the weekend and is trying to find a taxi to the airport.

- Ταξί!
- Για πού πάτε;
- Στο αεροδρόμιο.
- Περάστε. Στο ανατολικό πάτε ή στο δυτικό;
- Πάω με την Ολυμπιακή.
- Μάλιστα. Το δυτικό θέλετε.

....

- Τι οφείλω;
- Διακόσιες πενήντα.
- Ευχαριστώ.
- Εγώ ευχαριστώ. Καλό ταξίδι.

για πού πάτε;	where are you going?
στο αεροδρόμιο	to the airport
ανατολικό	east
δυτικό	west
πάω με την Ολυμπιακή	I'm going with Olympic
εγώ ευχαριστώ	thank *you* (literally: *I* thank)
καλό ταξίδι	have a good journey

If you're travelling by plane (*με το αεροπλάνο*) you'll pass through one of two airports in Athens:

1 *Το δυτικό*: the West airport, which is used for domestic and international flights by Olympic Airways (the state airline) only. For this reason, it's also known as *η Ολυμπιακή*.

2 *Το ανατολικό*: the East airport, which is used by all the foreign airlines.

Με το αυτοκίνητο, by car, is also an enjoyable way to see Greece, whether you take your own or hire from a major or local company. If you need assistance contact ΕΛΠΑ, the Automobile and Touring Club of Greece, which provides all kinds of information and services.

Many main road signs are in Latin characters as well as in Greek, though once you're off the beaten track your knowledge of the Greek alphabet will prove essential.

ROAD SIGNS

ΑΡΓΑ	:	(Drive) Slowly
ΠΡΟΣΟΧΗ	:	(Drive) Carefully
ΣΧΟΛΕΙΟΝ	:	School
ΔΗΜΟΣΙΑ ΕΡΓΑ	:	Road works
ΕΘΝΙΚΗ ΟΔΟΣ	:	Motorway
ΑΠΑΓΟΡΕΥΕΤΑΙ Η ΣΤΑΘΜΕΥΣΙΣ	:	No parking
ΚΙΝΔΥΝΟΣ	:	Danger
ΑΔΙΕΞΟΔΟΣ	:	No through road

6 At the petrol station . . .
- Ορίστε, τι θέλετε;
- Βενζίνη παρακαλώ.
- Σούπερ ή απλή;
- Σούπερ.
- Πόσο;
- Γεμίστε παρακαλώ.
- Μάλιστα. Τίποτ' άλλο;
- Κοιτάξτε τα λάστιχα, το λάδι και τη μπαταρία παρακαλώ.
- .... Όλα εντάξει.
- Ωραία. Τι οφείλω;
- Οχτακόσιες δραχμές.
- Ορίστε. Μου δίνετε μία απόδειξη;
- Ευχαρίστως.

βενζίνη	petrol
απλή	ordinary (petrol)
γεμίστε	fill it up
κοιτάξτε τα λάστιχα, το λάδι	look at the tyres, the oil
και τη μπαταρία	and the battery
όλα εντάξει	all in order, OK
οχτακόσιες δραχμές	800 drachmas
μου δίνετε μία απόδειξη;	would you give me a receipt?

As well as asking simply τι ώρα φεύγει; τι ώρα φτάνει; από πού φεύγει; you can combine all these questions with the words for bus, boat, train, plane etc.:

Τι ώρα φεύγει το τραίνο;	What time does the train leave?
Τι ώρα φτάνει το αεροπλάνο;	What time does the plane arrive?
Από πού φεύγει το λεωφορείο;	Where does the bus leave from?

See grammar section page 260.

The bus for Nafplio is το λεωφορείο για το Ναύπλιο and the boat for Sifnos is το καράβι για τη Σίφνο. The plane for London is το αεροπλάνο για το Λονδίνο. Whether it's για το or για τη depends on whether the place you're going to is masculine, feminine or neuter.

1 You've just phoned the travel agency to enquire about the departure times of various buses, boats and trains. Look at the illustrations and ask Τι ώρα φεύγει το . . . για . . .; The correct versions are recorded on your cassette.

Ναύπλιο	Βέροια		Σίφνος	Μήλος		Θεσσαλονίκη	Λονδίνο

2 You're not sure where they leave from. Look at the illustrations again and ask Από πού φεύγει το . . . για . . .; Again the correct versions are recorded on your cassette or record.

Clock time

To find out the time, you can ask Τι ώρα έχετε; (What time do you have?), or Τι ώρα είναι; (What time is it?).

If it happens to be exactly on the hour, you may be told, e.g. δέκα, or δέκα η ώρα, or δέκα ακριβώς. One, three and four are μία, τρεις, τέσσερεις.

'Half past' is μία και μισή, δύο και μισή, etc., though you'll also come across alternative forms:

μιάμιση	1.30	τρεισήμιση	3.30	
δυόμιση	2.30	τεσσερεισήμιση	4.30	etc.

'Quarter past' is . . . και τέταρτο, e.g. 1.15: μία και τέταρτο, and 'ten past' is . . . και δέκα, e.g. 1.10: μία και δέκα.

For minutes before the hour, use παρά: 'ten to one' is μία παρά δέκα; 'twenty to one': μία παρά είκοσι. Similarly, πέντε παρά τέταρτο, εφτά παρά είκοσι πέντε.

The twenty-four hour clock is often used in travel schedules, and you may be told that your flight leaves at δεκαπέντε και τριάντα (15.30) rather

89

than *τρεισήμιση* (3.30). And at six in the evening, Greek radio will announce: *ώρα Ελλάδος δεκαοχτώ*: 18.00 hours Greek time.

When you ask what time something is going to happen, the answer will be *στις έντεκα, στις δυόμιση* and so on: when the hour involved is 'one' it's *στη – στη μία, στη μία και είκοσι*.

Λεπτά or *λεφτά* also means money.

'Minutes' is *λεπτά*, so: *σε πέντε λεπτά* – in five minutes.

Notice the expression *ένα λεπτό* (just a minute) – not always to be taken literally. You'll also hear *μία στιγμή*: one moment.

The Greek Day

The Greek day is divided into:

το πρωί	morning
το μεσημέρι	afternoon
το απόγευμα	late afternoon/early evening
το βράδι	evening
η νύχτα	night

The precise times at which the different parts of the day shade into each other are not easy to define. Traditionally, people rise early (e.g. 06.30) and in many cases complete their working day by about 2.00. It is about 1.30 to 2.00, when the shops are closing after their morning hours, that *το πρωί* ends and *το μεσημέρι* begins. Many people then return home, eat a large lunch and sleep through *το μεσημέρι*. After about 2.30, no one would phone, call on, set up an appointment with, or otherwise disturb anyone before about 5.30, when *το απόγευμα* has begun. On some days, shops re-open at this time. *Το βράδι* starts about 7.30 to 8.00 and can go on quite late; tavernas start to fill up about 10.00 to 10.30.

Many dictionaries define *το μεσημέρι* as 'noon', but you should not be misled into thinking this has anything to do with 12 o'clock; if your Greek friend says he'll see you *το μεσημέρι*, he might mean anything between 1.30 and 3.30, but it would be pointless to turn up at 12!

'At eleven in the morning' is *στις έντεκα το πρωί*. Similarly, *στις δύο το μεσημέρι* (at two in the afternoon), *στις οχτώ το βράδι* (at eight in the evening), and so on.

χτες	:	yesterday
σήμερα	:	today
αύριο	:	tomorrow

3 After the number, ask: *με συγχωρείτε, τι ώρα έχετε;* Listen carefully and enter the answer in the space provided.

1	2	3	4	5	6

4 You've decided to go to Hios by boat. At the ticket office, you check on the details before booking. Fill in your part of the following conversation, and then listen to the completed dialogue on your recording.

Good morning.	Καλημέρα σας.
How often is there a boat to Hios?	Κάθε μέρα.
What time does it leave?	Στις οχτώμιση το πρωί.
And what time does it arrive?	Στις τέσσερεις το απόγευμα.
How much is the ticket?	Τι θέση θέλετε;
Tourist.	Εξακόσιες πενήντα.
Give me three tickets please.	Ορίστε.
Thank you. Goodbye.	Γειά σας.

*ΜΕΤ' ΕΠΙΣΤΡΟΦΗΣ in full.

5 Here is an advertisement placed by a travel agent in a Greek newspaper. It is headed 'travel in comfort and cheaply'. The two columns give the prices for a one-way ticket (ΑΠΛΟ) and return* (ΕΠ/ΦΗΣ) . Study it, and then answer the following questions.

- How much is a single ticket to Frankfurt?
- How much is a return ticket to Paris?
- To which city can you get a single ticket for 9190 drachmas?
- To which three cities could you travel return for 19000 drachmas?

Ταξιδεύετε άνετα & φθηνά

ΑΕΡΟΠΟΡΙΚΩΣ ✈

	ΑΠΛΟ	ΕΠ/ΦΗΣ		ΑΠΛΟ	ΕΠ/ΦΗΣ
ΛΟΝΔΙΝΟ	12340	19000	ΓΚΟΤΕΜΠΟΥΡΚ	11830	22660
ΠΑΡΙΣΙ	10160	16500	ΜΑΔΡΙΤΗ	12100	20400
ΜΟΝΑΧΟ	7950	18700	ΜΙΛΑΝΟ	8740	16300
ΦΡΑΚΦΟΥΡΤΗ	8940	18400	ΡΩΜΗ	6840	13680
ΑΜΣΤΕΡΝΤΑΜ	9750	19000	ΟΣΛΟ	11830	22660
ΒΕΡΟΛΙΝΟ	11700	17000	ΣΤΟΧΟΛΜΗ	11830	22660
ΚΟΛΩΝΙΑ	9190	20390	ΕΛΣΙΝΚΙ	11830	22660
ΒΡΥΞΕΛΛΕΣ	9510	19000	ΡΙΟ	34800	71000
ΚΟΠΕΓΧΑΓΗ	11000	13700	ΒΟΜΒΑΗ	15600	35000
ΒΙΕΝΝΗ	6640	13000	ΤΟΚΥΟ	22600	52000
ΖΥΡΙΧΗ	7950	16100	ΜΑΝΝΙΛΛΑ	19500	46500
ΑΜΒΟΥΡΓΟ	10430	20860	ΑΥΣΤΡΑΛΙΑ	36000	57000
ΑΝΟΒΕΡΟ	10030	20060	ΣΤΟΥΤΓΑΡΔΗ	8510	17020
ΝΙΚΑΙΑ	16000	16740	ΓΕΝΕΥΗ	7950	17660
ΜΑΣΣΑΛΙΑ	16500	16740	ΝΤΟΥΣΕΛΤΟΡΦ	9190	20390

Understanding Greek

You will hear a conversation between a young couple who decide to visit the island of Milos.

- When are they planning to go to Milos?
- How long is the journey by boat?
- How long does the plane take?
- Why do they decide on the boat?
- What time does it leave?
- Where can they get tickets?

Δεν πάμε καλύτερα με το καράβι;	Wouldn't it be better to go by boat?
βρε Μαρία	Between friends βρε is an affectionate form of address
ενώ	whereas, while
το ξέρω	I know
φοβάμαι	I'm afraid
καλά, καλά	all right, all right
δηλαδή	in other words
τα βγάζεις εσύ;	will you get them?

Summary

Asking the time

To ask the time, say:
Τι ώρα έχετε;
Τι ώρα είναι;

The reply may be:
Μία.
Μία η ώρα.
Μία ακριβώς.
Μιάμιση.
Μία και μισή.
Μία και δέκα.
Μία και τέταρτο.
Μία παρά τέταρτο.
Μία παρά είκοσι.

Asking about public transport

You can ask about:
το λεωφορείο για το Ναύπλιο
το καράβι για τη Χίο
το αεροπλάνο για τη Θεσσαλονίκη
το τραίνο για την Κατερίνη.

You might want to ask:
Τι ώρα φεύγει;
Τι ώρα φτάνει;
Από πού φεύγει;

To which the replies could be:
Στη μιάμιση.
Στις δεκατρείς και τριάντα.
Από την Αθήνα.

To check you've found the right one, ask:
Για το Ναύπλιο πάει αυτό;
Για τη Φολέγανδρο πάει αυτό;

For further details, you can ask:
Πόση ώρα κάνει το ταξίδι;
Πόσο κάνει το εισιτήριο;

To check the frequency of the service, ask:
Κάθε πότε έχει καράβι για . . .;

If you travel by boat, you may be asked:
Τι θέση θέλετε;

You can choose from:
πρώτη, δεύτερη, τουριστική, τρίτη (κατάστρωμα).

And if you miss the boat, which is not unheard of, more Greek philosophy may help *Τι να κάνουμε*; 'What can we do?' (said rhetorically and accompanied by a resigned shrug, the implied answer being 'nothing'!). *Έχουμε καιρό*, you might add – 'We have time'. And there'll usually be another boat tomorrow *αύριο*.

7 ΜΗΠΩΣ ΕΧΕΤΕ ΔΩΜΑΤΙΟ;

Finding somewhere to stay

Unless you're camping, or renting a villa, your stay in Greece will either be in a ξενοδοχείο (hotel), or in a δωμάτιο (room) in a Greek home or block of rooms constructed specially for renting to tourists. Look for the sign: ΕΝΟΙΚΙΑΖΟΝΤΑΙ ΔΩΜΑΤΙΑ – 'Rooms to let/for rent'. You may often be able to bargain on the price for the latter (especially off-season), though the prices of hotel rooms are fixed and controlled by the National Tourist Organisation of Greece (NTOG – in Greek: ΕΟΤ – *Ελληνικός Οργανισμός Τουρισμού*).

Finding a hotel room

To ask if they have any rooms free at a hotel, you can say:
Μήπως έχετε δωμάτιο;   Do you have a room? or
Μήπως έχετε δωμάτια;   Do you have any rooms?

The receptionist will want more details, and will probably ask:
Τι δωμάτιο θέλετε;   What kind of room do you want?

1 In this dialogue, a Greek woman on holiday in a provincial town asks for a double room for herself and her daughter.

- Καλησπέρα.
- Καλησπέρα σας.
- Μήπως έχετε δωμάτια;
- Μάλιστα. Τι δωμάτιο θέλετε;
- Ένα δίκλινο.
- Με μπάνιο ή χωρίς μπάνιο;
- Με μπάνιο.
- Εντάξει.

ένα δίκλινο   a double
με μπάνιο ή χωρίς μπάνιο;   with a bath or without a bath?

You can ask for *ένα μονόκλινο* (a single room), *ένα δίκλινο* (a double room), or *ένα τρίκλινο* (a room with three beds). A *δίκλινο* will probably have two beds, unless you specify *με διπλό κρεββάτι* (with a double bed).

If you want a room with a bath, ask for it *με μπάνιο*: with a shower is *με ντους*. If you don't want a room with a bath, it's *χωρίς μπάνιο*.

2 A visitor to Athens tries to book a single room with a bath.

- Καλημέρα σας.
- Καλημέρα.
- Μήπως έχετε δωμάτια;
- Βεβαίως. Τι δωμάτιο θέλετε;
- Ένα μονόκλινο με μπάνιο παρακαλώ.
- Δυστυχώς έχουμε μονόκλινο μόνο με ντους.
- Καλά, δεν πειράζει. Πόσο κάνει;
- Οχτακόσιες πενήντα.
- Εντάξει.

The receptionist will also want to know how long you'll be staying, and may ask:

Για πόσο καιρό;	For how long?
Για πόσες μέρες;	For how many days?
Πόσο θα μείνετε;	How long are you going to stay?

You can reply:
Για μία μέρα.	One day
Για δύο μέρες.	Two days
Για μία εβδομάδα.	One week

Because μέρα is feminine, one day is μία μέρα, three days is τρεις μέρες and four days is τέσσερεις μέρες. See page 277.

3 A tourist books a room with three beds for himself, his wife and his small son, for a week's holiday.
● Καλημέρα.
● Καλημέρα σας.
● Θα ήθελα ένα τρίκλινο με μπάνιο παρακαλώ.
● Ευχαρίστως. Πόσο θα μείνετε;
● Μία εβδομάδα.
● Από σήμερα;
● Μάλιστα. Πόσο κάνει;
● Χίλιες εκατό τη βραδιά, μαζί με το πρωινό.
● Καλά.
● Μου δίνετε το διαβατήριό σας παρακαλώ;
● Ορίστε.

Stress: see page 266.

τη βραδιά	per night
μαζί με το πρωινό	breakfast included
το διαβατήριό σας	your passport

1 Complete the following conversation, in which your part is suggested in English, and the receptionist's replies given in Greek. If possible practise with someone else, taking it in turns to play the part of the receptionist.
● Do you have any rooms?
● Βεβαίως. Τι δωμάτιο θέλετε;
● A single.
● Με μπάνιο ή χωρίς μπάνιο;
● With a bath.
● Για πόσο καιρό;
● For three days.

2 Now order rooms according to the illustrations below.

When you've booked in advance, you can say:
Έχω κλείσει ένα δωμάτιο.   I've booked a room.

The receptionist will ask:
Το όνομά σας;   Your name? and
Το διαβατήριό σας παρακαλώ. Your passport please.

4 Mr Jones has reserved a single room. The hotel receptionist greets him.
● Χαίρετε.
● Καλημέρα σας. Έχω κλείσει ένα δωμάτιο.
● Το όνομά σας παρακαλώ;
● Τζώνς.
● Α μάλιστα – ένα μονόκλινο για τέσσερεις μέρες.
● Ακριβώς. Με θέα.
● Βεβαίως. Το δωμάτιό σας είναι το διακόσια δέκα, στο δεύτερο όροφο.
● Ευχαριστώ. Τι ώρα έχει πρωινό;
● Από τις εφτά μέχρι τις δέκα.
● Ωραία.
● Το διαβατήριό σας παρακαλώ.
● Ορίστε.

ακριβώς	exactly
με θέα	with a view
διακόσια δέκα	210
στο δεύτερο όροφο	on the second floor
τι ώρα έχει πρωινό;	what time is breakfast?
από . . . μέχρι . . .	from . . . until . . .

If the hotel is full, you'll probably hear:
Είμαστε γεμάτοι.   We're full.

And δυστυχώς (unfortunately) is a common way of saying no to a request of
this kind. You may feel like saying Τι κρίμα! What a pity!

5 No room at the inn.
● Γειά σας.
● Χαίρετε.
● Μήπως έχετε δωμάτια;
● Δυστυχώς. Είμαστε γεμάτοι.
● Τι κρίμα. Πού θα βρούμε;
● Δοκιμάστε στο ξενοδοχείο ''Άλφα'.
● Πού είναι αυτό;
● Κοντά στο λιμάνι, πίσω από το λιμεναρχείο.
● Ευχαριστώ.
● Παρακαλώ.

τι κρίμα	what a pity
πού θα βρούμε;	where will we find (one)?
δοκιμάστε	try
κοντά στο λιμάνι	near the harbour
πίσω από το λιμεναρχείο	behind the port authority

In the Lift   *στο ασανσέρ*

●	4ᵒˢ ΟΡΟΦΟΣ	4th floor
●	3ᵒˢ ΟΡΟΦΟΣ	3rd floor
●	2ᵒˢ ΟΡΟΦΟΣ	2nd floor
●	1ᵒˢ ΟΡΟΦΟΣ	1st floor
●	ΗΜΙ: ΗΜΙΟΡΟΦΟΣ	Mezzanine
●	ΙΣ: ΙΣΟΓΕΙΟΝ	Ground floor
●	ΥΠ: ΥΠΟΓΕΙΟΝ	Basement

ΩΘΗΣΑΤΕ   ΣΥΡΑΤΕ

ΩΘΗΣΑΤΕ   . . . Push   ΣΥΡΑΤΕ   . . . Pull

If you stay in a room in a private house, the kinds of questions you'll ask will basically be the same as in a hotel. In either case, you may want to see the room, or rooms, before you decide. You can ask:

See also chapter 19.

Μπορούμε να τα δούμε;   Can we see them?
or
Μπορώ να το δω;   Can I see it?

See below.

Περάστε: after you

6 A young Greek couple try to find a room in a house on an island.
- Καλημέρα σας.
- Καλημέρα.
- Έχετε δωμάτια;
- Έχουμε.
- Θέλουμε δύο μονόκλινα.
- Εντάξει. Για πόσο καιρό;
- Από σήμερα μέχρι την Παρασκευή.
- Ωραία.
- Μπορούμε να τα δούμε;
- Ορίστε. Περάστε.

3 You're trying to find accommodation at a hotel in a small seaside town for yourself and your mother. Supply your part of the conversation below, and then listen to the completed dialogue on your cassette or record.

Do you have any rooms? ....
Βεβαίως. Τι δωμάτιο θέλετε;
Two singles please. ....
Με μπάνιο ή χωρίς μπάνιο;
With a bath. ....
Για πόσο καιρό;
For a week. ....
Εντάξει.
How much do they cost? ....
Εννιακόσιες εξήντα τη βραδιά.
Can we see them? ....
Ευχαρίστως. Περάστε.

From . . . until . . .

From . . . until . . . is από . . . μέχρι . . .
από τις εφτά μέχρι τις δέκα   from seven until ten
από τη μιάμιση μέχρι τις τρεις   from 1.30 until 3.00

The days of the week are:

η Κυριακή	Sunday	'Lord's Day'
η Δευτέρα	Monday	'the second day'
η Τρίτη	Tuesday	'the third day'
η Τετάρτη	Wednesday	'the fourth day'
η Πέμπτη	Thursday	'the fifth day'
η Παρασκευή	Friday	'Day of Preparation'
το Σάββατο	Saturday	'Sabbath'

Notice that they are all feminine except το Σάββατο. From Monday to Friday is από τη Δευτέρα μέχρι την Παρασκευή.

Yesterday, today and tomorrow are, as you have seen, χτές, σήμερα, αύριο. Note also: προχτές: the day before yesterday, and μεθαύριο: the day after tomorrow.

From tomorrow until Saturday is από αύριο μέχρι το Σάββατο.

4 Turn to your cassette or record. You're booking a hotel room by phone. The receptionist asks: *Για πόσο καιρό;* Tell her:

- For three days
- For five days
- For one week
- For two weeks
- From today until Tuesday
- From tomorrow until Sunday
- From Monday until Friday

Where is it?

See Grammar page 266.

Also: *μέσα σε* – inside;
έξω από – outside

Κοντά στο λιμάνι, πίσω από το λιμεναρχείο.

Many words that show the relationship of one place, or thing, to another combine with από το(ν)/από τη(ν) or στο(ν)/στη(ν).

κοντά στο λιμάνι	near the harbour
μακριά από την Αθήνα	far from Athens
πίσω από το λιμεναρχείο	behind the port authority
μπροστά στην εκκλησία	in front of the church
δίπλα στο καφενείο	next to the kafenio
απέναντι από το σινεμά	opposite the cinema
πάνω από το ξενοδοχείο	above the hotel
κάτω από το φαρμακείο	below the chemist's

5 On your cassette you will hear a woman asking several people where the post office is, marked on the map below. She gets a variety of replies, only one of which is correct. Which is it?

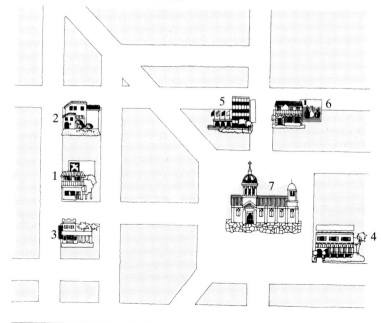

Key:

1 **post office**
2 **cafe**
3 **cinema**
4 **restaurant**
5 **hotel**
6 **chemist's**
7 **church**

6 Try this puzzle. If you get all the horizontal clues right, the shaded vertical column will give you an expression meaning 'Have a good stay'.

1 a single room
2 without a bath
3 two double rooms
4 from today
5 Do you have any rooms?
6 We're full.

7 your passport
8 for three days
9 one week
10 with a shower
11 until Tuesday

Understanding Greek A Greek arrives at a hotel in a small town in the provinces fairly late at night and tries to book a room.

- What rooms does he ask for?
- How long does he want them for?
- What is the receptionist's difficulty?
- What is the first alternative suggested by the receptionist?
- And what is the second?
- Which hotel does the receptionist recommend?
- Where is it?

δεν κάνει   it won't do
δεν γίνεται   it's impossible
λυπάμαι   I'm sorry

Finding a room

Summary

You'll need to ask:
Μήπως έχετε δωμάτιο; or
Μήπως έχετε δωμάτια;

And say whether you want:
ένα μονόκλινο
ένα δίκλινο
ένα τρίκλινο.

And whether you want it:
με μπάνιο
με ντους
με θέα
χωρίς μπάνιο.

If you want to look before deciding, ask:
Μπορούμε να τα δούμε;
Μπορώ να το δω;

And if you've reserved a room in advance, say:
Έχω κλείσει ένα δωμάτιο.

To say how long you're staying, you can add:
για μία μέρα
για τρεις μέρες
για μία εβδομάδα
από σήμερα μέχρι το Σάββατο
από την Τρίτη μέχρι την Παρασκευή

The receptionist may ask:
Τι δωμάτιο θέλετε;
Για πόσο καιρό;
Για πόσες μέρες;
Πόσο θα μείνετε;
Με μπάνιο;
Το όνομά σας;
Το διαβατήριό σας.

If they're full, you'll hear:
Είμαστε γεμάτοι.

Once you're in, however, you may be wished: *καλή διαμονή!* Have a good stay.

8 ΠΟΙΟΣ ΕΙΝΑΙ ΑΥΤΟΣ;

Who's who

See page 171.

Much of the Greek you've learnt so far will enable you to talk effectively to waiters, hoteliers, shopkeepers, ticket vendors, passers-by and so on. But perhaps the biggest bonus of speaking even a little Greek is that it allows you to talk to Greeks on their own terms and find out about their way of life. A few words exchanged will invariably lead to some form of φιλοξενία (hospitality) and an invitation to meet, in person or by proxy, that most Greek of institutions, the family: η οικογένεια.

This chapter deals with the language involved in meeting people, and describing them and their relationships.

When you want to ask 'Who is this?', say:
Ποιος είναι αυτός;

If it's a woman, say:
Ποια είναι αυτή;

105

Some children in a Greek primary school (δημοτικό σχολείο) were asked by their teacher to bring in paintings of their families. In the following two conversations the school inspector questions them about their work.

1 First the inspector talks to Martha, aged 10.

- ● Πώς σε λένε;
- ● Μάρθα.
- ● Και πόσων χρονών είσαι;
- ● Δέκα.
- ● (*Points at painting*) Ποια είναι αυτή;
- ● Η μητέρα μου.
- ● Ωραία. Πώς τη λένε;
- ● Μαρία.
- ● Και ποιος είναι αυτός;
- ● Ο πατέρας μου.
- ● Τι δουλειά κάνει;
- ● Ταξιτζής.

η μητέρα μου	my mother
πώς τη λένε;	what's her name? (how do they call her?)
ο πατέρας μου	my father

When you want to ask someone how old they are, say:
Πόσων χρονών είσαι; How old are you?

More formally, say:
Πόσων χρονών είσαστε;

And if you want to ask how old someone else is, it's:
Πόσων χρονών είναι; How old is he, she?

See page 54.

2 Now it's the turn of Andonis, aged 9.

- Γειά σου.
- Γειά σας.
- Πώς σε λένε;
- Αντώνη.
- Πόσων χρονών είσαι;
- Εννιά.·
- Ωραία. Ποιος είναι αυτός;
- Ο πατέρας μου.
- Πόσων χρονών είναι;
- Τριάντα εφτά.
- Και πώς τον λένε;
- Μανώλη.
- Μάλιστα. Τι δουλειά κάνει;
- Έχει παντοπωλείο.
- Μπράβο.

πώς τον λένε;   what's his name? (how do they call him?)

You saw in chapter four that 'What's your name?' is Πώς σε λένε; or Πώς σας λένε; If you want to ask 'What's his name?', say:
Πώς τον λένε;

And 'What's her name?' is:
Πώς τη λένε;

See page 277, numbers.
When people tell you their age, they commonly use special forms of the numbers 1, 3, 4: ενός, τριών, τεσσάρων. You will hear είκοσι ενός (21), σαράντα τριών (43), πενήντα τεσσάρων (54), and so on.

1 The paintings of two of the children, Βασιλική and Δημήτρης are illustrated below. *You* play the part of the school inspector and question them about their families. The children's answers are given for you. Then listen to the completed dialogue.

1 Ask:

Inspector	Child
What's your name?	Βασιλική.
How old are you?	Πέντε.
Who is this?	Ο πατέρας μου.
How old is he?	Τριάντα.
What work does he do?	Ναυτικός.
Who is this?	Η μητέρα μου.
And who is this?	Ο αδελφός μου.

2 Ask:

What's your name?	Δημήτρη.
How old are you?	Έξι.
Who is this?	Η μητέρα μου.
How old is she?	Είκοσι εφτά.
What's her name?	Μαρία.
And who is this?	Ο πατέρας μου.
What's his name?	Γιώργο.
How old is he?	Τριάντα πέντε.
What work does he do?	Έχει καφενείο.

The oft-quoted tag 'Beware the Greeks bearing gifts' has little or no validity nowadays where the visitor's experience of Greece is concerned. Quite the opposite. Greeks are instinctively hospitable towards foreigners (ξένος means both 'foreigner' and 'guest') and will press on you gifts of flowers, drinks, fruits or sweets in gestures of hospitality – φιλοξενία. Accept graciously and, before leaving, say: *Ευχαριστώ για την φιλοξενία σας* – 'Thank you for your hospitality'.

3 In the next conversation a young Greek woman, Aliki, who is visiting a village in the north of Greece, is invited to meet the family of a woman she's just met in the village shop. They go back to her home.

● Περάστε. Ελάτε να σας συστήσω τους γονείς μου.
● Ευχαριστώ.
● Από 'δώ ο πατέρας. Η δεσποινίς Αλίκη. Η μητέρα μου.
● Χαίρω πολύ.
● Καθήστε παρακαλώ.
● Ευχαριστώ.
● Να σας συστήσω και τα παιδιά μου. Ο γιος μου, ο Αντώνης, και η κόρη μου η Αντριάνα.
● Γειά σας.
● Θα πάρετε ένα καφεδάκι;
● Ευχαρίστως . . . Στην υγειά σας!

περάστε	come in
(ελάτε) να σας συστήσω	(come and) let me introduce (to you)
από 'δώ	over here
καθήστε	take a seat
τα παιδιά μου	my children
ο γιος μου	my son
η κόρη μου	my daughter

4 Aliki sees a family photograph on the wall, and begins to question the woman about it.
● Ποια είναι αυτή;
● Αυτή είναι η αδελφή μου. Είναι παντρεμένη στην Αμερική.
● Και αυτός;
● Ο αδελφός μου. Είναι και αυτός παντρεμένος – αυτή εδώ είναι η γυναίκα του.

109

- Πού μένει ο αδελφός σου;
- Στην Αυστραλία.
- Αλήθεια; Τι δουλειά κάνει;
- Δουλεύει σε εστιατόριο. Είναι μάγειρας.
- Έχει παιδιά;
- Πώς! Τρία αγόρια.
- Και η αδελφή σου;
- Αυτή έχει ένα κορίτσι. Είναι φοιτήτρια.
- Να σας ζήσουν.
- Νάστε καλά.

παντρεμένη	married
ο αδελφός μου	my brother
αυτή εδώ	this (woman) here
η γυναίκα του	his wife
μάγειρας	cook
τρία αγόρια	three boys
ένα κορίτσι	a girl
φοιτήτρια	student (fem.)
να σας ζήσουν	may they live (a long life)
νάστε καλά	'may you be well'

Στην Αμερική . . . στην
Αυστραλία

The Greek *diaspora* is a centuries old phenomenon. Greeks have always left their homeland (η πατρίδα) in search of a better and more prosperous life, though when abroad their love of Greece rarely deserts them even when they are, as they say, 'in exile': ξενιτιά.

In this century, however, there have been three huge waves of emigration: first, at the turn of the century until about 1920, to America, then in the '30s and '40s, to Australia and Canada, and finally, from the 1950s until the late 1970s, the temporary government-instigated emigration to Germany and other European countries as industrial 'guest workers' – the phenomenon of μετανάστες (emigrants) or μετανάστευση (emigration).

These waves of emigration have had profound effects on Greek society – not least the splitting of families and the desertion of villages – though many a mountain village or small community is able to survive only by virtue of money sent back from successful emigrés. In some years income from emigrés has exceeded that of shipping, and has thus been a major influence on the Greek economy. As unemployment increases in Europe in the late 1970s and early 1980s, there are signs, however, of Greeks returning from 'promised lands' to their homeland once more.

The nostalgia and other emotions surrounding the phenomenon of *diaspora* are a major recurring theme in Greek songs.

Να σας ζήσουν . . . 'Long may they live for you' – i.e. your children. That's to say: may they bring you joy and happiness – and perhaps even look after you in your old age! A very common wish when meeting, or even being shown photographs of, the children of your acquaintance. Not to be confused with '*Να ζήσετε*' ('May you have a long life'), which is what you traditionally wish newly-weds after the wedding ceremony.

'My brother' is ο αδελφός μου and 'your brother' is ο αδελφός σου.

To say 'my' you simply put μου after the word: το καπέλλο μου – my hat.

Similarly, for 'your', put σου after the word: το καπέλλο σου – your hat.

The other words that indicate 'whose' are:

του	his	μας	our
της	her	σας	your
του	its	τους	their

ο αδελφός μας	our brother
ο αδελφός τους	their brother and so on.

**The Greek Family
Η Οικογένεια**

ο παππούς
grandad

ο πατέρας
father

ο αδελφός
brother

ο γιος
son

το μωρό
baby

το αγόρι
boy

ο άντρας
husband
η γυναίκα
wife

τα αδέλφια
brothers and sisters

η γιαγιά
grandma

η μητέρα
mother

η κόρη
daughter

το κορίτσι
girl

η αδελφή
sister

το παιδί
child

2 Here is an essay written by a seven year old about his family. Read it and then answer the questions.

Ο πατέρας μου είναι ο Γιώργος Μαριδάκης, και η μητέρα μου είναι η Μαρία. Ο πατέρας μου είναι ναυτικός και κάνει πολλά ταξίδια. Έχω τρία αδέλφια – δύο αδελφούς και μία αδελφή. Ο αδελφός μου ο Κώστας είναι μεγάλος. Είναι παντρεμένος και μένει στην Αθήνα μαζί με τη γυναίκα του. Η αδελφή μου είναι μικρή ακόμα, και πηγαίνει στο Γυμνάσιο. Η γιαγιά μου είναι πολύ καλή. Πηγαίνουμε κάθε μέρα στο πάρκο και εγώ παίζω μπάλα με τους φίλους μου.

πηγαίνω is an alternative form of πάω.

ναυτικός	sailor
αδέλφια	brothers and sisters
μεγάλος	big (i.e. older)
μικρός	little (i.e. younger)
πηγαίνει στο Γυμνάσιο	goes to high school
η γιαγιά μου	my grandmother
καλή	good, kind
στο πάρκο	to the park
παίζω μπάλα	I play ball (games)
με τους φίλους μου	with my friends

●   What is his father's name?
●   What is his mother's name?
●   What does his father do?
●   How many brothers and sisters does he have?
●   Where does his brother Kostas live?
●   Does his sister work?
●   Where does he go with his grandmother?

Στο Γυμνάσιο . . . children's education is compulsory until they are 15, and reach the third form in the Gymnasium. Then they can go to the Lykeio (*Λύκειο*) for another three years, but this is not compulsory. The private sector also flourishes in Greek education alongside the public sector. In addition many Greek children attend the *φροντιστήρια*, special

112

'cramming' schools for children to learn English and other foreign languages, as well as other vocationally oriented subjects. Students in higher education attend either *το Πολυτεχνείο* (the Polytechnic) or *το Πανεπιστήμιο* (the University). Apart from Athens there are also universities in Thessaloniki, Patra and Yannina, and two more are being established in Crete and Thrace.

Describing people and things
See Grammar, page 262.

Words like παντρεμένος, μεγάλος, μικρός and so on, change their endings, depending on whether you're talking about a man or a woman.

A man would be:
παντρεμέν**ος**, μεγάλ**ος**, μικρ**ός**.

A woman would be:
παντρεμέν**η**, μεγάλ**η**, μικρ**ή**.

If you're not married you're ελεύθερ**ος**/ελεύθερ**η**.

113

Two more pairs of opposites are:

ψηλός, ψηλή (tall)   and   κοντός, κοντή (short)
λεπτός, λεπτή (slim) and   χοντρός, χοντρή (stout)

3 You have just found a small girl on the beach who is crying and obviously lost. Try to get a description of her parents from her, so that you can help her to find them. The girl's answers are given. Supply the questions, and then listen to the completed dialogue on your cassette or record. The first one is done for you.

Είναι μεγάλος ο πατέρας σου;	Όχι, είναι μικρός.
....	Όχι, είναι λεπτός.
....	Όχι, είναι ψηλός.
Είναι μεγάλη η μητέρα σου;	Όχι, είναι μικρή.
....	Όχι, είναι λεπτή.
....	Όχι, είναι κοντή.

4 Listen to your cassette or record. A friend keeps asking you questions about your brother, but it seems that your sister is everything that your brother isn't. When she asks *Είναι μεγάλος ο αδελφός σου;* reply *Όχι, αλλά η αδελφή μου είναι μεγάλη* and so on. The questions are written out below.

Είναι μεγάλος ο αδελφός σου; ....

Είναι ψηλός ο αδελφός σου; ....

beautiful, handsome
Είναι όμορφος ο αδελφός σου; ....

dark (hair or complexion)
Είναι μελαχροινός ο αδελφός σου; ....

Είναι παντρεμένος ο αδελφός σου; ....

intelligent, clever
Είναι έξυπνος ο αδελφός σου; ....

The endings of adjectives change in this way not just when you're talking about men and women, but with all masculine and feminine words:
ο μικρός φάκελλος
η μεγάλη μπύρα, and so on.

And there is a third ending, to go with neuter words:
μεγάλο, μικρό, ψηλό, χοντρό, and so on:
το μεγάλο καπέλλο.

Some common Greek words for people are neuter:
το παιδί (child); το αγόρι (boy); το κορίτσι (girl).

το ψηλό αγόρι
το όμορφο κορίτσι.

114

5 Arrange the Greek words for father, mother, sister, brother, husband, wife, son, daughter (all with *o* or *η*) and the words for handsome, big, short, stout (in the form to describe a man), and tall, slim, little (in the form to describe a woman) in the grid below. Then rearrange the letters in the blue squares to give you a word meaning a family relationship.

Understanding Greek

A man and a woman are having a conversation at a party.
- Is the person the woman asks about tall or short?
- What is his relationship to the man?
- How old is he?
- What is his daughter's name?
- How does the man point out his brother's wife?
- Where is she from?
- How many children do the couple have?
- Where is the son?
- What is his name?

μπα;	really?
κούκλα είναι	she's very pretty (literally: a doll)
έχει πάει στη Δράμα	he's gone to Drama (a town in Northern Greece)

See grammar page 269.

115

Talking about people

Summary

To ask 'Who is this?' say:

Ποιος είναι αυτός;
Ποια είναι αυτή;

To ask how old someone is, say:

Πόσων χρονών | *είσαι;*
| *είσαστε;*
| *είναι;*

To ask someone's name, say:

Πώς | *σε*
| *σας* | *λένε;*
| *τον*
| *τη*

Describing people

Words like *ψηλός* change their endings as follows:

Ο *πατέρας μου είναι ψηλός.*
Η *μητέρα μου είναι ψηλή.*
Το *αγόρι μου είναι ψηλό.*
Το *κορίτσι μου είναι ψηλό.*

And Greeks will always appreciate your good wishes:
να σας ζήσουν   for their children, and
να ζήσετε   for newly-weds.

9 Μ' ΑΡΕΣΕΙ ΠΟΛΥ!

Likes and dislikes

Saying you like something

Short for: μου αρέσει.

If you want to ask 'Do you like . . .?' say:
σ' αρέσει . . .; followed by ο . . ., η . . ., το . . . .

To say 'I like . . .' it's:
μ' αρέσει . . . .

1 Are you a coffee drinker?
- Σ' αρέσει ο καφές;
- Ναι, μ' αρέσει, αλλά ποτέ δεν πίνω καφέ το βράδι.

ποτέ δεν πίνω   I never drink

See Grammar, page 262 adjectives.

2 Do you like my blouse?
- Σ' αρέσει η μπλούζα μου;
- Ναι, μ' αρέσει πολύ. Καινούρια είναι;
- Ναι. Την αγόρασα στην Αθήνα.

καινούρια   new
την αγόρασα   I bought it

See chapter 14.

3 And the hat?
- Σ' αρέσει το καπέλλο μου;
- Ναι – σου πάει.

σου πάει   it suits you

4 Wine or beer?
- Σ' αρέσει το κρασί;
- Να σου πω. Μ' αρέσει το κρασί, αλλά τώρα τελευταία πίνω μπύρα με το φαγητό.

να σου πω   I'll tell you (let me tell you)
τώρα τελευταία   lately

If you're speaking to someone formally, say:
σας αρέσει . . .;

And if you're asking their opinion of more than one thing, it's:

You'll also hear: αρέσουν.

σ' αρέσουνε . . .; or σας αρέσουνε . . .;
to which they may reply μ' αρέσουνε . . .

'I don't like . . .' is
δεν μ' αρέσει (δεν μ' αρέσουνε for more than one thing)

and to express a strong dislike, you can add καθόλου:
Δεν μ' αρέσει καθόλου. I don't like it at all.
Καθόλου can be used on its own to mean 'not at all'.

5 Thanos entertains a guest to lunch

Waiter: Τι θα φάτε;
Thanos: Σας αρέσει ο μουσακάς;
Guest: Ναι, βέβαια.
Thanos: Λοιπόν, φέρτε μας ένα μουσακά, ένα μπριάμ και μία χωριάτικη.
Waiter: Αμέσως.

ένα μπριάμ   briam: a vegetable dish with courgettes and potatoes

118

6 During the meal

Thanos:	Μα δεν τρώτε τις ελιές. Δεν σας αρέσουνε;
Guest:	Όχι. Δεν μ' αρέσουνε καθόλου.
Thanos:	Περίεργο. Γιατί;
Guest:	Γιατί είναι πολύ πικρές.

μα δεν τρώτε τις ελιές	but you're not eating the olives
περίεργο, γιατί;	strange, why?
γιατί . . .	because . . .
πικρές	bitter

Γιατί is both 'why' and 'because':

| Γιατί δεν πίνεις καφέ; | Why don't you drink coffee? |
| Γιατί δεν μ' αρέσει. | Because I don't like it. |

More about negatives

You have seen that ποτέ means 'never' and καθόλου means 'not at all'. When you use negative words like these, you must also use δεν, to complete the negative expression. They do not cancel each other out, as they would in English.

| Ποτέ δεν πίνω κρασί. | I never drink wine. |
| Δεν μ' αρέσουνε καθόλου. | I don't like them at all. |

119

1 Turn to your cassette or record. You have been stopped in the main square of a provincial town by a man conducting a market survey of eating and drinking habits, who questions you about the items illustrated. As it happens, you're very fond of the first three, and can't stand the rest. Listen to him ask *Σας αρέσει . . .*; and then reply *Ναι, μ' αρέσει πολύ* or *Όχι, δεν μ' αρέσει καθόλου*. The correct version will then be given for you to check.

ο καφές	η μπύρα	το κρασί	το κοτόπουλο	ο μουσακάς	η ρετσίνα

2 You've invited a Greek friend to a party in your home and have prepared a few Greek items. You're anxious that he should enjoy himself. Refer again to the illustration and ask *σ' αρέσει . . .*; The correct version will then be given for you to check.

If you want to say 'I like . . .', with the stress on 'I', add εμένα:
εμένα μ' αρέσει . . .

To stress 'you' in the same way, add εσένα:
εσένα σ' αρέσει . . .;

Notice the word order when you don't like something:
εμένα δεν μ' αρέσει . . .

7 Takis tries to persuade his girl friend Soula to go to a football match.
- Πάμε στο μάτς αύριο;
- Ποιο ματς λες;
- Ολυμπιακός-Παναθηναϊκός.
- Μπάσκετ δηλαδή;
- Όχι μωρέ – ποδόσφαιρο.
- Μπα, δεν πάω. Δεν μ'αρέσει καθόλου το ποδόσφαιρο.
- Τι σπορ σ' αρέσουνε λοιπόν;
- Το σκι.
- Εμένα δεν μ' αρέσει καθόλου το σκι.
- Γιατί;
- Γιατί είναι πολύ επικίνδυνο – και κοστίζει.

See Grammar page 260: declension of foreign words.

ποιο ματς λες;	which match do you mean?
μωρέ	like ὄρε, a familiar form of address between friends
ποδόσφαιρο	football
μπα!	no!
σπορ	sport(s)
επικίνδυνο	dangerous
κοστίζει	it costs (i.e. a lot)

8 A Greek television interviewer gets the opinions of a group of Greek students returning from studying in England.

- Σ' αρέσει η Αγγλία;
- Ναι, μ' αρέσει πολύ.
- Γιατί;
- Γιατί έχει ωραία μαγαζιά.
- Εσένα σ' αρέσει;
- Όχι πολύ.
- Εσένα;
- Καθόλου.
- Γιατί;
- Γιατί ο καιρός είναι απαίσιος. Κάνει κρύο και βρέχει συνέχεια.

έχει ωραία μαγαζιά	it has nice shops
ο καιρός είναι απαίσιος	the weather's awful
κάνει κρύο	it's cold
βρέχει συνέχεια	it rains all the time

See also chapter 15.

Ωραία . . .

Ωραία, as well as meaning beautiful, is used in the sense of 'great!', 'terrific!'. Here are some other ways of expressing your enthusiasm in Greek:

θαύμα!	marvellous
θαυμάσιο!	wonderful
αριστούργημα!	a masterpiece
καταπληκτικό!	terrific

See also page 110 *diaspora*.

3 Here is an extract from a letter written to his family by a young Greek from Kavala who was obliged to go to Germany to find work. In it he gives his impressions of work and life in Frankfurt. Read it carefully and then answer the questions. The word list is on the next page.

Εδώ στη Φραγκφούρτη δουλεύω σε εργοστάσιο. Δεν μ' αρέσει η δουλειά, γιατί είναι πολύ σκληρή και βαρετή. Μένω σε σπίτι μαζί με άλλους Έλληνες. Το γερμανικό φαγητό δεν μ' αρέσει και μαγειρεύω στο σπίτι. Πίνω και ρετσίνα, γιατί δεν μ' αρέσει το γερμανικό κρασί. Η Φραγκφούρτη μ' αρέσει – έχει πολλά σινεμά, και μ' αρέσει το σινεμά. Βλέπω και τηλεόραση το βράδι, αλλά δεν καταλαβαίνω Γερμανικά. Γενικά δεν μ' αρέσει η ζωή εδώ στη Γερμανία, και θα γυρίσω στην Ελλάδα σ' ένα μήνα.

- Where does he work in Frankfurt?
- Where does he live?
- What does he think of German food?
- What does he like about Frankfurt?
- Apart from going to the cinema, how does he spend his evenings?
- Why does he intend to return to Greece in a month?

σκληρή και βαρετή	hard and boring
σε σπίτι	in a house
μαζί με άλλους Έλληνες	with other Greeks
το φαγητό	the food
βλέπω και τηλεόραση	I also watch TV
γενικά	in general
η ζωή εδώ	life here
θα γυρίσω	I'm going to come back
σ' ένα μήνα	in a month

See chapter 11.

If you want to say 'He likes . . .' it's:

του αρέσει . . . or του αρέσουνε . . .

And 'She likes . . .' is:

της αρέσει . . . or της αρέσουνε . . .

9 Maria and Eleni try to decide on what to do in the evening.

Μαρία: Σ' αρέσει το θέατρο;
Ελένη: Ναι, αλλά μ' αρέσει το σινεμά πιο πολύ.
Μαρία: Ωραία. Πάμε απόψε στο Αθήναιον.
Ελένη: Τι παίζει;
Μαρία: Ένα αστυνομικό.
Ελένη: Δεν μ' αρέσουνε αυτά.
Μαρία: Τι σ' αρέσουνε;
Ελένη: Προτιμώ μία κωμωδία – να γελάσουμε λίγο.
Μαρία: Καλά, στο Ρέξ έχει μία κωμωδία, του Ντίσνεϋ.
Ελένη: Εντάξει. Πολύ μ' αρέσει ο Ντίσνεϋ.

πιο πολύ	(I like the cinema) more
τι παίζει;	what's on? (what's it playing?)
ένα αστυνομικό	a police story (film)
προτιμώ μία κωμωδία	I prefer a comedy
να γελάσουμε λίγο	so that we can laugh a little

4 Read the above conversation carefully and then turn to your cassette or record. You will be asked questions about Eleni's preferences, and you should reply saying *Ναι, της αρέσει* or *Όχι, δεν της αρέσει*. The questions are set out below.

- Της αρέσει το θέατρο;
- Της αρέσει το σινεμά;
- Της αρέσουνε τα αστυνομικά;
- Της αρέσουνε οι κωμωδίες.
- Της αρέσει ο Ντίσνεϋ;

5 Every summer ancient Greek plays are performed in the ancient theatre at Epidavros in the Peloponnese, and in the restored theatre of Herodes Atticus (also known as the Iródio) in Athens. Here are the names of the ancient playwrights and the leading characters of some of their plays. Who are they?

1 ο Αισχύλος
2 ο Ευριπίδης
3 ο Αριστοφάνης
4 ο Σοφοκλής
5 η Κλυταιμνήστρα

6 η Ηλέκτρα
7 ο Οιδίπους
8 ο Αγαμέμνων
9 ο Ορέστης
10 η Ιφιγένεια

Nowadays the Shadow Theatre – a sort of Greek Punch and Judy – is popular in Greece. Its central character and hero, Karaghiozis (ο Καραγκιόζης), has become a symbol of the survival of Greekness in the face of misery, oppression and corruption, and, through the efforts recently of the Spatharis family, he still delights Greek audiences in both urban halls and village squares. Its theatricality, humour and philosophy allow the Shadow Theatre to lay claim to being a genuine forerunner of the Greek cinema.

10 A young Greek couple discuss a small girl in the park.

See page 80, Diminutives

- Ποια είναι αυτή;
- Η κόρη του Νίκου.
- Όμορφο κοριτσάκι δεν είναι;
- Ναι. Μ' αρέσουνε τα μαλλιά της.
- Εμένα μ' αρέσουνε τα μάτια της.
- Ναι, έχεις δίκιο. Έχει πολύ μεγάλα μάτια.
- Και μαύρα.
- Πώς τη λένε;
- Ράνια.

See Grammar: Genitives page 262.

η κόρη του Νίκου	Nikos' daughter
τα μαλλιά της	her hair
τα μάτια της	her eyes
έχεις δίκιο	you're right

Colours . . .

Τα χρώματα . . .

γαλάζιος	sky blue		κίτρινος	yellow
μπλε	blue		μαύρος	black
πράσινος	green		άσπρος	white
κόκκινος	red		γκρίζος	grey

11 A woman tries to buy a tie for her son's birthday.

- Καλησπέρα.
- Καλησπέρα σας. Τι θέλετε παρακαλώ;
- Μία γραβάτα, για το γιο μου.
- Μάλιστα. Τι χρώμα;
- Πράσινη, αν έχετε.
- Δυστυχώς δεν έχω πράσινες γραβάτες. Μήπως σας αρέσει αυτή η μπλε;
- Όχι. Έχει δύο πράσινα πουκάμισα, και δεν πάει.
- Καλά. Αυτή η κόκκινη;
- Αυτή είναι πολύ όμορφη. Πόσο κάνει;
- Ένα χιλιάρικο.
- Πω πω πω είναι ακριβή! Αλλά αφού είναι για το γιο μου . . . ορίστε.
- Ευχαριστώ. Γειά σας.
- Χαίρετε.

μία γραβάτα	a tie
για το γιο μου	for my son
τι χρώμα;	what colour?
πράσινη αν έχετε	green, if you have it
μπλε	blue
πουκάμισα	shirts
δεν πάει	it doesn't match
κόκκινη	red
πω πω πω	exclamation of surprise
αλλά αφού	but since . . .

When you're using words like μεγάλος, ψηλός and so on with plural nouns, they have plural endings:
with masculine words, it's μεγάλοι, ψηλοί, . . .
with feminine words it's μεγάλες, ψηλές, . . .
and with neuter words it's μεγάλα, ψηλά, . . .
Compare:

ο ψηλός άντρας	οι ψηλοί άντρες
η ψηλή γυναίκα	οι ψηλές γυναίκες
το ψηλό αγόρι	τα ψηλά αγόρια
το ψηλό κορίτσι	τα ψηλά κορίτσια

6 You're shopping, but can't find anything that's quite right, and the shopkeeper's suggestions don't seem very helpful. Listen as she says e.g. *Σ' αρέσει αυτή η κόκκινη μπλούζα;* and reply e.g. *Όχι, δεν μ' αρέσουνε καθόλου οι κόκκινες μπλούζες.* The correct version will then be given for you to check.

Σ' αρέσει αυτή η κόκκινη μπλούζα; ....

Σ' αρέσει αυτή η μαύρη φούστα; ....

Σ' αρέσει αυτό το μικρό καπέλλο; ....

Σ' αρέσει αυτό το κίτρινο πουκάμισο; ....

Σ' αρέσει αυτός ο Ελληνικός δίσκος; ....

Claiming what's yours

If someone asks 'Whose is this?', and it's yours, you can reply:
(είναι) δικός μου   (it's) mine.

Δικός is an adjective, and its ending changes, depending on whether the *item* in question is masculine, feminine or neuter:

Ποιανού: whose

Ποιανού είναι ο δίσκος;	Είναι δικός μου.
Ποιανού είναι η τσάντα;	Είναι δική μου.
Ποιανού είναι το καπέλλο;	Είναι δικό μου.
Ποιανού είναι οι δίσκοι;	Είναι δικοί μου.
Ποιανού είναι οι τσάντες;	Είναι δικές μου.
Ποιανού είναι τα καπέλλα;	Είναι δικά μου.

12 Whose is this towel?

A Greek family is leaving the beach after a day in the sun, and mother is making sure that nothing gets left behind.

η πετσέτα: towel

- Δική σου είναι αυτή η πετσέτα Γιώργο;
- Όχι μαμά. Η δική μου είναι στο αυτοκίνητο.
- Ποιανού είναι λοιπόν;

See Grammar, page 262.

- Μήπως είναι του Νίκου;
- Νίκο, είναι δική σου η πετσέτα αυτή;
- Όχι μαμά. Η δική μου είναι άσπρη. Είναι της Μαρίας.
- Μαρία, αυτή η πετσέτα είναι δική σου;

Την ξέχασα: I forgot it.

- Ναι μαμά. Την ξέχασα.

125

Αυτός: when you use αυτός, *this*, you must also use the word for 'the':

αυτός ο δίσκος   this record
αυτή η τσάντα   this bag
αυτά τα παππούτσια   these shoes

Note also:
Η δική μου είναι στο αυτοκίνητο.   **Mine** (i.e. towel) is in the car.
Η δική μου είναι άσπρη.   **Mine** (i.e. towel) is white.

13 And what about these shoes?
- Ποιανού είναι αυτά τα παπούτσια Γιώργο;
- Δεν ξέρω. Τα δικά μου είναι εδώ.
- Μήπως είναι της Μαρίας;
- Δεν νομίζω. Τα δικά της είναι πιο μικρά.
- Νίκο, δικά σου είναι αυτά τα παπούτσια;
- Όχι μαμά. Είναι του πατέρα.
- Καλά, θα τα φέρω εγώ.

Δεν νομίζω: I don't think so

θα τα φέρω εγώ: I'll bring them

7 You've just returned to your hotel from a day excursion, and the guide has found several articles left behind in the coach. He assembles the group in the foyer of the hotel and asks whose they are. Embarrassingly, they're all yours! Listen to the recording as he asks e.g. *Ποιανού είναι αυτό το καπέλλο*; and reply e.g. *Είναι δικό μου*. The correct version will then be given for you to check.

το ταγάρι: Greek peasant bag
η μηχανή: camera
ο αναπτήρας: lighter

- Ποιανού είναι αυτό το καπέλλο;
- Ποιανού είναι αυτό το ταγάρι;
- Ποιανού είναι αυτή η μηχανή;
- Ποιανού είναι αυτός ο αναπτήρας;
- Ποιανού είναι αυτές οι κάρτες;
- Ποιανού είναι αυτά τα παππούτσια;

8 Later in the week, the same thing happens again. The guide naturally suspects you of being the culprit, but this time you're in the clear. Listen as he asks, e.g. *Είναι δικό σου αυτό το καπέλλο*; and reply e.g. *Όχι, το δικό μου είναι εδώ*. Again, the correct version will be given for you to check.

- Είναι δικό σου αυτό το καπέλλο;
- Είναι δική σου αυτή η μηχανή;
- Είναι δικός σου αυτός ο αναπτήρας;
- Είναι δικές σου αυτές οι κάρτες;
- Είναι δικά σου αυτά τα παπούτσια;
- Είναι δικοί σου αυτοί οι δίσκοι;

If you want to say 'It's yours, his, hers' etc., it's:

είναι . . .		δικός μας	our
δικός σου	yours	δικός σας	yours
δικός του	his	δικός τους	theirs
δικός της	hers	δικός τους	theirs

Saying how you feel

To say how you feel, you sometimes use an adjective:

Είμαι κουρασμένος / κουρασμένη.	I'm tired.
Είμαι ευτυχισμένος / ευτυχισμένη.	I'm happy.
Είμαι άρρωστος / άρρωστη.	I'm ill.

And sometimes you use a verb:

Διψάω	I'm thirsty
Πεινάω	I'm hungry
Πονάω	I'm in pain

You may occasionally wish to express really strong feelings: *Σ' αγαπάω* (I love you). This is, not surprisingly, a recurring theme in Greek pop songs, and occurs frequently as *σ' αγαπώ* in the refrain.

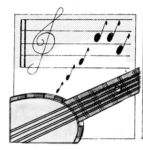

Understanding Greek

Eleni and Dimitris are discussing their tastes in music.
● Does Eleni like folk songs?
● What does Dimitris like better?
● What does Eleni prefer to rebetika?
● Does Dimitris like jazz?
● How does Eleni feel about jazz and pop music?
● Does Dimitris enjoy watching television?

δημοτικά τραγούδια	folk songs
τα παλιά ρεμπέτικα	see below
κλασσική μουσική	classical music
ακούω	I listen to, hear
ξένη μουσική	foreign music
δεν μ' αρέσει να βλέπω . . .	I don't like watching . . .

See chapter 16.

Δημοτικά τραγούδια . . .
τα παλιά ρεμπέτικα

The folk songs (*δημοτικά τραγούδια*) of the islands and regions of Greece are part of a centuries-old tradition giving voice to the eternal themes of birth, courtship, marriage, death, and commemorating tragic or heroic

127

deeds and events, as well as lamenting the emigration of friends and relatives. This is the music of the villages.

Early in this century there emerged in Greece a form of urban music and song known as ρεμπέτικα, which originated among the poor people and underworld of Greek towns, and spread in popularity after the influx of refugees from Asia Minor in 1922. The members of this urban sub-culture were known as 'rebetes' (ρεμπέτες) or 'manges' (μάγκες), people who lived outside the accepted standards of Greek society. The content of rebetic songs is heavy with bitterness and concerned with themes such as poverty, loneliness, social injustice, jail, hashish, death (Χάρος the modern descendant of the ancient ferryman) and love, particularly unrequited love. The origins and development of ρεμπέτικα in Greece have been compared to that of the blues in America.

Much of the so-called 'bouzouki' music heard on juke-boxes and in tavernas in Greece today owes its origins to the rebetika: the bouzouki, the baglamás (a 'baby bouzouki'), the guitar and the accordion were the basic instruments, and the songs of the great rebetic exponents such as Vamvakáris, Tsitsánis, Bátis and Béllou still echo in Greek hearts today in spite of the commercialisation and mass production of music.

Just as with Greek folk music, it is impossible to consider the songs and music of ρεμπέτικα without also speaking of dance, since dance is as inseparable and central a part of the music as the lyrics and melodies themselves.

The two dances most associated with rebetika are also those referred to broadly as typical 'Greek dancing': the *zembékiko* and the *khasápiko*. The authentic urban zembekiko is a man's solo dance, the expression of a mood of concentrated melancholy, suffering and release of tension, usually performed when the dancer's '*kéfi*' (spirits, 'soul', joy) is at its greatest.

Whereas the traditional *zembékiko* expresses the individualism of the performer, the *khasápiko* (Butcher's Dance') reflects his camaraderie: two or three men dancing together side by side, hands on shoulders, a combination of patterns and improvisation.

It is a simplified, popularised version of the khasapiko which has come to be known as the *'syrtáki'* and is the 'typical Greek dance' performed in tavernas for tourists. The *tsiftetéli* is a kind of belly dance, performed by both men and women, and originated in Asia Minor, as did the *karsilamás*, another solo or couple dance. Less overtly sexual, though equally acrobatic, is the *tsámikos*, a circle dance with interchanging leaders linked by a handkerchief, and performing leaps, bounds and somersaults. A more genteel circle dance, for men and women, is the *kalamatianós*.

Summary

Likes and dislikes

To ask 'Do you like . . .?':

Σ' αρέσει | ο καφές;
| η μπλούζα μου;
| το κρασί;

Or, more formally:
Σας αρέσει ο καφές;

To say 'I like . . .'
μ' αρέσει . . .

Or, 'I don't like':
δεν μ' αρέσει (καθόλου).

To stress 'I' or 'you':
εμένα μ' αρέσει   (εμένα δεν μ' αρέσει)
εσένα σ' αρέσει . . .;   (εσένα δεν σ' αρέσει . . .;)

To say 'he likes . . .', 'she likes . . .':
του αρέσει . . .
της αρέσει . . .

Describing people 2

In the plural adjectives like ψηλός have these endings:
Οι άντρες είναι ψηλοί.
Οι γυναίκες είναι ψηλές.
Τα αγόρια είναι ψηλά.
Τα κορίτσια είναι ψηλά.

129

10 ΓΙΑ ΝΑ ΔΟΥΜΕ . . .

Let's have a look

Revision: a look back at the language you have learnt so far.
By now you should be familiar with the Greek alphabet, both capitals and small letters, and be able to read shop signs, street names and so on, and the dialogues and conversations in this book, with reasonable ease.

You should also be able to say 'hello':

Greet people

by saying χαίρετε, γειά σας, or γειά σου
or by using the more specific greetings
καλημέρα, καλησπέρα, καληνύχτα

Chapters 1, 2

depending on the time of day. You should also be able to say 'goodbye':
αντίο (σας).

Ask how they are

by saying τι κάνεις; (or πώς είσαι;)
or, more formally τι κάνετε; (πώς είσαστε;).

Chapter 4

You can also respond when someone asks how *you* are, by saying
(πολύ) καλά, εσύ;
or, more formally, (πολύ) καλά ευχαριστώ, εσείς;
You can also reply μιά χαρά, έτσι κι έτσι, ας τα λέμε καλά.

Talk about people
Chapters 4, 8

You should be able to ask someone their name:
πώς σε λένε; πώς σας λένε;
and how old they are:
πόσων χρονών είσαι; πόσων χρονών είσαστε;
where they're from:
από πού είσαι; από πού είσαστε;
where they live:
πού μένεις; πού μένετε;
and what work they do:
τι δουλειά κάνεις; τι δουλειά κάνετε;
You can also ask about a third person:
ποιος είναι αυτός; or ποια είναι αυτή;
πώς τον λένε; πώς τη λένε;
πόσων χρονών είναι;
τι δουλειά κάνει;

Talk about yourself

Chapters 4, 8

You should be able to answer all the above questions if they're asked of you:
by stating your name
by giving your age
by saying:
από την Αγγλία
στο Λονδίνο
(είμαι) ταξιτζής, δουλεύω σε τράπεζα,
έχω γραφείο, and so on.

Attract attention

Chapters 2, 3

by saying παρακαλώ, συγγνώμη, με συγχωρείτε, and, in a restaurant, γκαρσόν.

Understand when people ask what you want

Chapters 1, 2, 5

When you go into a shop, a restaurant, a coffee bar, a hotel and so on, you should be able to understand when you're asked:

● Μάλιστα;
● Ορίστε;
● Τι θέλετε;
● Τι θα πάρετε;
● Τι θα φάτε;
● Τι θα πιείτε;

or when they ask you for more details:
● Τι παγωτό θέλετε;
● Πόσα θέλετε;

when they say they don't have what you want:
● Δυστυχώς δεν έχουμε

or when they ask if you want anything else:
● Τίποτ' άλλο;

Say what you want

Chapters 1, 2, 5, 7

Ask how much things cost
Chapter 5

You should be able to ask for things:

by naming what you want –
● μία μπύρα
● τον κατάλογο παρακαλώ
● ένα κιλό ντομάτες

or by saying
● Θέλω μισόκιλο φέτα
● Θα ήθελα ένα μπουκάλι ρετσίνα
● Μου δίνετε ένα κουτί σπίρτα;
● Δώστε μου ένα πακέτο μακαρόνια.

And, in a restaurant or coffee bar
● Μου (μας) φέρνετε μισόκιλο κρασί.
● Φέρτε μου (μας) δύο μπύρες, παρακαλώ.

If you're not sure they have what you want, you can ask
● Μήπως έχετε δωμάτια;
● Μήπως έχετε μουσακά;

by asking πόσο κάνει; or πόσο κάνουνε;

Find your way around

Chapters 3, 6

by asking:
● Πού είναι η τράπεζα;
● Υπάρχει περίπτερο εδώ κοντά;

and understanding when you're told
● το πρώτο (δεύτερο, τρίτο) στενό αριστερά (δεξιά)
● ευθεία, αριστερά στη γωνία.

You can ask if it's far:
● είναι μακριά;

or near:
● είναι κοντά;

When travelling, you should be able to ask:
- Από πού φεύγει το τραίνο;
- Τι ώρα φεύγει το λεωφορείο;
- Τι ώρα φτάνει;
- Πόση ώρα κάνει το ταξίδι;
- Κάθε πότε έχει καράβι;

You can check if you've got the right boat:
- Για τη Φολέγανδρο πάει αυτό;

and ask if the taxi's free:
- Είσαστε ελεύθερος;

You can understand departure and arrival times:
- στις εννιά
- στις εννιά και τέταρτο
- στις εννιάμιση
- στις δέκα παρά τέταρτο
- στη μία και είκοσι πέντε.

Talk about what you like

You can say μ' αρέσει το κρασί
or δεν μ' αρέσει η Ελλάδα (though we hope you won't!)
or ask
- Σ' αρέσει το ούζο;
- Σας αρέσει ο καφές;

You can also say (and we hope you will!)
- σ' αγαπώ . . .

Say how you feel

Chapter 9

You can say: Είμαι κουρασμένος, ευτυχισμένος and διψάω, πεινάω and so on.
And if you're feeling really great, you'll have what the Greeks call κέφι (kefi)!

134

Now's your chance to practise all the skills you have acquired so far.

1 The following puzzle recently appeared in a children's magazine in Greece. The instructions were to match the characters in column one with the authors in column two. See how well you can do.

1 Πήτερ Παν	α Κάρολος Ντίκενς
2 Ροβινσών Κρούσος	β Ιονάθαν Σουίφτ
3 Χήθκλιφφ	γ Αρθούρος Κόναν Ντόϋλ
4 Σέρλοκ Χολμς	δ Μπροντέ
5 Όλιβερ Τουίστ	ε Ντάνιελ Ντεφόε
6 Γκιούλιβερ	ζ Μπάρρυ

2 You're relaxing in a ζαχαροπλαστείο in the early evening with a group of friends. When the waiter comes over, you give the order for everyone. Turn to your cassette or record. You'll hear the waiter ask: Παρακαλώ; Order in the pause according to the illustrations opposite each number. The correct order will then be given for you to check that you've got it right.

1
2
3
4
5
6

 3 You're entertaining friends to dinner in a taverna. Supply your part of the following conversation with the waiter. (You can hear the completed conversation on your cassette or record.)

Good evening. ....
Καλησπέρα σας. Τι θα πιείτε;
Half a kilo of retsina please. ....
Μάλιστα. Και τι θα φάτε;
What ορεκτικά do you have? ....
Έχουμε κολοκυθάκια, τζατζίκι, μελιτζανοσαλάτα, πιπεριές, ντολμάδες, σαλάτα χωριάτικη.
Bring us courgettes, *tzatziki*, stuffed vine leaves and a Greek salad. ....
Μετά τι θα φάτε;
You've already decided on one (μία) meat balls, one moussaka and two souvlakia; ask for them. ....
Αμέσως.
After the meal
Call for the bill. ....
....
Αμέσως. Λοιπόν, μία κολοκυθάκια, ένα τζατζίκι, μία ντολμάδες, μία χωριάτικη, μία κεφτέδες, ένα μουσακά, δύο σουβλάκια, το κρασί, και το ψωμί . . . χίλιες διακόσιες δραχμές.
There you are, Thank you. ....
Κι εγώ ευχαριστώ. Καληνύχτα σας.
Good night. ....

4 The illustration shows the 'Week's Menu' from a Greek magazine. It gives a different set meal for each day of the week. Study it and then answer the questions. (Notice that the magazine appears on Tuesday.)

ΤΟ ΜΕΝΟΥ ΤΗΣ ΕΒΔΟΜΑΔΑΣ

ΤΡΙΤΗ
Ψάρι μέ μανιτάρια
Πατάτες καί κολοκυθάκια σαλάτα
Ρώσικη σέ φόρμα
Φροῦτα

ΤΕΤΑΡΤΗ
Μουσακάς χωρίς κρέας
Σαλάτα ντομάτα - άγγούρι
Τυρί
Φροῦτα

ΠΕΜΠΤΗ
Πατατοκεφτέδες
Λουκάνικα ψητά
Σαλάτα χωριάτικη
Τυρί
Φροῦτα

ΠΑΡΑΣΚΕΥΗ
Φασόλια σαλάτα
Τζατζίκι
᾿Αντζούγιες

᾿Αγγούρι μέ ξίδι
᾿Ελιές
Φροῦτα

ΣΑΒΒΑΤΟ
Κολοκυθάκια καί πατάτες στό φοῦρνο
Σαλάτα χωριάτικη
Τυρί
Φροῦτα

ΚΥΡΙΑΚΗ
Κοκορόπουλο κρασάτο
Πατάτες πουρέ
Σαλάτα χωριάτικη
Τυρί
Φροῦτα
Κέηκ μέ σοκολάτα

ΔΕΥΤΕΡΑ
Λαζάνια όγκρατέν
Σαλάτα ντομάτα-άγγούρι
Τυρί
Φροῦτα

- What day of the week is fish on the menu?
- What salad is recommended with moussaka?
- What days is cheese *not* on the menu?
- What day can you have tzatziki and olives?

5 The following conversation between a shopkeeper and a woman trying to buy a μαντήλι (scarf) is recorded on your cassette or record. Listen to it, and read it aloud, and then answer the following questions in English.

- What colour scarf does the woman want?
- Does she like the colour of the first one he shows her?
- What doesn't she like about it?
- What is wrong with the scarf with the attractive pattern?
- What is wrong with the next one he shows her?
- Why doesn't she like the cheap one?
- What does she do in the end?

Conversation:
- Καλημέρα.
- Καλημέρα σας.
- Θέλω ένα μαντήλι παρακαλώ.
- Μάλιστα. Τι χρώμα;
- Κόκκινο, αν έχετε.
- Βεβαίως. Ορίστε.
- Α αυτό το χρώμα είναι πολύ ωραίο, αλλά δεν μ' αρέσει το σχέδιο.
- Αυτό το σχέδιο είναι πολύ όμορφο.
- Ναι, έχετε δίκιο, αλλά δεν μ' αρέσει το χρώμα. Είναι πολύ σκούρο.
- Αυτό εδώ είναι πιο ανοιχτό.
- Μάλιστα, αλλά είναι πολύ μεγάλο.
- Λοιπόν, έχω αυτό εδώ, σε ανοιχτό χρώμα και με ωραίο σχέδιο με λουλούδια – και δεν είναι πολύ μεγάλο.
- Πόσο κάνει;
- Οχτακόσιες σαράντα.
- Είναι πολύ ακριβό.
- Αυτό εδώ είναι πιο φτηνό.
- Ναι, αλλά δεν μ' αρέσει το χρώμα.
- Μα δεν έχω άλλα μαντάμ!
- Καλά. Θα πάω στο μαγαζί απέναντι. Καλημέρα σας.

το σχέδιο	design, pattern
σκούρο	dark (of colours)
ανοιχτό	light (of colours)
λουλούδια	flowers
πιο φτηνό	cheaper

See chapter 15

Understanding Greek

You will hear a conversation between the compere of a television programme designed to give young singers and musicians the opportunity to appear before the public, and a young Greek who is making his first appearance. Listen to it carefully, and then answer the following questions about the contestant in Greek.
- Πώς τον λένε;
- Από πού είναι;
- Πού μένει τώρα;
- Μένει με την αδελφή του;
- Πόσων χρονών είναι;
- Τι δουλειά κάνει;
- Τι σπουδάζει;
- Τι τραγούδια του αρέσουνε;

το πανεπιστήμιο	the university
τι σπουδάζεις;	what are you studying?
μαθηματικά	maths
τα λαϊκά	popular (songs)
θα μας πεις απόψε;	are you going to sing (literally: say) tonight?
'Σε χρειάζομαι'	'I need you'
του Γιάννη Πάριου	by Yannis Parios (a popular singer)
καλή επιτυχία	good luck

7 The illustration below is reproduced from a Greek newspaper. It is an advertisement for foreign films on release in Athens in 1982. Which films? Who starred in them?

THE GREEKS HAVE A WORD FOR IT

The Greek language has a continuous history of over 3,000 years, and modern Greek is directly descended from the ancient language. It has evolved and changed greatly in that time, of course, but ancient Greek is still accessible to speakers of modern Greek.

Many words in the English language have their roots in ancient Greek, and anyone learning modern Greek is continuously meeting words that remind them of English words – though the meaning in modern Greek may also have changed somewhat. In modern Greek, for example, *συμφωνία* means agreement, but will readily call to mind the English *symphony*: and you will often hear Greeks say *σύμφωνοι!* – agreed!

Roots

Many words in modern Greek, whose etymology is ancient, and are commonly used in the formation of English words, occur in this course. *O φίλος* (friend), for example, forms the root of words like *philanthropy* (love of man: *άνθρωπος*); *philharmonic* (loving music); *philology* (the science of language: *o λόγος* – word); *philosophy* (love of wisdom: *σοφός* – wise). On the other hand, *o φόβος* (fear) lurks behind all our phobias: *agoraphobia* (fear of open places: *αγορά* – market place, place of assembly); *claustrophobia* (dread of confined places); *arachnophobia* (fear of spiders).

So, Greek roots can either be for the good (*καλός*) or for the bad (*κακός*). While we may enjoy a symphony, we are less likely to appreciate a cacophony (*κακός* – bad, *φωνή* – voice). *Calligraphy*, however, the art of fine penmanship, owes its written form to *καλός* – good, and *γράφω* – I write.

Γράφω spells out many other fine arts: *biography* (a written account of another person's life); *autobiography* (a person's life written by himself); *choreography* (the art of arranging dances: *o χορός* – dance); *geography* (the science describing the surface of the earth). For the history of the earth, however, we have to turn to *geology* (*η γη* – earth, *o λόγος* – word, discourse).

And when we speak well of something, we may be said to to *eulogize*: the prefix *eu-* (*ευ-*) usually means something beneficial. We can be sure that *euphony*, for example, unlike cacophony, will be an agreeable sound, and that a *eulogy* will speak well of someone. *Euphoria* unashamedly denotes well-being, though when we shy away from expressing the unpleasantness of something we may be guilty of *euphemism*.

If, on the contrary, we are prone to exaggeration, we shall frequently encounter the Greek word *μεγάλος* (big, great) in such terms as *megalomania*, when we have delusions of grandeur, for the expression of which a *megaphone* may well come in handy, especially if we live in a noisy, crowded *megalopolis* (*η πόλη* – city).

For some, of course, small is beautiful: *μικρός* (small). A *microphone* will intensify tiny sounds, a *microscope* will magnify minute objects, and may reveal the occasional *microbe* and even a *microcosm* (little universe, or world: *o κόσμος* – world, people).

No-one need have a *monopoly* of such insights (*μόνος*: alone – *πωλειον*: selling) – neither need they be accused of *monotony*, or dull uniformity. They're certainly not restricted to the *monarchy* (a government with a sole hereditary head of state). Nor need they lead us into *anarchy*

141

($\alpha\nu$ =negative, $\alpha\rho\chi\acute{\eta}$: rule). Preferable, perhaps, a *polyarchy* ($\pi o\lambda\acute{v}$ – much, many), or government by many persons, of *polygamous polyglots*?

Ancient Greek

The ancient Greek language has, of course, played a major part in the formation of English words, and, as noted above, their etymology is carried through into modern Greek.

The word *alphabet* itself contains the first two letters of the ancient Greek alphabet: *alpha* (α) and *beta* (β), later extended to mean any set of characters representing simple sounds.

Greeks are pleased to point out that the word *politics* is Greek: in ancient Greece, politics revolved around the city state – η $\pi\acute{o}\lambda\eta$ is still the word for 'city' today. They will proudly remind you that *democracy* is too (ancient Greek: $\delta\acute{\eta}\mu o\varsigma$ $\kappa\rho\alpha\tau\epsilon\acute{\iota}\nu$ – the rule of the people). A Greek may be less eager to remind you that *tyranny* is also thought to be of Greek origin, or that *Draconian* laws owe their derivation to one $\Delta\rho\acute{\alpha}\kappa\omega\nu$, a seventh century Athenian law-giver reputed to have written his laws in blood, not ink.

Greek history has also given us *iconoclasts* ($\epsilon\iota\kappa\acute{o}\nu\alpha$: icon, is also the modern Greek word for 'picture'), people of early Byzantium who destroyed icons in the eighth and ninth centuries because they thought they were the sources of paganism and superstition. Greek hubris reaches its zenith, perhaps, with the coining of the word *barbarian* to refer to all non-Greek-speaking people whose language sounded to them like a series of incomprehensible syllables: bar . . . bar . . . bar. If this be thought *cynical*, that too is an ancient Greek word ($\kappa\nu\nu\iota\kappa\acute{o}\varsigma$) referring to the followers of Diogenes, who rejected all conventions and was known as 'the dog': $\kappa\acute{v}\omega\nu$. Doubters may be *sceptical*: modern Greek – $\sigma\kappa\acute{\epsilon}\pi\tau o\mu\alpha\iota$ (I think); the original sceptics were third century BC philosophers who asserted the impossibility of knowledge and rejected all dogmatic systems

142

of thought. More positively, *Epicureans* owe their philosophy to Epicurus, who taught that the only unconditional good is pleasure. Not so the Stoics who, surrounded by Athenian colonnades (στοά), taught that to be virtuous is the only good thing: to be stoic is to display austerity and self-control. Much Greek philosophy, of course, is due to Aristotle the *peripatetic* teacher (he taught while walking about in a περίπατος, or walking-place, in the Lycaeum in Athens), though since so much of it survives today it could not be called *ephemeral* ('lasting for one day', which is why a Greek newspaper today is called an εφημερίδα).

The *theatre* (itself a Greek word: η θέα still means 'the view'), is a rich source of Greek words surviving in English. *Hypocrite* (one who does not mean what he says) was the general ancient Greek term for actor (υποκριτής), separated from the spectators by the *orchestra* (ορχήστρα), the circular area in which the chorus performed (ο χορός: dance). The part of the play before the entrance of the chorus into the orchestra, in ancient Greek theatre, was called the *prologue* (πρόλογος: foreword), where the plot and main characters (*protagonists*) were introduced. At the end of the play came the *exodus* (έξοδος: way out), the song sung by the chorus.

143

katharévousa/dimotikí

When the Greek state came into being in the nineteenth century, many Greeks, influenced by a desire to restore the pre-Turkish, 'Hellenic' culture, attempted to revive a version of ancient Greek as the official language. This new, artificial language was called *katharévousa* (the 'pure' language), as opposed to the spoken language of the day, *dimotikí*. It was for a long time the language of officialdom, and was used in newspapers, in some literature and in the schools and universities. The hostility between supporters of *katharévousa* and those of *dimotikí* became associated with political allegiance, and the use of *katharévousa* was loosely identified with the right wing and that of *dimotikí* with the left. The totalitarian regime of 1967-74, for example, insisted on the use of *katharévousa* in schools, banning *dimotikí*. The question seems to have been settled for the moment by the official adoption of *dimotikí* as the national language in the wake of the dictatorship of 1967-74.

The influence of *katharévousa* on the language is, however, still strong. It has perhaps two effects that are of importance from the point of view of the learner.

One is the existence of two parallel vocabularies – an ancient and a modern. A Greek will buy ψωμί from the φούρνος, but the sign over the shop will read ΑΡΤΟΠΟΙΕΙΟΝ – from άρτος, the ancient word for bread (which you will still occasionally find on menus). Similarly, to buy ψάρι you will

have to look for an ΙΧΘΥΟΠΩΛΕΙΟΝ: ιχθύς is an ancient word for fish that is not used in the modern spoken language. And shop names often have a final N that is not pronounced in the spoken language (φαρμακείον) – though many shops are beginning to reflect everyday speech in this respect.

The second effect is that *katharévousa* is in part responsible for the existence of many different *forms* of the same word; again, you have seen that instead of μιλάω, you will sometimes hear μιλώ. And instead of διαβάζουνε, διαβάζουν. This is a more serious inconvenience, since it is confusing to have to learn several different forms of the same word. In this course, we have selected the form of modern spoken Greek most commonly used in daily speech, and excluded the others, to keep things clear. You can always feel confident that you can use this form, though you should be prepared to hear slightly different versions from time to time when you are in Greece.

11 ΚΑΤΙ ΘΑ ΓΙΝΕΙ

Making plans

The Greek philosophical approach to life is reflected in attitudes to plans that go astray and intentions that are thwarted. You'll frequently hear the expression *κάτι θα γίνει* – something will happen, or something will turn up. This chapter looks at how you can talk about things that *will* happen.

Talking about the future

In the first part of the book you have become familiar with expressions such as:

Τι θα πάρετε;	What will you have?
Τι θα φάτε;	What will you eat?
Τι θα πιείτε;	What will you drink?

When you want to talk about something that will happen in the future, or want to say you are going to do something, use *θα*:

Τι θα κάνεις απόψε;   What are you going to do tonight?

1 Father's plans to watch TV go wrong
Father is pleased to find that all the children are going out for the evening, so that he can watch TV in peace – but he's forgotten that it's his wife's mother's name day. He speaks first, to his wife Maria.

- Μαρία, τι θα κάνουνε τα παιδιά απόψε;
- Ο Γιώργος θα πάει στο φροντιστήριο – έχει μάθημα Αγγλικών.
- Καλά. Και τα κορίτσια;
- Η Βίκυ θα πάει στο Ηρώδειο με το Λάκη.
- Και η Βούλα;
- Δεν ξέρω. Βούλα, τι θα κάνεις απόψε;
- Θα πάω στο σινεμά μαμά.
- Ωραία. Θα έχουμε ησυχία λοιπόν. Έχει ποδόσφαιρο στην τηλεόραση.
- Μα ξέχασες αγάπη μου; Εμείς θα πάμε στη μαμά μου για φαγητό – γιορτάζει σήμερα.
- Ωχ! Ξέχασα. Πάει το ποδόσφαιρο . . .

See above, page 112.

See chapter 13.

απόψε	this evening
φροντιστήριο	'night school'
έχει μάθημα Αγγλικών	he has an English lesson
ησυχία	peace and quiet
ξέχασες;	have you forgotten?
αγάπη μου	darling (my love)
γιορτάζει σήμερα	it's her name day today
πάει το ποδόσφαιρο	'there goes the football'

With *a few* verbs, like κάνω, πάω, έχω, when you want to talk about the future, simply put θα in front of the verb:

Τι κάνουνε τα παιδιά;
What are the children doing?

Πάω στο σινεμά.
I'm going to the cinema.

Έχουμε ησυχία.
We have peace and quiet.

Τι θα κάνουνε τα παιδιά;
What are the children going to do?

Θα πάω στο σινεμά.
I'm going to go to the cinema.

Θα έχουμε ησυχία.
We'll have peace and quiet.

1 You will hear a husband asking his wife what various members of the family are planning to do that evening. Listen to their conversation and try to recognise the future verbs. Then answer the following questions in English:

● What is Yorgos going to do?
● What about the girls?
● What are the wife's plans?
● What about the husband himself?

2 Rewind your cassette and play the dialogue in (1) again. This time, after each of the husband's questions, stop the tape and give the answer yourself, playing the part of the wife. Then start the tape again to hear the correct version.

To form the future of *most* verbs it's necessary not only to add θα in front, but to change the main part of the verb itself – the *stem*. Study these examples carefully:

Φτάνουμε στις δέκα.
We arrive at ten.

Θα φτάσουμε στις δέκα.
We'll arrive at ten.

Γυρίζουνε στις δώδεκα.
They return at twelve.

Θα γυρίσουνε στις δώδεκα.
They'll return at twelve.

Το τραίνο φεύγει στις οχτώ.
The train leaves at eight.

Το τραίνο θα φύγει στις οχτώ.
The train will leave at eight.

Μένεις στο ξενοδοχείο Ρεξ;
Are you staying at the Rex Hotel?

Θα μείνεις στο ξενοδοχείο Ρεξ;
Are you going to stay at the Rex Hotel?

Notice that in each case the endings are the same but the *stem* of the verb changes:

PRESENT	FUTURE
φτάνω	θα φτάσω
φτάνεις	θα φτάσεις
φτάνει	θα φτάσει
φτάνουμε	θα φτάσουμε
φτάνετε	θα φτάσετε
φτάνουνε	θα φτάσουνε

Read through and listen to the next dialogue, paying attention to the verb forms.

2 A young Greek couple plan to visit England on their vacation, and decide on a package holiday at the travel agent's.

- Καλημέρα.
- Καλημέρα σας.
- **Θα πάμε** στην Αγγλία φέτος. Πόσο κοστίζει με το αεροπλάνο;
- Έχω μία πολύ φτηνή εκδρομή για μία εβδομάδα.
- Τι εκδρομή;
- **Θα φύγετε** από δω στις είκοσι πέντε Ιουλίου με την πρωινή πτήση.
- Τι ώρα **θα φτάσουμε** στο Λονδίνο;
- Γύρω στις δέκα και μισή.
- Ωραία. Πού **θα μείνουμε**;
- **Θα μείνετε** στο ξενοδοχείο Χίλτον, κοντά στο Χάιντ Πάρκ.
- Πω πω, πολυτέλεια!
- Έχει κάθε μέρα εκδρομές – τη Δευτέρα στην Οξφόρδη, την Τρίτη στο Στράτφορντ, την Τετάρτη στο Καίμπριτζ . . .
- Πολύ ωραία. Και πότε **θα γυρίσουμε**;
- Την πρώτη Αυγούστου, με τη βραδυνή πτήση.
- Μάλιστα. Πόσο κάνει;
- Είκοσι χιλιάδες.
- Όλα πληρωμένα;
- Μα φυσικά.
- Και το φαγητό;
- Και το φαγητό.
- Πάμφτηνο! **Θα κλείσουμε** δύο εισιτήρια από τώρα.

φέτος	this year
με την πρωινή πτήση	with the morning flight
γύρω	about
πω πω	exclamation, here indicating wonder, amazement
πολυτέλεια	luxury
με τη βραδυνή πτήση	with the evening flight
όλα πληρωμένα	fully inclusive (literally 'all paid')
πάμφτηνο!	dirt cheap
θα κλείσουμε δύο εισιτήρια	we'll book two tickets

When you want to say something *won't* happen, it's δεν θα . . .
Δεν θα φτάσουμε σήμερα.   We won't arrive today.

Again, pay particular attention to the verb forms.

3 Two Greek tourists staying at the same hotel discuss their plans for the day over breakfast.

- Καλημέρα.
- Καλημέρα.
- **Θα πας** στο Σούνιο σήμερα;
- Όχι, δεν **θα πάω** στο Σούνιο, **θα πάω** στην Αίγινα.
- Τι ώρα **θα φύγεις**;

- Σε καμμιά ώρα.
- Μάλιστα. **Θα γυρίσεις** αργά;
- Όχι πολύ αργά. Το καράβι **θα φτάσει** στον Πειραιά γύρω στις εννιά.
- Ωραία.
- Εσύ πού **θα πας**;
- Στο Ναύπλιο.
- Τι ώρα **θα γυρίσεις**;
- Δεν **θα γυρίσω** σήμερα. Απόψε **θα μείνω** στο ξενοδοχείο Πανόραμα, και αύριο **θα πάω** στην Επίδαυρο.
- **Θα γυρίσεις** αύριο στην Αθήνα;
- Ναι. Το πούλμαν **θα φτάσει** εδώ στο ξενοδοχείο στις οχτώμιση το βράδι.
- Καλό ταξίδι λοιπόν.
- Επίσης.

σε καμμιά ώρα   in about an hour
αργά   late

3 A guest at the hotel you're staying at is fishing for an invitation to accompany you and your wife on a day at the beach. You'd prefer to be alone, and duck his hints. Listen to your recording as he asks e.g. *Θα πάτε στη Ραφήνα;* and answer e.g. *Μάλιστα. Θα πάμε στη Ραφήνα.* His questions are set out below:

Θα πάτε στη Ραφήνα; ....

Θα φύγετε στις δέκα; ....

Θα φτάσετε στις εντεκάμιση; ....

Θα κάνετε μπάνιο; ....

Θα μείνετε μέχρι το βράδι; ....

Θα γυρίσετε στις οχτώμιση; ....

4 You're on a package holiday and eager to discover tomorrow's programme. The guide is rather tired and offers only the briefest answers, so you have to be persistent. The answers are given for you in Greek. Ask the questions, and then listen to the completed conversation on your record or cassette.

Where are we going tomorrow? Στα Μετέωρα.
What time will we be leaving? Στις οχτώ το πρωί.
Are we going to return tomorrow? Όχι, μεθαύριο.
Where are we going to stay? Στο ξενοδοχείο Ξενία.
What time will we leave the day after tomorrow? Στις πεντέμιση.
What time will we arrive here? Στις δέκα το βράδι.

Most verbs have two stems, and there are certain patterns in the way the first stem (used in the present tense) is modified to form the second stem (used in the future tense).

Many verbs ending in --φω e.g. γράφω:	change φ to ψ; γραψ-
Many verbs ending in --εύω e.g. δουλεύω:	change ευ to εψ δουλεψ-
Many verbs ending in --νω e.g. κλείνω:	change ν to σ κλεισ-
Many verbs ending in --ζω e.g. γυρίζω:	change ζ to σ γυρισ-
Many verbs ending in --γω e.g. ανοίγω:	change γ to ξ ανοιξ-

These patterns are not rules, however; there are always exceptions, and it is worth remembering both stems for each verb you meet.

A few verbs have only one stem – κάνω for example:
Τι κάνεις τώρα;   Τι θα κάνεις αύριο;
What are you doing now?   What are you going to do tomorrow?

More about time

When you want to refer to the day of the week on which something is going to happen, say:

Την Κυριακή	
Τη Δευτέρα	
Την Τρίτη	
Την Τετάρτη	θα πάμε στην Αγγλία.
Την Πέμπτη	
Την Παρασκευή	
Το Σάββατο	

A school timetable.
ΩΡΑΙ is the Katharevousa form for ΩΡΕΣ hours.
Note also ΣΑΒΒΑΤΟΝ for ΣΑΒΒΑΤΟ.
Greek children never go to school on Sunday! (ΚΥΡΙΑΚΗ).

ΕΚΔΟΤΙΚΟΣ ΟΙΚΟΣ Ι. Γ. ΒΑΣΙΛΕΙΟΥ
ΒΙΒΛΙΟΠΩΛΕΙΟΝ - ΧΑΡΤΟΠΩΛΕΙΟΝ: ΙΠΠΟΚΡΑΤΟΥΣ 15Ε · ΤΗΛ. 623.382 - 623.480
ΠΡΟΓΡΑΜΜΑ ΜΑΘΗΜΑΤΩΝ

Τ.. τῆς .... τάξεως ● ΣΧΟΛ. ΕΤΟΣ 19   -19

ΩΡΑΙ	ΔΕΥΤΕΡΑ	ΤΡΙΤΗ	ΤΕΤΑΡΤΗ	ΠΕΜΠΤΗ	ΠΑΡΑΣΚΕΥΗ	ΣΑΒΒΑΤΟΝ

● Αἱ ἐκδόσεις μας εἶναι πάντοτε ὑπεύθυνοι καὶ ἔχουν παιδαγωγικὸν καὶ μορφωτικὸν χαρακτῆρα.
● Στὸ Βιβλιοπωλεῖο μας θὰ βρῆτε ὅλες τὶς Νέες ἐκδόσεις. Παιδικῶν βιβλίων, Σχολικῶν, Φιλολογικῶν, Πανεπιστημιακῶν, Τεχνικῶν κ.λ.π. Ψυχολογικῶν, Θεάτρου, Ἱστορικῶν, Ἰατρικῶν.
● Τὸ καλὸ βιβλίο εἶναι ὁ καλύτερος σύντροφος τοῦ ἀνθρώπου.
● Ζητήσατε τὸν κατάλογον Ἐκδόσεών μας καὶ τὸ Βιβλιογραφικὸν δελτίον.

The names of the months (οι μήνες) are set out below. These are the forms that you will hear travel agents, air-line and other officials use. You will often hear slightly different forms in everyday speech.

ο Ιανουάριος	ο Ιούλιος
ο Φεβρουάριος	ο Αύγουστος
ο Μάρτιος	ο Σεπτέμβριος
ο Απρίλιος	ο Οκτώβριος
ο Μάιος	ο Νοέμβριος
ο Ιούνιος	ο Δεκέμβριος

When you want to refer to the *date* on which something is going to happen, say:

στις είκοσι πέντε Μαρτίου   on the 25th March (Greek National Day)

στις είκοσι οχτώ Οκτωβρίου   on the 28th October ('Ohi' Day)

See page 231

Note that the end of the name of the month changes from -ος to -ου, and that you say 'on the twenty-five', 'on the twenty-eight', and so on.

If it's the first of the month, its την instead of στις, and instead of saying 'one' you say 'first': πρώτη:

την πρώτη Απριλίου   on the first of April.

To say which month something is going to happen in, it's:
τον Ιανουάριο
το Φεβρουάριο.
Θα πάω στη Θεσσαλονίκη τον Απρίλιο.
Θα κάνει ζέστη τον Αύγουστο.

Finally,
πέρσι is 'last year'
φέτος is 'this year'
and
του χρόνου is 'next year'.

5 The illustration shows some jottings made by a Greek schoolboy about the week's holiday he'll be taking this year. Turn to your cassette. You will be asked e.g. *Τι θα κάνει την Κυριακή;* Reply by saying e.g. *Την Κυριακή θα πάει στη Θεσσαλονίκη.*

6 Below is an extract from a business-person's year planner, listing some of the major trips abroad. Turn to your recording: you will be asked e.g. *Πότε θα πάει στις Βρυξέλλες;* Answer by giving the date of the trip, e.g. *Στις είκοσι πέντε Σεπτεμβρίου.*

25 Σεπτεμβρίου	Πάω	στις Βρυξέλλες
30 Σεπτεμβρίου	,,	στο Παρίσι
10 Οκτωβρίου	,,	στο Λονδίνο
21 Οκτωβρίου	,,	στο Μόναχο
1 Νοεμβρίου	,,	στη Ρώμη
15 Νοεμβρίου	,,	στη Νέα Υόρκη

153

See Grammar, page 272.

A few commonly used verbs have slightly unusual forms when you're talking about the future. Θα φάω (I'll eat) and Θα πιώ (I'll drink) have the following endings:

θα φάω	θα φάμε	θα πιω	θα πιούμε
θα φάς	θα φάτε	θα πιεις	θα πιείτε
θα φάει	θα φάνε	θα πιεί	θα πιούνε

Verbs ending in --άω mostly have second stems ending in --ησ or ασ-:
μιλάω: μιλησ-
πεινάω: πεινασ-

4 Discussing plans for Easter
- Κωστάκη, πού θα πας το Πάσχα;
- Θα πάω στο χωριό για δύο-τρεις μέρες.
- Από πού είσαι;
- Από τη Χαρίεσσα.
- Α ναι, το ξέρω – κοντά στη Νάουσα.
- Ακριβώς.
- Θα μείνεις με τους γονείς σου;
- Μάλιστα. Θα ψήσουμε το αρνί, θα φάμε καλά, θα πιούμε λίγο κρασί, θα χορέψουμε Ποντιακούς χορούς . . .

=θα είναι

- Ωραία θάναι.
- Βέβαια. Εσύ πού θα πας;
- Δεν θα πάω πουθενά.
- Θα μείνεις στην Αθήνα δηλαδή;
- Ναι.
- Γιατί;
- Γιατί το Πάσχα η Αθήνα είναι χάρμα. Θα φύγουνε όλα τα αυτοκίνητα, θα καθαρίσει η ατμόσφαιρα και για λίγες μέρες θα έχουμε ησυχία.

το Πάσχα	at Easter
με τους γονείς σου	with your parents
θα ψήσουμε . . .	we'll roast . . .
Ποντιακούς χορούς	Pontic dances (see below)
πουθενά	nowhere
δηλαδή	that is to say
. . . είναι χάρμα	. . . is delightful
θα καθαρίσει η ατμόσφαιρα	the air will clear

Ποντιακοί χοροί are the dances of the *Πόντιοι* (Pondii, or Pontioi), who form an important minority in the population of Greece. They lived until 1922 in Turkey, in an area at the east end of the south coast of the Black Sea (which is called *Πόντος* in Greek). At that date, after a war between Greece and Turkey, there was a major exchange of populations, and the Pondii came to Greece along with many other groups of Greeks from Turkey. They settled mainly in Thessaloniki and the villages in the north of Greece, and also in Athens. Their customs are very different from those of the mainland Greeks, and in particular their language is a dialect of Greek that mainland Greeks find great difficulty in understanding.

This dialect has given way to the mainstream of Greek, but it is preserved and handed on, along with other 'Pontic' customs, by 'Pontic Clubs', which arrange social events and encourage interest in the language, folklore, dances, history and so on, of the Pondii.

7 The illustration below is a clipping taken from a popular magazine, showing the TV programmes for a week. Study it and then answer the following questions:

● What day is 'Nicholas Nickleby' showing?
● What day is 'Barney Miller' showing?
● What time on Saturday is 'World of Sport'?
● What is showing on Wednesday at 10.35?
● What time on Sunday is the programme called 'Greece is not just Athens'?

Ή τηλεόραση παρουσιάζει...

ΑΠΟ 14 ΕΩΣ 20 ΣΕΠΤΕΜΒΡΙΟΥ

ΕΡΤ ΚΑΝΑΛΙ 11

ΤΡΙΤΗ, 14

5.35 ΤΟ ΚΑΣΤΡΟ ΚΛΟΠΑ
5.50 ΔΥΟ ΚΟΥΚΙΑ
    ΚΑΙ ΔΥΟ ΡΕΒΥΘΙΑ
6.00 Ο ΘΑΥΜΑΣΙΟΣ ΚΟΣΜΟΣ
    ΤΗΣ ΜΟΥΣΙΚΗΣ
6.30 ΕΙΔΗΣΕΙΣ
6.40 ΟΡΚΑ, Η ΦΑΛΑΙΝΑ
    ΠΟΥ ΜΙΛΑΕΙ
7.35 ΜΑΤΙΕΣ ΣΤΗΝ ΤΕΧΝΗ
7.45 ΜΟΥΣΙΚΕΣ ΣΤΙΓΜΕΣ
8.05·ΛΟΥ ΓΚΡΑΝΤ
9.00 ΕΙΔΗΣΕΙΣ
9.45 Η ΚΟΥΡΣΑ ΘΑΝΑΤΟΥ
10.30 ΜΕΓΕΘΥΝΣΕΙΣ
11.10 Ο ΤΕΛΕΥΤΑΙΟΣ ΠΑΡΑΝΟΜΟΣ
12.00 ΕΙΔΗΣΕΙΣ

ΤΕΤΑΡΤΗ, 15

5.35 Η ΜΙΚΡΗ ΛΟΥΛΟΥ
6.00 ΟΙ ΦΙΛΟΙ ΜΑΣ ΤΑ ΖΩΑ
6.30 ΕΙΔΗΣΕΙΣ
6.40 Η ΩΡΑ ΤΟΥ ΑΘΛΗΤΙΣΜΟΥ
7.30 ΤΥΠΩΜΕΝΕΣ ΣΕΛΙΔΕΣ
8.00 ΝΙΚΟΛΑΣ ΝΙΚΛΕΜΠΥ
9.00 ΕΙΔΗΣΕΙΣ
9.40 ΠΑΡΑΣΚΗΝΙΟ
10.35 ΜΙΑ ΒΡΑΔΙΑ ΜΕ ΤΟ ΜΠΑΡΤ
    ΡΕΥΝΟΛΝΤΣ
11.30 Η ΕΛΛΗΝΙΚΗ ΜΙΚΡΗ ΤΑΙΝΙΑ

12.00 ΕΙΔΗΣΕΙΣ

ΠΕΜΠΤΗ, 16

5.35 Ο ΜΥΣΤΙΚΟΣ
    ΣΙΔΗΡΟΔΡΟΜΟΣ
6.05 ΒΡΕΣ ΠΟΙΟ ΕΙΝΑΙ
6.30 ΕΙΔΗΣΕΙΣ
6.40 Η ΚΥΠΡΟΣ ΚΟΝΤΑ ΜΑΣ
6.55 Η ΖΩΗ ΠΑΝΩ ΣΤΗ ΓΗ
7.50 ΠΟΛΙΤΙΣΤΙΚΑ ΘΕΜΑΤΑ
8.20 ΜΟΥΣΙΚΟ ΔΙΑΛΕΙΜΜΑ
8.35 ΜΠΑΡΝΕΥ ΜΙΛΛΕΡ
9.00 ΕΙΔΗΣΕΙΣ
9.45 Ο ΕΛΛΗΝΙΚΟΣ
    ΚΙΝΗΜΑΤΟΓΡΑΦΟΣ
11.10 ΑΦΙΕΡΩΜΑ ΣΤΗ ΜΑΡΙΑ
    ΚΑΛΛΑΣ
12.00 ΕΙΔΗΣΕΙΣ

ΠΑΡΑΣΚΕΥΗ, 17

5.50 ΚΟΚΚΙΝΗ ΚΛΩΣΤΗ
6.05 Ο ΒΑΣΙΛΙΑΣ ΑΡΘΟΥΡΟΣ
6.30 ΕΙΔΗΣΕΙΣ
6.40 Ο ΕΛΛΗΝΑΣ
    ΚΑΙ Τ' ΑΥΤΟΚΙΝΗΤΟ
7.00 ΟΙ ΝΤΙΟΥΚΣ
8.00 ΤΟ ΝΑΥΑΓΙΟ ΤΗΣ ΜΕΔΟΥΣΑΣ
9.00 ΕΙΔΗΣΕΙΣ
9.35 ΟΙ ΚΟΖΑΚΟΙ ΤΟΥ ΔΟΝ
11.35 ΝΤΟΚΥΜΑΝΤΑΙΡ

12.00 ΕΙΔΗΣΕΙΣ
00.05 ΚΙΝΗΜΑΤΟΓΡΑΦΙΚΗ
    ΛΕΣΧΗ

ΣΑΒΒΑΤΟ, 18

1.30 ΣΑΒΒΑΤΟ ΜΙΑ ΚΑΙ ΜΙΣΗ
    (Α' μέρος)
2.15 ΕΙΔΗΣΕΙΣ
2.30 ΣΑΒΒΑΤΟ ΜΙΑ ΚΑΙ ΜΙΣΗ
    (Β' μέρος)
3.00 ΚΙΝΗΜΑΤΟΓΡΑΦΙΚΗ ΤΑΙΝΙΑ
4.20 ΣΤΟΝ ΚΟΣΜΟ ΤΩΝ ΣΠΟΡ
5.45 Ο ΠΑΡΑΜΥΘΑΣ
6.05 ΧΑΪΝΤΙ
6.30 ΕΙΔΗΣΕΙΣ
6.40 ΑΠΙΣΤΕΥΤΑ ΚΑΙ ΟΜΩΣ
    ΑΛΗΘΙΝΑ
7.30 Η ΑΛΛΗ ΕΛΛΑΔΑ
8.00 ΝΕΑ ΣΕΙΡΑ
8.30 ΝΤΟΚΥΜΑΝΤΑΙΡ
9.00 ΕΙΔΗΣΕΙΣ
9.45 ΝΕΑ ΣΕΙΡΑ
10.40 ΜΠΟΥΑΤ
11.10 ΚΙΝΗΜΑΤΟΓΡΑΦΙΚΗ
    ΤΑΙΝΙΑ
12.00 ΕΙΔΗΣΕΙΣ
00.05 ΚΙΝΗΜΑΤΟΓΡΑΦΙΚΗ
    ΤΑΙΝΙΑ (ΣΥΝΕΧΕΙΑ)

ΚΥΡΙΑΚΗ, 19

1.05 ΣΗΜΕΡΑ ΕΙΝΑΙ ΚΥΡΙΑΚΗ

1.35 ΤΟ ΔΗΜΟΤΙΚΟ ΤΡΑΓΟΥΔΙ
2.15 ΕΙΔΗΣΕΙΣ
2.30 ΕΛΛΑΔΑ ΔΕΝ ΕΙΝΑΙ ΜΟΝΟ
    Η ΑΘΗΝΑ
3.30 ΤΟ ΠΟΡΤΡΑΙΤΟ
    ΕΝΟΣ ΜΥΘΟΥ
4.00 ΒΟΚΑΚΙΟΣ
5.00 ΓΙΑ ΝΑ ΔΟΥΜΕ ΤΙ ΘΑ ΔΟΥΜΕ
5.25 ΚΙΝΟΥΜΕΝΑ ΣΧΕΔΙΑ
6.05 ΚΑΡΑΓΚΙΟΖΗΣ
6.30 ΕΙΔΗΣΕΙΣ
6.40 ΝΕΑ ΣΕΙΡΑ
7.35 ΑΦΙΕΡΩΜΑ ΣΤΗΝ ΕΛΛΗΝΙΚΗ
    ΚΩΜΩΔΙΑ
9.00 ΕΙΔΗΣΕΙΣ
9.40 ΑΘΛΗΤΙΚΗ ΚΥΡΙΑΚΗ
10.10 ΚΙΝΗΜΑΤΟΓΡΑΦΙΚΗ ΒΡΑΔΙΑ
12.00 ΕΙΔΗΣΕΙΣ

ΔΕΥΤΕΡΑ, 20

5.35 ΠΑΙΞΤΕ ΜΑΖΙ ΜΟΥ
6.05 ΙΣΤΟΡΙΕΣ ΚΑΙ ΠΑΡΑΜΥΘΙΑ
6.30 ΕΙΔΗΣΕΙΣ
6.40 ΜΙΧΑΗΛ ΣΤΡΟΓΚΟΦ
7.30 Η ΕΡΤ ΣΤΗΝ Β. ΕΛΛΑΔΑ
8.00 ΝΑ Η ΕΥΚΑΙΡΙΑ
9.00 ΕΙΔΗΣΕΙΣ
9.40 ΕΔΩ ΚΑΙ ΣΗΜΕΡΑ
10.10 ΤΟ ΘΕΑΤΡΟ
    ΤΗΣ ΔΕΥΤΕΡΑΣ
12.00 ΕΙΔΗΣΕΙΣ

Television was introduced in Greece as late as 1967 under the junta. Only since the fall of the junta in 1974 has it begun to make its mark as a mass entertainment medium. The state television organisation, Ελληνική Ραδιοφωνία Τηλεόραση (Greek Radio and Television) has two channels: EPT1 and EPT2.

Understanding Greek

Lakis and Aliki are talking about what they intend to do when they leave school.

- What is Lakis going to study?
- What does he plan to do when he's finished his studies?
- Where are he and his brother going to open their office?
- Why have they chosen Volos?
- What is Aliki going to study?
- What does she plan to do when she leaves university?

θα δώσεις εξετάσεις;	are you going to sit (literally: give) exams?
τι θα σπουδάσεις;	what are you going to study?
αρχιτεκτονική	architecture
θα ανοίξω γραφείο	I'll open an office
αρχιτέκτονας	architect
τα αρχοντικά	old mansions
αρχαιολογία	archaeology
νωρίς είναι ακόμα	it's still early
κάτι θα γίνει	something'll happen (turn up)

*In the *Arkhondika* style common in the Pilion region.

12 ΘΕΛΩ ΝΑ . . .

Saying what you want to do

You have seen that when you want something, you can use θέλω:

Θέλω ένα κουτί σπίρτα.   I want a box of matches.

To say you want *to do* something, use θέλω να . . .

Θέλω να φύγω αύριο.   I want to leave tomorrow.

The verb that comes after θέλω να . . . has the same form as in the future tense: in other words, with most verbs, the *stem* changes. Compare:

Φεύγω αύριο.   I'm leaving tomorrow.

Θα φύγω αύριο.   I'm going to leave tomorrow.

Θέλω να **φύγω** αύριο.   I want to leave tomorrow.

Δουλεύω αύριο.   I'm working tomorrow.

Θα δουλέψω αύριο.   I'm going to work tomorrow.

Θέλω να **δουλέψω** αύριο.   I want to work tomorrow.

The *ending* of the verb after θέλω να . . . corresponds with the ending of θέλω:

Θέλ**ω** να φύγ**ω** αύριο.   Θέλ**ω** να π**άω** στο σινεμά.

Θέλ**εις** να φύγ**εις** αύριο.   Θέλ**εις** να π**ας** στο σινεμά.

Θέλ**ει** να φύγ**ει** αύριο.   Θέλ**ει** να π**άει** στο σινεμά.

Θέλ**ουμε** να φύγ**ουμε** αύριο.   Θέλ**ουμε** να π**άμε** στο σινεμά.

Θέλ**ετε** να φύγ**ετε** αύριο.   Θέλ**ετε** να π**άτε** στο σινεμά.

Θέλ**ουνε** να φύγ**ουνε** αύριο.   Θέλ**ουνε** να π**άνε** στο σινεμά.

1 I want to book a room

Mr Diamandopoulos telephones the Hotel Rex, and the receptionist answers.

- Ξενοδοχείο Ρεξ. Καλημέρα σας.
- Καλημέρα σας. Θέλω να κλείσω ένα δωμάτιο, παρακαλώ.
- Μάλιστα. Τι δωμάτιο θέλετε;
- Ένα τρίκλινο με μπάνιο, αν έχετε.
- Βεβαίως. Από πότε το θέλετε;
- Από την Παρασκευή.
- Εντάξει. Πόσες μέρες θέλετε να μείνετε;
- Θέλουμε να φύγουμε Δευτέρα το πρωί.
- Θα μείνετε τρεις νύχτες δηλαδή.
- Ακριβώς.
- Εντάξει. Το όνομά σας παρακαλώ;
- Διαμαντόπουλος.
- Μάλιστα. Θα σας δούμε την Παρασκευή.
- Ναι. Ευχαριστώ.

από πότε το θέλετε;   when do you want it from?
θα σας δούμε την Παρασκευή   we'll see you on Friday

2 I don't want to . . .

Takis tries to persuade his wife to go swimming, but she isn't interested. She also reacts negatively to the alternatives he suggests.

- Σήμερα θα κάνουμε μπάνιο. Η θάλασσα είναι πολύ ωραία – λάδι που λένε.
- Εγώ δεν θέλω να κάνω μπάνιο.
- Εντάξει. Εγώ όμως θέλω – εσύ τι θα κάνεις;
- Δεν ξέρω.
- Θα πας στο αρχαιολογικό μουσείο;
- Όχι, δεν θέλω να πάω. Δεν μ' αρέσουνε τα αρχαία.
- Θα πιεις ένα καφέ στο ζαχαροπλαστείο;
- Μπα! Δεν θέλω να πιω άλλο καφέ.
- Θες να φας ένα παγωτό;
- Όχι, δεν θα φάω άλλο παγωτό – κάνω δίαιτα.
- Γιατί δεν πας μία βόλτα στην παραλία;
- Δεν θέλω να πάω βόλτα – κάνει ζέστη.
- Τι θέλεις να κάνεις λοιπόν;
- Δεν ξέρω σου λέω. Ίσως θα διαβάσω την εφημερίδα.
- Τι λες βρε παιδάκι μου; Τέτοια μέρα κι εσύ θέλεις να διαβάσεις; Δεν σε καταλαβαίνω.

θες=θέλεις

λάδι που λένε	(like) oil, as they say (i.e. calm)
εγώ όμως θέλω	but *I* do (want to)
κάνω δίαιτα	I'm on a diet
στην παραλία	by the sea, along the front
κάνει ζέστη	it's hot
ίσως	maybe
τι λες βρε παιδάκι μου;	come off it! (colloquial)
τέτοια μέρα	a day like this

Note the close similarity in the verb between saying what you're *going* to do, and what you *want* to do:

Πόσες μέρες *θα μείνετε* ;	Πόσες μέρες *θέλετε να μείνετε* ;
Θα φύγουμε **τη** Δευτέρα.	*Θέλουμε να φύγουμε* **τη** Δευτέρα.
Θα πιω ένα καφέ.	*Θέλω να πιω* ένα καφέ.
Θα φας ένα παγωτό;	*Θέλεις να φας* ένα παγωτό;

1 It seems you and your friend never agree on anything. Listen to your recording as she says e.g. *Θα πάω στο σινεμά* and reply e.g. *Εγώ θέλω να πάω στο θέατρο*. Her suggestions are given below, and your preferences suggested in brackets.

Θα πάω στο σινεμά.	(στο θέατρο)
Θα φάω μία τυρόπιττα.	(ένα σάντουιτς)
Θα φύγω αύριο το πρωί.	(σήμερα το βράδι)
Θα γυρίσω την Παρασκευή.	(το Σάββατο)
Θα μείνω στην Αθήνα.	(στο Ναύπλιο)
Θα πιω ένα καφέ.	(ένα ούζο)

160

 2 A young Greek mother is trying to win the co-operation of her small son for a trip to Rafina to see her mother. He, however, doesn't want to do anything she suggests. Listen as she says e.g. *Γιώργο, σήμερα θα πάμε στη Ραφήνα*, and reply e.g. *Δεν θέλω να πάω στη Ραφήνα*. The correct version is given on your cassette.

Γιώργο, σήμερα θα πάμε στη Ραφήνα. ....

Θα πάμε στη γιαγιά. ....

take Θα πάρουμε το λεωφορείο. ....

Θα πάμε στο πάρκο. ....

Θα κάνουμε μπάνιο. ....

Θα διαβάσουμε Μίκυ Μάους. ....

'You'll eat wood' = You'll get Θα φας ξύλο!
a good hiding.

3 You're touring Greece with a friend who doesn't speak a word of Greek and have to interpret for him. Help him out in the following situations by saying e.g. *Ο φίλος μου θέλει να κλείσει ένα δωμάτιο*. He wants to:

- book a room
- go to the museum
- have a swim
- eat fish
- go to Athens
- drink a coffee

You'll recall from Chapter 11 that most verbs have *two* stems.

See also Grammar page 270. The second stem of the verb *μιλάω* is *μιλησ-*.

Many verbs ending in -αω follow this pattern
(τραγουδάω: τραγουδησ-
αγαπάω: αγαπησ-)

μιλάω	θα μιλήσω	θέλω να μιλήσω
μιλάς	θα μιλήσεις	θέλεις να μιλήσεις
μιλάει	θα μιλήσει	θέλει να μιλήσει
μιλάμε	θα μιλήσουμε	θέλουμε να μιλήσουμε
μιλάτε	θα μιλήσετε	θέλετε να μιλήσετε
μιλάνε	θα μιλήσουνε	θέλουνε να μιλήσουνε

Phone language

There are a variety of expressions you can use to talk about phoning:
Θέλω να κάνω ένα τηλέφωνο. I want to make a phone call.
Θέλω να τηλεφωνήσω στο Νίκο (στην Αγγλία). I want to phone Nikos (England).
Θέλω να πάρω το Νίκο στο τηλέφωνο. I want to phone Nikos ('get Nikos on the phone').

And note Θα σε πάρω αύριο: I'll call you tomorrow.
You'll also hear Θα τηλεφωνηθούμε, which means 'we'll call each other'.

If you're trying to telephone from a hotel room, you may have to ask for μία γραμμή (a line) and you shouldn't be surprised if you're told περιμένετε (wait).

3 I want to make a phone call
Mr Mavros tries to call his friend Nikos from the hotel.

- Με συγχωρείτε, θέλω να κάνω ένα τηλέφωνο.
- Ευχαρίστως. Το τηλέφωνο είναι εκεί, στη γωνία.
- Α! μάλιστα. Ευχαριστώ. (dials)
  . . . εβδομήντα εφτά, μηδέν δύο, εφτακόσια δέκα . . .
- Εμπρός.
- Θέλω να μιλήσω στο Νίκο παρακαλώ.
- Α! δεν είναι εδώ αυτή τη στιγμή. Ποιος τον ζητάει;
- Είμαι ο κύριος Μαύρος.
- Θέλετε να αφήσετε μήνυμα κύριε Μαύρο;
- Όχι, δεν πειράζει.
- Μήπως θέλετε να τον πάρετε αργότερα;
- Ναι. Τι ώρα;
- Γύρω στις πεντέμιση.
- Εντάξει. Αντίο σας.

μηδέν	zero
αυτή τη στιγμή	at this moment
ποιος τον ζητάει;	who's asking for him? (i.e. who's calling?)
θέλετε να αφήσετε μήνυμα;	do you want to leave a message?
θέλετε να τον πάρετε αργότερα;	do you want to call him later?

77-02-710

162

4 I want to phone England

In Greece, it's often possible to make an international call as well as a local call from a περίπτερο. Unfortunately this one doesn't have a meter so the owner suggests trying the OTE or the one further up the street.

- Συγγνώμη. Θέλω να τηλεφωνήσω στην Αγγλία.
- Δυστυχώς δεν μπορείτε. Δεν έχω μετρητή.
- Τι να κάνω λοιπόν;
- Θα πάτε στον ΟΤΕ.
- Δεν θέλω να πάω εκεί – είναι πολύ μακριά, και δεν έχω καιρό.
- Τι να σας πω; Δοκιμάστε στο άλλο περίπτερο πιο πάνω.
- Εντάξει.

See chapter 19.

δεν μπορείτε	you can't
δεν έχω μετρητή	I haven't got a meter
τι να κάνω;	what am I to do?
δεν έχω καιρό	I haven't got time
τι να σας πω;	what can I say?

Saying what you plan to do

When you want to say what you're planning to do, or intending to do, you can say λέω να . . .

Λέω να φύγω αύριο.   I'm planning to leave tomorrow.

Again, the verb after λέω να . . . has the same form as after θα and λέω να . . . And as with θέλω να . . . the endings of λέω and the verb that follows correspond. Note the unusual endings of λέω (literally: I say):

See Grammar, page 271.

λέω να φύγω αύριο	λέμε να φύγουμε αύριο
λες να φύγεις αύριο	λέτε να φύγετε αύριο
λέει να φύγει αύριο	λένε να φύγουνε αύριο

163

5   Dimitris agrees to spend the evening at a taverna

● Γειά σου Δημήτρη.
● Γειά σας παιδιά.
● Τι θα κάνεις απόψε;
● Λέω να πάω στην Πλάκα, σε καμμιά μπουάτ.
● Εμείς θα πάμε στην ταβέρνα του Κώστα. Δεν θάρθεις μαζί μας;
● Δεν ξέρω.
● Έλα μωρέ. Θα περάσουμε ωραία. Ο Γιώργος θα παίξει το μπουζούκι, και θα τραγουδήσουμε τα παλιά τραγούδια.
● Καλά, εντάξει. Θάρθω. Τι ώρα;
● Λέμε να φύγουμε από 'δώ γύρω στις δέκα.
● Ωραία. Γειά σας.

θάρθεις: see Grammar page 273.

γειά σας παιδιά	hi guys (literally: children)
σε καμμιά μπουάτ	to some night club
δεν θάρθεις μαζί μας;	won't you come with us?
έλα μωρέ	come on (colloquial)
θα περάσουμε ωραία	we'll have a good time
θα παίξει το μπουζούκι	will play the bouzouki
θάρθω	I'll come

4 Your friend's sister keeps asking you about his plans, saying e.g. *Σήμερα φεύγει ο Γιώργος;* She keeps getting the date wrong, though, and you reply *Όχι, λέει να φύγει αύριο.* Here are her questions:

Σήμερα φεύγει ο Γιώργος; ....
Σήμερα γυρίζει ο Γιώργος; ....
Σήμερα πάει στο Ναύπλιο; ....
Σήμερα δουλεύει ο Γιώργος; ....
Σήμερα φτάνει ο Γιώργος; ....

5 The illustration shows the circulation figures for Greek newspapers during June 1982. *Σύνολο* is 'total' and the two columns to the right give the figures for the Athens-Piraeus conurbation and the provinces. Work out which list is for the morning papers and which the afternoon papers (το πρωί: morning; το απόγευμα: afternoon).

The highest selling afternoon paper is TA NEA – THE NEWS. Use your knowledge of Greek to work out the total sales for the papers indicated ●

● 'Tomorrow's'
● 'Late afternoon'
● 'Evening'
● 'Free time'
● 'Free press'
● 'Acropolis'
● 'Free world'

Κυκλοφορίες εφημερίδων τον Ιούνιο

Απογευματινές				Πρωινές		
1) ΤΑ ΝΕΑ	168.151	118.390	49.761	1) ΑΚΡΟΠΟΛΙΣ	49.811	24.138	25.673
2) ΕΘΝΟΣ	150.616	92.869	57.747	2) ΡΙΖΟΣΠΑΣΤΗΣ	46.690	24.849	21.841
3) ΑΠΟΓΕΥΜΑΤΙΝΗ	121.186	80.606	40.580	3) ΤΟ ΒΗΜΑ	38.567	22.095	16.411
4) ΑΥΡΙΑΝΗ	106.373	66.718	39.655	4) Η ΚΑΘΗΜΕΡΙΝΗ	21.853	15.487	6.366
5) ΕΛΕΥΘΕΡΟΤΥΠΙΑ	92.374	54.321	38.053	5) ΕΛ. ΚΟΣΜΟΣ*	12.423	6.969	5.545
6) Η ΒΡΑΔΥΝΗ	77.060	43.301	33.759	6) Η ΑΥΓΗ	9.922	6.592	3.330
7) ΜΕΣΗΜΒΡΙΝΗ	27.034	20.351	6.683				
8) ΕΣΤΙΑ	7.083	6.210	888	ΣΥΝΟΛΟ	179.200	100.131	79.075
9) ΕΛΕΥΘΕΡΗ ΩΡΑ	5.362	2.624	2.75ε				
Σύνολο	755.254	485.390	269.864	ΓΕΝ. ΣΥΝΟΛΟ	934.460	585.521	348.939

Ο «Ελεύθερος Κόσμος» σταμάτησε να εκδίδεται στις 27 Ιουνίου.

Understanding Greek

Lakis and Viki are trying to decide what to do at the weekend. Viki wants to spend it on the island of Evia, but Lakis isn't too keen.

● Why does Viki want to go to Evia?
● Why is Lakis reluctant to go there?
● Where would he prefer to go?
● Why does he want to go there?
● What blandishment does he offer to persuade Viki?
● Where do they decide to go in the end?
● When do they plan to return?

το Σαββατοκύριακο	at the weekend
έχει μία βίλλα	has a villa
ε . . . και;	so what?
θα περάσουμε καλά	we'll have a good time
κοίτα	look
θα έχει πολύ κόσμο	there'll be lots of people
θέλω να δω	I want to see
έκθεση	exhibition
αφού το θέλεις εσύ	since *you* want to

165

13 ΧΡΟΝΙΑ ΠΟΛΛΑ!

Many happy returns!

Greek has a rich variety of words and phrases to express good wishes, congratulations, condolences, welcome and so on. Some of them can be used in more than one situation, but many apply to specific occasions and have specific responses. When you are in Greece, you are quite likely to find yourself in some of these situations – you may be there at Easter (*Πάσχα*), or you may be invited to a wedding (*γάμος*) or a 'name day' party (*γιορτή*) and you will probably be the recipient of hospitality (*φιλοξενία*).

In this chapter you'll find out something about what happens on these occasions, and about the appropriate wishes, and the words to express them.

Καλή εβδομάδα

By now, you'll be quite familiar with the expressions *καλημέρα*, *καλησπέρα* and *καληνύχτα*. The list can be considerably extended. If you are going out for the evening, you may well be wished *καλό βράδι* or *καλή διασκέδαση* (have a good time). People meeting on a Monday for the first time might wish each other *καλή εβδομάδα* (have a good week), and if it happened to be the first day of the month, *καλό μήνα* (have a good month).

In September and October, when people are returning to Athens and Thessaloniki after the summer period to get down again to the serious business of work, they will often phone each other to ask how the summer was and wish each other *καλό χειμώνα* (have a good winter). And at the beginning of summer it will be *καλό καλοκαίρι*.

In early January, people meeting for the first time that month would say *καλή χρονιά* – roughly the equivalent of 'Happy New Year' but not restricted to New Year's Day.

On a daily level, people who happen to meet around meal times will wish each other *καλή όρεξη*; this is not used only when you're actually at the table but in any situation where it's clear you're on your way to eat – on your way home to lunch, for example. There's even an alternative for when you've just eaten: *καλή χώνεψη* ('good digestion').

A general response to many of these wishes is *ευχαριστώ – επίσης* (thank you – same to you).

167

Καλό Πάσχα

'Happy Easter' is *καλό Πάσχα*. Easter is by far the most important event in the calendar, though Christmas is celebrated increasingly as Greece becomes more and more westernised ('Merry Christmas' is *καλά Χριστούγεννα*). Easter is a time for families to get together, preferably in their own villages, and all the members of the family now living in Athens or Thessaloniki try to get back home, leaving the cities uncannily peaceful.

During the final week before Easter Saturday, more and more people join in the fast, and eat only *νηστήσιμα φαγητά* (fasting foods), which exclude meat, fish and olive oil, but include shellfish, octopus and lobster.

The sombre mood of this week intensifies as Saturday approaches. On Friday evening, the *Επιτάφιος* (a representation of Christ's body on a bier) is carried in procession around the boundaries of every parish. The climax of the week is reached on Saturday at midnight, and people seeing each other for the last time before then wish each other *καλή Ανάσταση* ('good Resurrection').

On Saturday night crowds gather at churches throughout Greece, all carrying an unlit candle. At midnight the liturgy reaches its climax with the words *Χριστός ανέστη* (Christ is risen), and the sombre mood of the past week is shattered by peals of bells and exploding fireworks. People in the crowd turn to each other and say *Χριστός ανέστη*, to which the response is *αληθώς ανέστη* (he is truly risen). They then light their candles from the priest's; if they can get home without the candle going out, they will have a good year. The sight of the candle-lit procession coming down Lykavittos, from the church of Saint George, in Athens, is particularly impressive. For several days afterwards, people meeting for the first time will exchange the greetings *Χριστός ανέστη – αληθώς ανέστη*.

Immediately after midnight, many people break the fast by eating *μαγειρίτσα*, a soup specially made from lamb's entrails, and on Easter Sunday families gather together to roast a whole lamb on a spit, and eat a meal that has something of the significance of Christmas dinner or Thanksgiving.

Χρόνια πολλά

Most Greeks celebrate not their birthday but their name day; this day is their *γιορτή*, and *γιορτάζω σήμερα* is the equivalent of 'It's my birthday today'.

Children are usually named after a saint, and celebrate on the day devoted to that saint in the religious calendar. This makes it easier to remember 'birthdays' (and correspondingly less excusable to forget!). It also means that on certain days almost the whole of Greece will be at a party (*γλέντι*). The 21st of May, for example, is the day sacred to Saints Konstantinos and Eleni, which means that every man called Κωνσταντίνος (Κώστας) and every woman called Ελένη will be 'having a birthday'.

The appropriate wish is *χρόνια πολλά* ('many years'). If you have a friend celebrating a name day it is customary to phone or drop in to say *χρόνια πολλά* and take a token gift – usually of flowers, or sweet cakes from a *ζαχαροπλαστείο*, or maybe a bottle of brandy or whisky. With more elderly friends, you can reinforce *χρόνια πολλά* by saying *να τα κατοστήσετε* (may you live to be a hundred – *εκατό*=100).

Καλά στέφανα

See above, page 111.

When a couple become engaged (*αρραβωνιασμένοι*) it is customary to wish them *καλά στέφανα* – *στέφανα* are the circlets of flowers with which the couple are crowned during the wedding ceremony, and come to mean the wedding itself. If you yourself are not married, the response to *καλά στέφανα* may well be *στα δικά σου* (here's to yours).

At the end of the wedding ceremony, people file past the couple, shake hands or kiss, and say *να ζήσετε* (may you have a long life). They may also formally greet the parents, in which case they say *να σας ζήσουν* (may *they* – the children – have a long life).

A general word of congratulation is *συγχαρητήρια*; its opposite, *συλλυπητήρια* (condolences), is used to express sympathy with anyone who has suffered a bereavement. And when someone is ill, you can say *περαστικά* (get well soon).

170

Καλωσορίσατε

Greek people are very hospitable (*φιλόξενοι*) and welcoming to strangers. You're quite likely to find yourself invited into the home on even a casual acquaintance. If you are brought in by one member of the family, the others may well greet you with *καλωσορίσατε*, or *καλώς ήρθατε* (you are welcome) – reply *καλώς σας βρήκα* ('I have found you well') *not* ευχαριστώ.

You may be invited to sit down (*καθήστε*) and offered a liqueur or a sweet preserve, with the words *να σας προσφέρω . . . να σας κεράσω . . .* If you say ευχαριστώ this could be taken to mean 'no thank you'. To accept, smile and say ευχαρίστως or μάλιστα.

When the liqueur is brought to you, take the initiative, drink it and say *στην υγειά σας*. If it's a preserve, eat it and say στην υγειά σας as you wash it down with the glass of water that comes with it.

See chapters 4, 8.

At this stage, remember that it is quite acceptable to ask details about work, children and so on. If you talk about children, don't forget to say *να σας ζήσουν*.

As you leave, you can thank them for their hospitality: *ευχαριστώ για τη φιλοξενία σας*. When you leave, they will often say *να πάτε στο καλό* ('may you go to the good') or just *στο καλό*.

171

14 ΠΕΡΑΣ-ΜΕΝΑ, ΞΕΧΑΣ-ΜΕΝΑ

Talking about the past 1

Περασμένα, ξεχασμένα is a Greek expression that is roughly equivalent to the English 'forgive and forget', and means 'past things (are) forgotten things'. This chapter looks at some of the ways you can talk about 'past things'.

Saying what you did

When you are talking about the past, or saying what you did, the verb has the following endings:

----α   ----ες   ----ε   ----αμε   ----ατε   ----ανε

These endings are added to the *second stem* of the verb, the same stem you use after *θα* to form the future. Compare the present, future and past of γυρίζω:

PRESENT	FUTURE	PAST
γυρίζω	θα γυρίσω	γύρισα
γυρίζεις	θα γυρίσεις	γύρισες
γυρίζει	θα γυρίσει	γύρισε
γυρίζουμε	θα γυρίσουμε	γυρίσαμε
γυρίζετε	θα γυρίσετε	γυρίσατε
γυρίζουνε	θα γυρίσουνε	γυρίσανε

1 Trying to phone Nikos
- Θέλω να μιλήσω στο Νίκο παρακαλώ.
- Δεν γύρισε ακόμα.
- Πότε θα γυρίσει;
- Σε λίγο.
- Καλά. Θα ξαναπάρω σε μισή ώρα.

ακόμα	yet
σε λίγο	shortly
θα ξαναπάρω	I'll call again

The past tense of most verbs is formed this way. The second stem of δουλεύω is δουλεψ- and for μιλάω it's μιλησ-.
Adding the new set of endings gives these past tenses:

δούλεψα	μίλησα
δούλεψες	μίλησες
δούλεψε	μίλησε
δουλέψαμε	μιλήσαμε
δουλέψατε	μιλήσατε
δουλέψανε	μιλήσανε

The stress always falls on the third syllable from the end. With some verbs, the stem and the ending together are sometimes only two syllables: φεύγω, for example, has φυγ- as its second stem, and this *would* give φυγα, φυγες, φυγε and so on; in this situation, an ε is added at the *beginning* of the word, and stressed; the past of φεύγω, therefore, is:

έφυγα	φύγαμε
έφυγες	φύγατε
έφυγε	φύγανε

Notice that the ε is only added where it's needed to make up three syllables.

173

Similarly with κάνω:

έκανα	κάναμε
έκανες	κάνατε
έκανε	κάνανε

2 What did you do last night?

Yorgos, who got back from the village the night before, meets two of his friends and asks them what they got up to.

- Γειά σας παιδιά.
- Γειά σου Γιώργο.
- Τι κάνατε χτες το βράδι;
- Εγώ δούλεψα στο γραφείο. Έχουμε πολλή δουλειά τελευταία.
- Εσύ τι έκανες, Μήτσο;
- Εγώ διάβασα. Σε μία εβδομάδα δίνω εξετάσεις.
- Κατάλαβα!
- Εσύ πού ήσουνα;
- Γύρισα αργά από το χωριό – τα μεσάνυχτα.
- Γι' αυτό δεν ήσουνα στην ταβέρνα.

ήσουνα: you were, see below page 176.

τελευταία	lately
δίνω εξετάσεις	I'm sitting exams
τα μεσάνυχτα	at midnight
Γι' αυτό . . .	*that's* why . . .

3 A trip to Delphi

Mr Smith describes yesterday's excursion to Delphi to the hotel receptionist.

- Καλημέρα κύριε Σμιθ. Τι κάνετε;
- Πολύ καλά ευχαριστώ.
- Τι κάνατε χτες;
- Πήγαμε εκδρομή στους Δελφούς.
- Οι Δελφοί είναι πολύ όμορφοι.
- Θαύμα είναι.
- Τι ώρα φύγατε από 'δω;
- Το πούλμαν έφυγε στις εφτά.
- Πολύ νωρίς. Τι ώρα έφτασε στους Δελφούς;
- Γύρω στις εντεκάμιση.
- Είδατε τα αρχαία;
- Βέβαια. Το θέατρο, το ναό του Απόλλωνα, το στάδιο, το μουσείο – όλα.
- Σας άρεσε;
- Πάρα πολύ.
- Τι ώρα γυρίσατε;
- Φύγαμε από τους Δελφούς στις έξι ακριβώς, αλλά είχε πολλή κίνηση και το ταξίδι έκανε πέντε ώρες.
- Δηλαδή, φτάσατε στις έντεκα;
- Μάλιστα. Ήτανε λίγο κουραστική η μέρα, αλλά πολύ ωραία.

πήγαμε εκδρομή	we went on an excursion
πολύ όμορφοι	very beautiful
θαύμα	marvellous
είδατε τα αρχαία;	did you see the antiquities?
το ναό του Απόλλωνα	the temple of Apollo
το στάδιο	the stadium
σας άρεσε;	did you like it?
είχε πολλή κίνηση	there was a lot of traffic
λίγο κουραστική	a little tiring

είδατε: see below.

άρεσε, past of αρέσει

είχε: see below.

175

1 You've been to the island of Sifnos for a working holiday. You phone your colleague in Volos, who is eager to know how you've got on and questions you closely. Listen as he asks *έκανες μπάνιο χτες;* and reply *Όχι, δεν έκανα μπάνιο χτες*. His questions are set out below.

Έκανες μπάνιο χτες; ....

Δούλεψες; ....

Μίλησες στο Νίκο; ....

Γύρισες στο Βόλο; ....

Έφτασες στην Αθήνα; ....

Έφυγες από τη Σίφνο; ....

2 Never do yesterday what you can put off till tomorrow.

This time you're always putting things off until tomorrow. When your colleague asks you the same questions as in (1) e.g. *Έκανες μπάνιο χτες;* this time answer e.g. *Όχι, θα κάνω μπάνιο αύριο*.

3 You're the receptionist at a large hotel, and are continually being questioned about the movements of the patrons. Curiously they always seem to be about half an hour ahead of the questioner. When you're asked e.g. *Τι ώρα θα γυρίσει ο κύριος Μαύρος;* reply e.g. *Γύρισε πριν μισή ώρα*. Again, the questions are set out below.

Πριν: ago

Τι ώρα θα γυρίσει ο κύριος Μαύρος; ....

Τι ώρα θα φύγει η κυρία Παππά; ....

Τι ώρα θα φτάσει το πούλμαν; ....

Τι ώρα θα φύγουνε οι Άγγλοι; ....

Τι ώρα θα φτάσουνε τα ταξί; ....

Τι ώρα θα γυρίσουνε οι Γάλλοι, ...

A few very common verbs have slightly unusual patterns when you're talking about the past. Two of them are έχω (I have) and είμαι (I am):

έχω		είμαι	
είχα	είχαμε	ήμουνα	ήμαστε
είχες	είχατε	ήσουνα	ήσαστε
είχε	είχανε	ήτανε	ήτανε

The other 'irregular' verbs are set out in the grammar, page 272. The main feature that makes them different from 'regular' verbs like δουλεύω is that it is not possible to work out the future and the past tenses simply by remembering a second stem.

For example, you have met the verb πίνω (I drink), and you have seen that the future is θα πιώ: the past is ήπια, so for this verb you have to remember all three.

See Grammar, page 272.

There are only about a dozen of these 'irregular' verbs altogether and, as they are all very common, it is worth remembering the present, future and past of each of them.

The next dialogue and passage contain these six *past* tenses:

είδα	I saw	βρήκα	I found
πήρα	I took	ήπια	I drank
πήγα	I went	έφαγα	I ate

A street in Athens

4 A late night in the taverna
- Τι έχεις βρε Δημήτρη;
- Έχω τα χάλια μου Βαγγέλη.
- Πώς έτσι;
- Χτες το βράδυ πήγα με την παρέα μου στην ταβέρνα του Κώστα – ξέρεις, στη Μιχαλακοπούλου.
- Και τι έγινε;
- Φάγαμε καλά. Ο Μιχάλης είχε κέφι και έπαιξε το μπουζούκι, τραγουδήσαμε, χορέψαμε . . . τελικά καθήσαμε μέχρι τις τέσσερες το πρωί.
- Κατάλαβα – και ήπιες αρκετά;
- Ήπια πάρα πολύ Βαγγέλη μου. Ξέρεις τι καλό κρασί έχει ο Κώστας. Και τώρα έχω πονοκέφαλο . . .
- Πήρες καμμιά ασπιρίνη;
- Πήρα. Πώς δεν πήρα! Αλλά δεν κάνει τίποτα.
- Θα σου περάσει Δημήτρη, αλλά άλλη φορά . . .
- Ξέρω, ξέρω. Δεν θα ξαναπιώ τόσο. Πάθημα μάθημα!

See note page 128.

τι έχεις;	what's wrong?
έχω τα χάλια μου	I feel terrible
πώς έτσι;	how come?
τι έγινε;	what happened?
είχε κέφι	was in a great mood (literally: had *kefi*)
καθήσαμε	we stayed (literally: sat on)
ήπιες αρκετά	you drank a good deal
πονοκέφαλο	headache
πώς δεν πήρα	of course I took (one)
θα σου περάσει	it will pass
άλλη φορά	another time
δεν θα ξαναπιώ τόσο	I won't drink so much again
πάθημα μάθημα	live and learn (literally: 'something suffered, something learned')

177

4 Yorgos finds the following note pinned to his door by his friend Yannis.

Γιώργο,

Την περασμένη εβδομάδα είχα τρεις μέρες άδεια, και επειδή ήμουνα πολύ κουρασμένος, πήρα το αεροπλάνο και πήγα στη Σάμο. Βρήκα ένα πολύ καλό (και φτηνό!) ξενοδοχείο στο Πυθαγόρειο, και πέρασα πολύ ωραία. Η Σάμος είναι όμορφο νησί. Έχει ένα βουνό, και πολλά δέντρα.

Νοίκιασα αυτοκίνητο και είδα όλο το νησί. Φυσικά είδα τα αρχαία και το μουσείο στο Πυθαγόρειο. Έκανα και δυο-τρία μπάνια, έφαγα καλά σε μια ταβερνίτσα στην παραλία, ήπια το φημισμένο Σαμιώτικο κρασί, και ξεκουράστηκα.

Γύρισα χτες το βράδι, αλλά δεν σε βρήκα. Αν θέλεις να πας στο Ηρώδειο απόψε, πάρε με στο τηλέφωνο.

Γιάννης

άδεια	leave (from work)
βουνό	mountain
δέντρα	trees
νοίκιασα αυτοκίνητο	I rented a car
όλο το νησί	all the island
φυσικά	of course
το φημισμένο Σαμιώτικο κρασί	the famous Samian wine
ξεκουράστηκα	had a rest, relaxed
πάρε με στο τηλέφωνο	telephone me

- Where did Yannis go?
- Why?
- How?
- Was his hotel expensive?
- How did he see the island?
- What did he see in Pythagorio?
- Did he go swimming?
- When did he get back?
- What does he suggest for the evening?

Samos is a large island close to the Turkish coast. It is famous for its wine, and as the birthplace of the philosopher and mathematician Pythagoras.

5 The following poem is by the Greek poet Seferis, who won the Nobel prize for literature in 1963. The translation is by Edmund Keeley and Philip Sherrard. Read the poem and note the past tenses, but don't expect to understand everything in it at this stage.

Στο περιγιάλι το κρυφό
κι άσπρο σαν περιστέρι
διψάσαμε το μεσημέρι
μα το νερό γλυφό.

On the secret sea shore
white like a pigeon
we thirsted at noon
but the water was brackish.

Πάνω στην άμμο την ξανθή
γράψαμε τ'όνομά της
ωραία που φύσηξεν ο μπάτης
και σβήστηκε η γραφή

On the golden sand
we wrote her name.
But the sea-breeze blew
and the writing vanished.

Με τι καρδιά, με τι πνοή,
τι πόθους και τι πάθος
πήραμε τη ζωή μας: λάθος!
κι αλλάξαμε ζωή.

With what spirit, what heart,
what desire and passion
we lived our life: a mistake!
So we changed our life.

This poem was set to music in 1963 by the composer Mikis Theodorakis and sung by Grigoris Bithikotsis, and became enormously popular.

Theodorakis has often set works by Greek poets to music, drawing for his inspiration on Greek folk music: these include pieces from the long poem *Axion Esti* by Odysseas Elytis (who also won the Nobel prize for literature, in 1979) and from *Romiosini* by Yannis Ritsos.

Many of the resulting songs have been interpreted by the singer Maria Farandouri.

Other composers have also attempted to marry modern Greek poetry with folk music, most importantly Yannis Markopoulos, who has set poems by both Elytis and Seferis to music.

At present this 'tradition' is being continued by Christodoulos Halaris, who has an interest in Byzantine music and medieval instrumentation, and has set sections from the Cretan seventeenth century narrative poem *Erotokritos* to music with great effect.

From Left to Right
ELYTIS, RITSOS, MARKOPOULOS

χθες is another form of χτες

6 The illustration shows a weather chart and the temperatures in some Greek and foreign cities. The temperatures are *χθεσινές* (yesterday's) and a minimum and maximum temperature is shown.

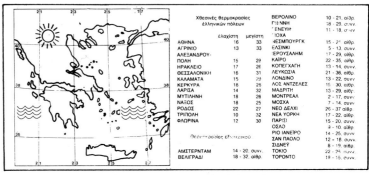

- What was the maximum temperature in Athens?
- What was the minimum temperature in Florina?
- What was the range in Naxos?
- Which foreign city had the lowest minimum temperature?
- Which foreign city had the highest maximum temperature?
- What was the temperature range in Jerusalem?

Understanding Greek

Maria is very worried because she has lost her handbag. Her friend helps her to retrace her movements to try and jog her memory.

Before you listen to this dialogue, look again at the irregular past tenses on page 177 above.

- How much money did the bag contain?
- What did Maria do that morning?
- How does she know she didn't leave the bag in a shop?
- Where did she go after the bank?
- How did she get there?
- Why is she sure she didn't leave it in the taxi?
- Where did she go next?
- How did she travel?
- Where did the bag turn up?

στενοχωρεμένη	upset, sad
έχασα	I lost
είχε χρήματα μέσα;	did it have money in it?
σαράντα χιλιάδες	40,000 (drachmas)
πού την άφησες	where you left it
ιδέα δεν έχω	I've no idea
στα μαγαζιά	to the shops
σε κανένα μαγαζί	in some shop
την είχα όταν πήγα . . .	I had it when I went . . .
πήρα ένα ταξί	I took a taxi
γύρισα σπίτι	I returned home
πλήρωσα το ταξί	I paid the taxi

180

15 TI NOMIZETE;

Expressing an opinion

Τι νομίζετε; What do you think? That's how Greeks may well seek your opinion on anything from politics to the weather.

Saying what you think

When you want to express your opinion in Greek use:

νομίζω		I think
πιστεύω	ότι . . .	I believe	that . . .
ξέρω		I know
λέω		I say

If you want to disagree with someone or something simply say:
δεν νομίζω ότι . . .   or
δεν πιστεύω ότι . . .

If you're in doubt, simply say: δεν ξέρω.

1 Setting off on a trip to Epidavros

A young couple and their friend Yannis take a day trip to the ancient theatre at Epidavros to see a performance of an ancient tragedy.
- Γιατί έφερες την ομπρέλλα σου;
- Το ραδιόφωνο λέει ότι θα βρέξει.
- Μπα! Δεν πιστεύω ότι θα βρέξει. Το πολύ-πολύ θα ψιχαλίσει λίγο. Ας την ομπρέλλα σου εδώ.
- Όχι. Θα την πάρω μαζί μου.
- Καλά. Πού είναι ο Γιάννης;
- Νομίζω ότι πήγε στο περίπτερο για τσιγάρα.
- Ξέρει ότι το λεωφορείο θα φύγει σε πέντε λεπτά;
- Ξέρει . . . Νάτος, έρχεται.

γιατί έφερες την ομπρέλλα σου;	why did you bring your umbrella?
το πολύ-πολύ	at the most
θα ψιχαλίσει	it will drizzle
νάτος	here he is
έρχεται	he's coming

See Grammar, page 273.

2 On the way to the theatre

The young couple wonder how full the theatre will be.

- Νομίζεις ότι θα έχει πολύ κόσμο;
- Δεν ξέρω. Αλλά είναι πολύ καλό έργο.·
- Λένε ότι το θέατρο θα είναι γεμάτο.
- Δεν αποκλείεται. Νομίζεις ότι θα βρούμε εισιτήρια;
- Μα ξέχασες ότι ο Γιάννης έκλεισε εισιτήρια προχτές;
- Α! ναι, ξέχασα. Είναι καλές οι θέσεις;
- Πολύ καλές.
- Θα ακούσουμε καλά τουλάχιστον;
- Οπωσδήποτε.

θα έχει πολύ κόσμο	there will be a lot of people
πολύ καλό έργο	a very good play
δεν αποκλείεται	it's not impossible
είναι καλές οι θέσεις;	are they good seats?
τουλάχιστον	at least
οπωσδήποτε	definitely

Also: προτιμάω

When you want to say you prefer something, use προτιμώ. To express agreement, you can either say συμφωνώ (I agree), or σύμφωνοι! (agreed!). And 'in my opinion' is κατά τη γνώμη μου.

3 After the show

It's pouring with rain, so the artistic discussion gets cut rather short!

- Σ' άρεσε η παράσταση;
- Ναι, μ' άρεσε, αλλά εγώ προτιμώ τις κωμωδίες.
- Συμφωνώ. Μερικές φορές οι τραγωδίες είναι βαρετές.
- Κατά τη γνώμη μου ο πρωταγωνιστής ήτανε πολύ καλός.
- Έχεις δίκιο. Τι ώρα φεύγει το λεωφορείο;
- Νομίζω ότι φεύγει σε μισή ώρα.
- Καιρό έχουμε δηλαδή. Και βρέχει!
- Είδες; Καλά έκανα και έφερα την ομπρέλλα μου.
- Σύμφωνοι!

μερικές φορές	sometimes
οι τραγωδίες	tragedies
βαρετές	boring
ο πρωταγωνιστής	the leading man
έχεις δίκιο	you're right
καλά έκανα και έφερα . . .	I was right to bring . . .

Talking about the weather

The words for the seasons are:

η άνοιξη	spring	το φθινόπωρο	autumn
το καλοκαίρι	summer	ο χειμώνας	winter

If you want to say 'in summer' and 'in autumn', it's still το καλοκαίρι and το φθινόπωρο, but 'in spring' is την άνοιξη and 'in winter': το χειμώνα.

Greek weather has become considerably less predictable over the last ten years or so, and is more frequently a topic of conversation than it used to be. You may want to say:

κάνει ζέστη	it's hot	φυσάει	it's windy
κάνει κρύο	it's cold	έχει ήλιο	it's sunny
βρέχει	it's raining	έχει συννεφιά	it's overcast
ψιχαλίζει	it's drizzling	έχει ομίχλη	it's misty
χιονίζει	it's snowing		

In Athens you'll also hear people talking about *το νέφος* – the cloud of pollution that frequently dominates the city.

1 Yannis says . . .
You're with a group of Greek friends, and one of them keeps telling you Yannis' opinions on various matters. You disagree entirely with Yannis, and say so. Listen as your friend says *Ο Γιάννης λέει ότι θα βρέξει* and retort *Μπα, δεν νομίζω ότι θα βρέξει*. His remarks are written out below.

Ο Γιάννης λέει ότι θα βρέξει. ....

Ο Γιάννης λέει ότι θα κάνει ζέστη αύριο. ....

Ο Γιάννης λέει ότι το ξενοδοχείο θα είναι γεμάτο. ....

Ο Γιάννης λέει ότι το ταξίδι ήτανε κουραστικό. ....

Ο Γιάννης λέει ότι το αεροπλάνο φεύγει στις δέκα. ....

Ο Γιάννης λέει ότι το ταχυδρομείο κλείνει στις εφτά. ....

2 You're going on holiday with some Greek friends and, being a natural worrier, keep asking them questions about what it will be like. Ask the following questions, beginning with *νομίζετε ότι θα κάνει ζέστη*:

● Do you think it will be hot?
● Do you think the plane will arrive at eight?
● Do you think the wine will be good?
● Do you think the hotel will be full?
● Do you think the food will be expensive?
● Do you think the taverna will be near the hotel?

Comparisons, comparisons

*See below, page 186.

καλύτερος = πιο καλός
see Grammar, page 264.

When you want to compare things, and say that something is bigger, cheaper, and so on, use πιο (more) before the adjective:

Το κρασί είναι πιο καλό φέτος.   The wine is better this year.
Οι ντομάτες είναι πιο φτηνές σήμερα.   The tomatoes are cheaper today.

4 A Greek view of England

Spiros, who has spent a year in England, is questioned about life there by his sister, Eleni.

- Πώς ήτανε η Αγγλία Σπύρο;
- Καλή είναι η Αγγλία Ελένη.
- Λένε ότι η ζωή είναι πιο ακριβή εκεί.
- Να σου πω. Το φαγητό είναι πιο ακριβό, αλλά τα ρούχα είναι πιο φτηνά.
- Και τα νοίκια;
- Νομίζω ότι στο Λονδίνο τα νοίκια είναι πιο ακριβά, αλλά έξω από το Λονδίνο είναι πιο φτηνά.
- Λένε ότι οι Έλληνες είναι πιο φιλόξενοι από* τους Άγγλους.
- Δεν συμφωνώ. Εκεί στο Σέφφιλντ, τουλάχιστον, είναι πολύ φιλόξενοι.
- Σ' άρεσε το φαγητό;
- Μ' άρεσε, αλλά προτιμώ το Ελληνικό φαγητό – είναι πιο νόστιμο.
- Τι γνώμη έχεις για το κλίμα;
- Ο καιρός στην Ελλάδα είναι καλύτερος.
- Βρέχει πολύ στην Αγγλία;
- Πάρα πολύ, αλλά το συνηθίζεις.
- Θα ξαναπάς;
- Βέβαια θα ξαναπάω. Μ' αρέσει πολύ η Αγγλία.

να σου πω	let me tell you
τα ρούχα	clothes
τα νοίκια	rents
από τους Άγγλους	than the English
πιο νόστιμο	tastier
καλύτερος	better
βρέχει πολύ;	does it rain a lot?
το συνηθίζεις	you get used to it
θα ξαναπάς;	will you go again?

Ξανα- is often prefixed to verbs and has the sense of 'again':
Δεν θα ξαναπιώ κρασί.   I won't drink wine again.
Θα ξαναπάς στην Αγγλία;   Will you go to England again?

It can also be used separately from the verb:
Θα πας ξανά;   Will you go again?

And as well as meaning 'again' it can also mean 'before'. You may well be asked:
Έχετε ξαναέρθει στην Ελλάδα;   Have you been to Greece before?

185

3 A friend keeps making comments to you about Noula, a girl you both know. You agree with him, but think that Noula's brother has the edge on her. Listen as he says *Η Νούλα είναι λεπτή*, and reply *Ναι, αλλά ο αδελφός της είναι πιο λεπτός*.

Η Νούλα είναι λεπτή. ....
Η Νούλα είναι ψηλή. ....
Η Νούλα είναι καλή. ....
Η Νούλα είναι έξυπνη. ....
Η Νούλα είναι όμορφη. ....
Η Νούλα είναι μεγάλη. ....

When you want to compare two people or things directly and say that one is more . . . than the other, the word for 'than' is *από*:

Ο Μήτσος είναι πιο ψηλός από την αδελφή του.
Το κασέρι είναι πιο ακριβό από τη φέτα.
Οι Έλληνες είναι πιο φιλόξενοι από τους Άγγλους.

4 Refer again to 3 . Noula's brother is called *Δημήτρης*. Look at each of the statements about Noula and comment, e.g., *Ναι, αλλά ο Δημήτρης είναι πιο λεπτός από τη Νούλα*.

5 The illustration is an advertisement for a series of concerts given by the Bolshoi Opera during the course of the Athens Festival, which takes place each summer in the restored theatre of Herodes Atticus, called the Irodio, in Athens.

- What was the work performed on 19th September?
- Who was the composer of the work performed on 21st and 22nd September?
- What was the price of the most expensive ticket at these performances?
- What was the price of a ticket with a student reduction?
- Who were the two conductors in the programme on 20th September?
- What are the names of the first four composers whose works were performed at this concert?

You saw in chapter five that nouns (the names of things) change their endings in the plural. And also that masculine nouns ending in --*ος* have different endings according to whether they're the subject of the sentence (when you're asking how much something costs, or where it is, for example) or the object (when you're saying you want . . ., would like . . ., etc.).

You may remember the pattern with *δίσκος*:

SINGULAR	PLURAL
Πόσο κάνει ο δίσκος;	Πόσο κάνουνε οι δίσκοι;
Θέλω ένα δίσκο.	Μήπως έχετε δίσκους;

You have also seen that the word for 'the' changes in the plural: *ο* becomes *οι*; *η* becomes *οι*; and *το* becomes *τα*. With masculine and feminine nouns it also changes when the word it's used with is the object of the sentence: *ο* becomes *το(ν)* and *η* becomes *τη(ν)*. The neuter *το* doesn't change.

Similarly in the plural: *οι* becomes *τους* with masculine nouns and *τις* with feminine nouns. Again, the neuter *τα* doesn't change.

Making choices

See Grammar, page 260.

Study the following examples:

See Grammar, page 258-60, for full range of noun types.

Πόσο κάνει ο δίσκος;   Πόσο κάνουνε οι δίσκοι;
Δεν θέλω το δίσκο.   Δεν θέλω τους δίσκους.
Πόσο κάνει η τσάντα;   Πόσο κάνουνε οι τσάντες;
Δεν θέλω την τσάντα.   Δεν θέλω τις τσάντες.
Πόσο κάνει το βιβλίο;   Πόσο κάνουνε τα βιβλία;
Δεν θέλω το βιβλίο.   Δεν θέλω τα βιβλία.

6 You're out shopping and are wavering between two choices. The shopkeeper is trying to press you to decide and asks, e.g., *Θέλετε την τσάντα ή το βιβλίο;* In each case you choose the second item and reply, e.g., *Θα πάρω το βιβλίο*. The shopkeeper's questions are set out below.

Θέλετε την τσάντα ή το βιβλίο;   ....
Θέλετε το βιβλίο ή την εφημερίδα;   ....
Θέλετε την κασέτα ή το δίσκο;   ....
Θέλετε τα βιβλία ή τις τσάντες;   ....
Θέλετε τις εφημερίδες ή τα βιβλία;   ....
Θέλετε τις κασέτες ή τους δίσκους;   ....

7 You're in a similar situation, but this time it's only one item you can't decide about. The shopkeeper tries to force the issue by saying, e.g., *Σας αρέσει η τσάντα;* His intervention decides you against, and you reply, e.g. *Όχι, δεν θέλω την τσάντα*. Again, the questions are set out below.

Σας αρέσει η τσάντα;   ....
Σας αρέσει το βιβλίο;   ....
Σας αρέσει ο δίσκος;   ....
Σας αρέσουνε τα βιβλία;   ....
Σας αρέσουνε οι τσάντες;   ....
Σας αρέσουνε οι δίσκοι;   ....

187

Large or small

You saw in chapters eight and nine that adjectives change their endings according to whether they are describing masculine, feminine or neuter words, and whether they are singular or plural.

Adjectives with masculine words also change their endings when the word they are describing is the object of the sentence. Study the following examples:

SINGULAR

Πόσο κάνει ο μικρός δίσκος;
Δεν θέλω το μικρό δίσκο.
Πόσο κάνει η μικρή τσάντα;
Δεν θέλω τη μικρή τσάντα.
Πόσο κάνει το μικρό βιβλίο;
Δεν θέλω το μικρό βιβλίο.

PLURAL

Πόσο κάνουνε οι μικροί δίσκοι;
Δεν θέλω τους μικρούς δίσκους.
Πόσο κάνουνε οι μικρές τσάντες;
Δεν θέλω τις μικρές τσάντες;
Πόσο κάνουνε τα μικρά βιβλία;
Δεν θέλω τα μικρά βιβλία.

8 Your problems still aren't over. In the next shop you're presented with a choice between a large and a small one. Once again the shopkeeper intervenes and says, e.g., *Σας αρέσει η μεγάλη τσάντα;* You react by choosing the other one and reply, e.g., *Όχι, θα πάρω τη μικρή τσάντα.*

Σας αρέσει η μεγάλη τσάντα; ....
Σας αρέσει ο μεγάλος δίσκος; ....
Σας αρέσει το μεγάλο καπέλλο; ....
Σας αρέσουνε οι μεγάλοι δίσκοι; ....
Σας αρέσουνε τα μεγάλα καπέλλα; ....
Σας αρέσουνε οι μεγάλες τσάντες; ....

I'll take it

When you want to say something like 'I'll take it', 'I don't want them' and so on, the word for 'it' or 'them' depends on whether what you're talking about is masculine, feminine or neuter.

See Grammar, page 265.

'It' is	*τον*	if you're talking about a masculine noun,
	τη(ν)	feminine
	το	neuter.
'Them' is	*τους*	masculine
	τις	feminine
	τα	neuter.

But, see Grammar, page 275.

These words always come immediately before the verb.

If you were talking about a handbag (τσάντα), you might say:
Δεν τη θέλω.   I don't want it.
Or, of some records (δίσκους):
Θα τους πάρω.   I'll take them.
Or, of hotel rooms (δωμάτια):
Θέλω να τα δω.   I want to see them.

9 In the next shop, you've been wavering for so long over one item, that the shopkeeper has become a little irritated, and asks *Δεν σας αρέσει η τσάντα;* You decide you do like it and answer *Ναι, θα την πάρω.*

Δεν σας αρέσει η τσάντα; ....

Δεν σας αρέσει το καπέλλο; ....

Δεν σας αρέσει ο δίσκος; ....

Δεν σας αρέσουνε τα βιβλία; ....

Δεν σας αρέσουνε οι τσάντες; ....

Δεν σας αρέσουνε οι δίσκοι; ....

Understanding Greek

A market researcher is interviewing two shoppers about what they have bought, and the prices and quality.

- What has the first woman bought?
- What does she think of the price of apples and oranges?
- Which item is cheaper than last year?
- What has the second woman bought?
- Which item is more expensive this year?
- Which does she think is cheaper?
- What items have improved in quality this year?

τι αγοράσατε;	what did you buy?
πώς σας φαίνονται οι τιμές;	how do the prices seem to you?
πέρσι	last year
και σεις κυρία μου;	and you madam?
για την ποιότητα	about the quality
φέτος	this year

16 Μ' ΑΡΕΣΕΙ ΝΑ . . . ΠΡΕΠΕΙ ΝΑ . . .

What you like doing . . .
what you have to do . . .

Saying what you like doing

You have seen that when you want to say you like something, you use μ' αρέσει . . .

Μ' αρέσει ο καφές.   I like coffee.

To say you like *doing something* it's μ' αρέσει να . . .

Μ'αρέσει να τραγουδάω.   I like to sing.

And if you want to *ask* someone if they like to sing, it's:

Σ'αρέσει να τραγουδάς;   Do you like to sing?

or:

Σας αρέσει να τραγουδάτε;

The ending of *αρέσει* doesn't change, but the ending of the other verb does:

Μ' *αρέσει να δουλεύ*ω	I like to work
Σ' *αρέσει να δουλεύ*εις	You like to work
Του *αρέσει να δουλεύ*ει	He likes to work
Της *αρέσει να δουλεύ*ει	She likes to work
Μας *αρέσει να δουλεύ*ουμε	We like to work
Σας *αρέσει να δουλέυ*ετε	You like to work
Τους *αρέσει να δουλεύ*ουνε	They like to work

Note that the second verb has the same form as in the present tense.

Here are a series of interviews with people about how they spend their leisure time.

1 With a bank clerk who likes music
- Τι δουλειά κάνεις;
- Δουλεύω σε τράπεζα.
- Σ' αρέσει να δουλεύεις σε τράπεζα;
- Ναι, μ' αρέσει. Είναι καλή δουλειά.
- Τι κάνεις τις ελεύθερες ώρες;
- Μ' αρέσει να ακούω μουσική.
- Τι μουσική σ' αρέσει;
- Κυρίως κλασσική, αλλά ακούω και λαϊκά τραγούδια.

τις ελεύθερες ώρες	in your free time
λαϊκά τραγούδια	popular songs

See also page 127.

2 With an amateur bouzouki player
- Ποιο είναι το χόμπυ σου;
- Μ' αρέσει να παίζω μπουζούκι και να τραγουδάω.
- Τραγουδάς σε κέντρα;
- Όχι. Απλώς παίζω στην ταβέρνα το βράδι.

χόμπυ	hobby
απλώς παίζω	I just play

3 With a TV/radio fan

- Εσείς έχετε χόμπυ;
- Όχι δεν έχω.
- Τι σας αρέσει να κάνετε το βράδι;
- Κοιτάξτε, όταν γυρίζω από τη δουλειά, είμαι πολύ κουρασμένος, και μ' αρέσει να βλέπω τηλεόραση ή να ακούω ραδιόφωνο.

κοιτάξτε   look

191

4 With a bibliophile-cook
- Τι κάνεις τις ελεύθερες ώρες;
- Εμένα δεν μ' αρέσει να βγαίνω τα βράδια – μ' αρέσει να διαβάζω.
- Τι βιβλία σ' αρέσουνε;
- Κυρίως μυθιστορήματα.
- Σ' αρέσει να μαγειρεύεις;
- Ναι, αλλά όχι κάθε μέρα.
- Κάθε πότε μαγειρεύεις;
- Δύο-τρεις φορές την εβδομάδα.

δεν μ' αρέσει να βγαίνω	I don't like going out
κυρίως μυθιστορήματα	mostly novels
σ'αρέσει να μαγειρεύεις;	do you like cooking?
κάθε πότε	how often
δύο-τρεις φορές	two or three times

5 With a sportsman
- Εσύ έχεις χόμπυ;
- Ναι, εμένα μ' αρέσουνε τα σπορ.
- Τι σπορ σ' αρέσουνε;
- Μ' αρέσει να παίζω μπάσκετ και να κολυμπάω.
- Πού κολυμπάς;
- Στο κολυμβητήριο στην Καισαριανή – ή πάω στη Ραφήνα.

στο κολυμβητήριο	in the swimming pool
Καισαριανή	Kaisariani, a suburb of Athens
Ραφήνα	Rafina, a port not far from Athens

6 With a dance enthusiast
- Εσένα τι σ' αρέσει να κάνεις;
- Μ' αρέσει να χορεύω.
- Τι χορούς χορεύεις;
- Χορεύω όλους τους Ελληνικούς χορούς, αλλά προτιμώ τους Ποντιακούς.

όλους τους Ελληνικούς χορούς	all the Greek dances
τους Ποντιακούς	the Pontic (dances*)

*See above, page 155.

1 You are being interviewed about your likes and dislikes.
Listen as you are asked *Σ' αρέσει να τραγουδάς;* and reply e.g. *Ναι, μ' αρέσει να τραγουδάω*. The questions are set out below.

Σ' αρέσει να τραγουδάς; ....

Σ' αρέσει να βλέπεις τηλεόραση; ....

Σ' αρέσει να ακούς ραδιόφωνο; ....

Σ' αρέσει να δουλεύεις σε τράπεζα; ....

Σ' αρέσει να χορεύεις; ....

Σ' αρέσει να κάνεις μπάνιο; ....

2 This time it's your turn to do the interviewing. Imagine you're questioning a close friend about her likes and dislikes. Using, e.g. Σ' αρέσει να τραγουδάς; ask her if she likes:

- to sing
- to dance
- to watch TV
- to cook
- to read
- to work in a bank.

Saying what you have to do

When you want to say you *have* to do something, use πρέπει να . . .

Πρέπει να φύγω σήμερα.   I have to leave today.

The same goes for other people:

Πρέπει να πάρετε το τραίνο.   You have to take the train.

As with αρέσει the ending of πρέπει doesn't change, but the ending of the other verb does:

Πρέπει να φύγω σήμερα.	I have to leave today.
Πρέπει να φύγεις σήμερα.	You have to leave today.
Πρέπει να φύγει σήμερα.	He has to leave today.
Πρέπει να φύγουμε σήμερα.	We have to leave today.
Πρέπει να φύγετε σήμερα.	You have to leave today.
Πρέπει να φύγουνε σήμερα.	They have to leave today.

In the examples above, and in the dialogues that follow, the verb after πρέπει has the same form as that used in the future tense: that is, with a regular verb, you use the *second* stem. For irregular verbs, see Grammar, page 272, for the form used in the future tense.

7 Trying to send a telegram
A tourist wanting to send a telegram enquires at a kiosk. He is told to go to the OTE just round the corner.

- Συγγνώμη, θέλω να στείλω ένα τηλεγράφημα.
- Μάλιστα. Πρέπει να πάτε στον ΟΤΕ.
- Είναι μακριά από 'δω;
- Όχι, καθόλου. Θα στρίψετε αριστερά, και είναι περίπου εκατό μέτρα.
- Ευχαριστώ.
- Παρακαλώ.

θέλω να στείλω	I want to send
ένα τηλεγράφημα	a telegram
περίπου εκατό μέτρα	about 100 metres

8 Trying to get from Milos to Syros

Some friends touring the Cyclades discover from a travel agent that to get from Milos to Syros they have to go via Piraeus.

- Τι ώρα φεύγει το καράβι για τη Σύρο;
- Από 'δω δεν έχει καράβι.
- Τι πρέπει να κάνουμε λοιπόν;
- Πρέπει να πάρετε το καράβι για τον Πειραιά και από 'κει θα βρείτε καράβι για τη Σύρο.
- Πότε φεύγει το καράβι για τον Πειραιά;
- Μεθαύριο.

θα βρείτε   you'll find

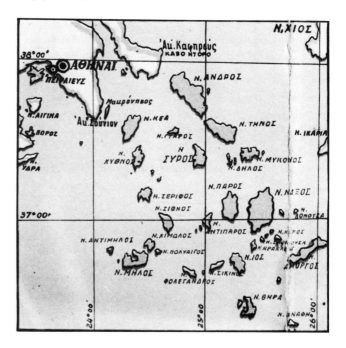

9 Trying to phone Nikos

Mr Mavros is still trying to get hold of his friend Nikos.

- Εμπρός.
- Μου δίνετε το Νίκο παρακαλώ;
- Δεν γύρισε ακόμα.
- Μα πρέπει να του μιλήσω σήμερα.
- Πού μένετε κύριε Μαύρο;
- Στο ξενοδοχείο Ρεξ.
- Καλά. Θα του πω ότι πρέπει να σας πάρει απόψε.
- Ευχαριστώ πολύ.

θα του πω ότι . . .   I'll tell him that . . .

10 A mid-morning snack

It's 11.30 and Takis' friend can't do without her cheese pie.

- Πεινάω Τάκη – τι ώρα είναι;
- Εντεκάμιση.
- Μόνο; Δεν αντέχω άλλο – πρέπει να φάω κάτι.
- Καλά, τι θες να φας;
- Πάμε να φάμε μία τυρόπιττα;
- Εντάξει.

δεν αντέχω άλλο   I can't hold out any longer.

3 You find yourself in the position of a mother with an unco-operative child. Each time the child says e.g. *Δεν θέλω να πάω στη Ραφήνα*, be firm and tell him e.g. *Πρέπει να πας στη Ραφήνα*.

Δεν θέλω να πάω στη Ραφήνα. ....
Δεν θέλω να πάω στη γιαγιά. ....
Δεν θέλω να πάρω το λεωφορείο. ....
Δεν θέλω να πάω στο πάρκο. ....
Δεν θέλω να κάνω μπάνιο. ....
Δεν θέλω να φάω παστίτσιο. ....

So far, πρέπει να . . . has been followed by the same form of the verb as that used in the future. You use this form when you're talking about something you have to do on a *single* occasion. It's the one you'll probably use most often.

Sometimes πρέπει να . . ., like μ' αρέσει να . . ., is followed by the same form of the verb as in the present tense.

This happens when you're talking about something you have to do regularly, or over a period of time.

Compare and contrast the following:
Πρέπει να φύγω τώρα.   (once)
I have to leave now.
Πρέπει να φεύγω κάθε πρωί στις εννιά.   (regularly)
I have to leave every morning at nine.

Πρέπει να *γυρίσω* αμέσως.   (once)
I have to get back immediately.
Πρέπει να *γυρίζω* κάθε βράδι στις εφτά.   (regularly)
I have to get back every evening at seven.

Πρέπει να *μιλήσεις* στο Νίκο σήμερα.   (once)
You must speak to Nikos today.
Πρέπει να *μιλάς* μόνο Ελληνικά.   (over a period)
You must speak only Greek.

Πρέπει να *φάω* μία τυρόπιττα.   (once)
I have to eat a cheese pie.
Πρέπει να *τρώω* μόνο ψάρι – κάνω δίαιτα.   (over a period)
I have to eat only fish – I'm on a diet.

Read through and listen to the following dialogues, and notice the forms of
the verbs after πρέπει να . . .

11 How to learn English well
● Θέλεις να μάθεις καλά Αγγλικά;
● Φυσικά.
● Δεν θα πας στην Αγγλία το καλοκαίρι;
● Ναι, για δύο μήνες.
● Λοιπόν, στην Αγγλία, πρέπει να μιλάς μόνο Αγγλικά.
● Δεν είναι πρόβλημα. Μ'αρέσει να μιλάω Αγγλικά.

θέλεις να μάθεις;   do you want to learn?

12 How to lose weight

Maria has problems. Yorgos advises.
● Πάχυνα Γιώργο. Τι να κάνω;
● Είναι πολύ απλό. Πρέπει να τρως λιγότερο, και δεν πρέπει να πίνεις
  μπύρα.
● Αλλά μ' αρέσει να τρώω, και να πίνω μπύρα με το φαγητό.
● Η ζωή είναι δύσκολη Μαρία μου!

πάχυνα	I've put weight on
τι να κάνω;	what am I to do?
πολύ απλό	very simple
λιγότερο	less
δύσκολη	difficult

13 How to get rid of a headache

Vangelis at the doctor's.

● Γιατρέ, τελευταία έχω συνέχεια πονοκέφαλο.
● Τι κάνεις το βράδι;
● Συνήθως βλέπω τηλεόραση.
● Δεν πρέπει να βλέπεις τηλεόραση κάθε βράδι Βαγγέλη – δεν κάνει.

γιατρέ	doctor
συνέχεια	all the time
δεν κάνει	it doesn't do (i.e. it won't do)

4 You've just met a Greek woman who keeps asking about your likes and dislikes. Unhappily, you're a bit of a wet blanket. Listen as she asks e.g. *Σ' αρέσει να τραγουδάς;* and reply e.g. *Ναι, αλλά δεν πρέπει να τραγουδάω.*

Σ' αρέσει να τραγουδάς; ....

Σ' αρέσει να χορεύεις; ....

Σ' αρέσει να βλέπεις τηλεόραση; ....

Σ' αρέσει να κάνεις μπάνιο; ....

Σ' αρέσει να τρως κοτόπουλο; ....

Σ' αρέσει να πίνεις κρασί; ....

5 Greek cinemas close in summer because it's too hot to sit inside. There are a number of open-air cinemas with screens in small courtyards, or on the roofs of apartment buildings. These open in the summer months, often with revivals of older films. The illustration is a clipping from a newspaper giving a selection (ΕΠΙΛΟΓΗ) of films recommended (the name of the cinema is given in brackets). Don't try to understand all it says – but you should be able to answer the following questions.

ΕΠΙΛΟΓΗ

ΝΤΟΛΤΣΕ ΒΙΤΑ: Τό κλασικό φίλμ τοῦ Φ. Φελλίνι γύρω ἀπό τήν τρέλλα καί τή μελαγχολία τῆς Ρώμης, μέ τόν Μ. Μαστρογιάννι (Βοξ).

ΤΟ ΜΩΡΟ ΤΗΣ ΡΟΖΜΑΡΙ: Διαβολική, παράξενη ταινία ἀγωνίας καί τρόμου, τοῦ Ρομάν Πολάνσκυ, μέ τούς Μία Φάροου, Τζών Κασσαβέτη (Ἕλενα - Ἰλίσια).

Ο ΤΕΛΕΥΤΑΙΟΣ ΤΩΝ ΜΕΓΙΣΤΑΝΩΝ: Μεταφορά τοῦ μυθιστορήματος τοῦ Σκότ Φιτζέραλντ, ἀπό τόν Ἠλία Καζάν, σέ σενάριο Χάρολντ Πίντερ, μέ τούς Ρόμπερτ Ντέ Νίρο, Ρόμπερτ Μίτσαμ, Τζάκ Νικολσον, Ἰνγκριντ Μπούλντιγκ (Α—Β).

Ο ΥΠΝΑΡΑΣ: Ἀξιόλογη κωμωδία ἐπιστημονικῆς φαντασίας, τοῦ Γούντυ Ἄλλεν (Κολοσσαῖον).

ΠΡΟΕΤΟΙΜΑΣΙΑ ΓΙΑ ΕΓΚΛΗΜΑ: Καλοστημένο θρίλλερ, τοῦ Μπράιαν ντέ Πάλμα γύρω ἀπό τή διχασμένη προσωπικότητα ἑνός «τραβεστί», μέ τόν Μάικλ Καῖην (Ἀμίκο).

ΠΟΙΟΣ ΦΟΒΑΤΑΙ ΤΗ ΒΙΡΤΖΙΝΙΑ ΓΟΥΛΦ: Τό γνωστό θεατρικό ἔργο τοῦ Ἄλμπυ, σέ μιά μεταφορά τοῦ Μ. Νίκολς, μέ τούς Ρίτσαρντ Μπάρτον, Λίζ Τέιλορ (Ἀθήναια)

ΜΕΦΙΣΤΟ: Η ἄνοδος καί ἡ πτώση ἑνός ἠθοποιοῦ στή Ναζιστική Γερμανία, τοῦ Ιστ. Ζάμπο, μέ τόν θαυμάσιο Κλάους Μαρία Μπραντάουερ (Λιλά).

● What film by Fellini is recommended, and who is the male star?
● Who are the four stars in the film based on a novel by Scott Fitzgerald, with screenplay by Harold Pinter?
● At which cinema is a film by Woody Allen playing?
● What is the film starring Richard Burton and Elizabeth Taylor?
● Where is 'Mephisto' on?

Understanding Greek

Maria and Thodoros both live on an island. Maria is upset because she has to go to Athens to meet an uncle who is coming from Australia.

- When does Maria have to go to Athens?
- How long will she stay there?
- What does she like about the city?
- Why doesn't she want to go?
- How long does the boat take?
- How does she decide to travel?
- What is Thodoros' final piece of advice?

θέλει να δει	wants to see
ζαλίζομαι	I get sea-sick
δεν μ' αρέσει να ταξιδεύω	I don't like travelling
ή . . .ή . . .	either . . . or . . .
από τώρα	(from) now
δεν θα βρεις αύριο	you won't find any tomorrow
θα προσπαθήσω να . . .	I'll try to . . .

17

ΤΑ ΠΑΛΙΑ ΧΡΟΝΙΑ

Talking about the past 2

What used to happen

When you want to talk about what you used to do, or how things used to be, you use a form of the verb called the *imperfect*.

Use the same *stem* as for the present, and the same *endings* as for the simple past:

Δουλεύω στην Αγγλία.	I work in England.
Χτες δεν δούλεψα.	I didn't work yesterday.
Δούλευα στην Αγγλία.	I used to work in England.

Here are the present, simple past, and imperfect of δουλεύω and φεύγω. Note the relationships between the stems and the endings.

PRESENT	SIMPLE PAST	IMPERFECT
δουλεύω	δούλεψα	δούλευα
δουλεύεις	δούλεψες	δούλευες
δουλεύει	δούλεψε	δούλευε
δουλεύουμε	δουλέψαμε	δουλεύαμε
δουλεύετε	δουλέψατε	δουλεύατε
δουλεύουνε	δουλέψανε	δουλεύανε
φεύγω	έφυγα	έφευγα
φεύγεις	έφυγες	έφευγες
φεύγει	έφυγε	έφευγε
φεύγουμε	φύγαμε	φεύγαμε
φεύγετε	φύγατε	φεύγατε
φεύγουνε	φύγανε	φεύγανε

Notice that, just as in the simple past, the stress is always on the third syllable from the end, and where necessary an *ε* is added and stressed.

1 Working in Thessaloniki
- Δεν μου λες Γιώργο, παλιά δεν δούλευες στη Θεσσαλονίκη;
- Ναι, για τρία χρόνια.
- Τι δουλειά έκανες;
- Δούλευα σε γραφείο.
- Τι ώρα έφευγες από το σπίτι το πρωί;
- Στις εφτάμιση.
- Και τι ώρα έφτανες;
- Γύρω στις οχτώ.
- Δούλευες πολλές ώρες;
- Γύριζα σπίτι το μεσημέρι.
- Σ'άρεσε η δουλειά;
- Όχι πολύ – γι' αυτό γύρισα στο χωριό.

παλιά	in the old days, formerly
γι' αυτό	that's why

The verb τρώω adds γ to the stem before the endings in the imperfect:

έτρωγα	τρώγαμε
έτρωγες	τρώγατε
έτρωγε	τρώγανε

This is also true of λέω (έλεγα) and ακούω (άκουγα).
Έχω and είμαι have only one form for the past.

See Grammar, page 271.
See chapter 14, page 176.

And πάω has an imperfect based on the alternative form πηγαίνω:

πήγαινα	πηγαίναμε
πήγαινες	πηγαίνατε
πήγαινε	πηγαίνανε

Read through the next dialogue, noticing the forms of the verbs.

2 Student life in London
A young Greek boy who is thinking of going to university in London
questions an older friend about his experiences there.

- Εσύ πήγες στο πανεπιστήμιο στο Λονδίνο, Λάκη, έτσι δεν είναι;
- Ναι βέβαια, το εβδομήντα τρία.
- Πού ακριβώς έμενες;
- Στο Χάμπστεντ.
- Δεν ήτανε μακριά από το πανεπιστήμιο;
- Ναι, αλλά πήγαινα κάθε μέρα με τον υπόγειο.
- Είχες πολύ διάβασμα;
- Δεν λες τίποτα! Διάβαζα έξι-εφτά ώρες κάθε μέρα.
- Πού έτρωγες;
- Συνήθως έτρωγα εκεί στο πανεπιστήμιο. Είχανε εστιατόριο.
- Δεν μαγείρευες;
- Καμμιά φορά μαγείρευα, αλλά δεν μαγειρεύω καλά.
- Έπινες κρασί με το φαγητό;
- Όχι. Οι Άγγλοι δεν πίνουνε κρασί. Εγώ έπινα νερό.
- Για διασκέδαση πού πήγαινες;
- Στο θέατρο, στο σινεμά, καμμιά φορά σε συναυλία . . .
- Έβλεπες τηλεόραση;
- Όχι πολύ. Γιατί ρωτάς όλα αυτά;
- Γιατί λέω κι εγώ να πάω στο Λονδίνο για σπουδές.

έτσι δεν είναι;	isn't that right? (cf. French n'est-ce pas?)
το εβδομήντα τρία	in '73
με τον υπόγειο	on the tube
είχες πολύ διάβασμα;	did you have a lot of reading?
δεν λες τίποτα!	that's putting it mildly! (literally: you're not saying anything)
καμμιά φορά	now and again
για διασκέδαση	for entertainment
σε συναυλία	to a concert
γιατί ρωτάς όλα αυτά;	why are you asking all this?
για σπουδές	for (my) studies

Verbs like τραγουδάω, μιλάω and so on, that end in --άω in the present,
have these endings for the imperfect:

τραγουδούσα	τραγουδούσαμε
τραγουδούσες	τραγουδούσατε
τραγουδούσε	τραγουδούσανε

See Grammar, page 270.

With these verbs the stress is always on the -ούσ-, even where it is not on the
third syllable from the end.

3 The good old days

Two older men recall how they used to have a good time in the tavernas when they were younger.

- Λοιπόν Βαγγέλη, πάμε σιγά-σιγά;
- Τόσο νωρίς Δημήτρη; Είναι μόνο εντεκάμιση.
- Το ξέρω, αλλά είμαι κουρασμένος. Πρέπει να φύγω.
- Παλιά δεν έφευγες τόσο νωρίς Δημήτρη μου.
- Καλά, τότε ήμουνα νεαρός. Παλληκάρι πού λένε.
- Θυμάσαι πώς γλεντούσαμε τότε;
- Βέβαια. Πηγαίναμε κάθε βράδι στην ταβέρνα του Κώστα . . . και ο Γιώργος έπαιζε το μπουζούκι – θυμάσαι το Γιώργο;
- Πώς! Κι εμείς τραγουδούσαμε και χορεύαμε μέχρι το πρωί . . . και καμμιά φορά έπινες πολύ, και την άλλη μέρα . . .
- Ο Κώστας είχε καλό κρασί . . .
- Πάρα πολύ καλό κρασί . . .
- Αλλά τώρα γεράσαμε πια, κι εγώ πρέπει να φύγω.
- Ναι, έχεις δίκιο. Θα πληρώσουμε το λογαριασμό και θα φύγουμε.

τόσο νωρίς;	so early?
νεαρός	a young man
παλληκάρι που λένε	'a brave young warrior', as they say
θυμάσαι πώς γλεντούσαμε;	do you remember how we used to have a good time?
γεράσαμε πια	we're old men (we've grown old)
θα πληρώσουμε	we'll pay

1   You've just met an Athenian businessman who is on holiday at the same hotel as yourself, and it transpires that last year he lived for a time in London. By coincidence you worked in Athens that year, and you begin to compare experiences. Listen as he says, e.g., *Πέρσι έμενα στο Λονδίνο* and respond by saying, e.g., *Εγώ έμενα στην Αθήνα*. His remarks are set out below, and your responses suggested in English. The completed dialogue is on your cassette.

Πέρσι έμενα στο Λονδίνο. *I used to live in Athens.*
Δούλευα σε μαγαζί. *I used to work in a bank.*
Έφευγα από το σπίτι στις οχτώμιση το πρωί. *I used to leave at half past six.*
Γύριζα στις πεντέμιση το βράδι. *I used to get back in the afternoon.*
Έτρωγα στο σπίτι. *I used to eat in the tavernas.*
Μαγείρευα Ελληνικό φαγητό. *I didn't cook.*
Έπινα και Ελληνικό κρασί. *I used to drink beer.*
Τα βράδια έβλεπα τηλεόραση. *I didn't watch TV.*
Καμμιά φορά πήγαινα στο θέατρο. *I used to go to the cinema.*

2   This time you're thinking of settling in Greece, and are asking a friend who has just returned from living there about some of the basics of life. The answers are set out below, and the questions suggested in English. Ask them in Greek, and then listen to the completed conversation on your recording.

Where did you use to live?   Στην Αθήνα.
Where did you use to work?   Σε γραφείο.
What time did you leave in the morning?   Στις εφτά.
What time did you return?   Το μεσημέρι.
How many hours (πόσες ώρες) did you work?   Οχτώ.
Where did you eat?   Στις ταβέρνες.
Did you cook?   Καμμιά φορά.
What did you drink with the food?   Κρασί.
Did you go to the theatre?   Ναι.
Did you watch TV?   Όχι πολύ.

3   Stavros, an old Greek islander, reminisces about his past and compares it with life in the island today. Read through the interview and then answer the questions.

● Κύριε Σταύρο, τι δουλειά κάνετε;
● Τώρα δεν κάνω τίποτα.
● Τι δουλειά κάνατε όταν ήσαστε νεαρός;
● Ήμουνα αγγειοπλάστης. Μετά είχα ένα καφενείο. Έπρεπε να κάνω και άλλες δουλειές. Πήγαινα στα βαπόρια: έπαιρνα επιβάτες. Πήγαινα και ψάρευα.
● Πώς ήτανε εκείνα τα χρόνια;
● Εκείνα τα χρόνια ήτανε χαμένα. Πεινούσαμε. Εγώ δούλευα είκοσι τέσσερεις ώρες και πεινούσα. Σήμερα δεν δουλεύουνε. Πάνε και δουλεύουνε τέσσερεις ώρες και παίρνουνε ένα τσουβάλι λεφτά.
● Τότε όμως τραγουδούσατε.
● Τραγουδούσαμε. Και κάθε Κυριακή παίζανε βιολιά.

- Γιατί κάθε Κυριακή;
- Γιατί την Κυριακή δεν δουλεύανε.

ήμουνα αγγειοπλάστης	I was a potter
μετά	after that
έπρεπε να κάνω . . .	I had to do . . .
στα βαπόρια	on the boats
έπαιρνα επιβάτες	I used to take passengers
πήγαινα και ψάρευα	I went fishing
πώς ήτανε εκείνα τα χρόνια;	how were those years?
χαμένα	lost
ένα τσουβάλι λεφτά	a sack of money
παίζανε βιολιά	they used to play violins

- What jobs does Stavros say he did as a young man?
- Why does he describe his early years as 'lost'?
- How does he view work today?
- How did people get their entertainment when he was a young man?
- Why was it normally on a Sunday?

4 You've recently withdrawn from the world to a remote island. A reporter tracks you down and begins to question you about how you lived before you retired. Listen as she asks e.g. Όταν ήσαστε νεαρός, παίζατε μπουζούκι; and reply e.g. Ναι, αλλά τώρα δεν παίζω μπουζούκι. Her questions are set out below.

Όταν ήσαστε νεαρός, παίζατε μπουζούκι; ....

Όταν ήσαστε νεαρός, χορεύατε; ....

Όταν ήσαστε νεαρός, πίνατε κρασί; ....

Όταν ήσαστε νεαρός, τρώγατε στις ταβέρνες; ....

Όταν ήσαστε νεαρός, κάνατε μπάνιο; ....

Όταν ήσαστε νεαρός, δουλεύατε πολύ; ....

5 The illustration shows the contents page of the classified section of an Athenian newspaper. Find the pages listing the items on the left.

- cars
- lessons
- a motor-cycle
- tourism
- massages
- shops
- a stereo
- a private eye

Σελίδα: page

ΚΑΤΑΣΤΗΜΑΤΑ	**ΜΑΘΗΜΑΤΑ**
Σελίδα 16	Σελίδα 20
ΝΤΕΤΕΚΤΙΒΣ	**ΜΗΧΑΝΗΜΑΤΑ**
Σελίδα 16	Σελίδα 21
ΟΙΚΟΠΕΔΑ	**ΤΟΥΡΙΣΜΟΣ**
Σελίδα 17	Σελίδα 21
ΜΟΤΟΣΥΚΛΕΤΤΕΣ	**ΣΤΕΡΕΟ HI-FI**
Σελίδα 17	Σελίδα 21
ΕΝΟΙΚΙΑΣΕΙΣ	**ΦΩΤΟΓΡΑΦΙΚΑ**
Σελίδα 18	Σελίδα 21
ΚΑΤΑΣΤΗΜΑΤΑ	**ΜΑΣΑΖ**
Σελίδα 18	Σελίδα 22
ΑΥΤΟΚΙΝΗΤΑ	**ΘΕΑΜΑΤΑ**
Σελίδα 19	Σελίδα 26

Understanding Greek

Thanos and Maria have just met after the summer and are discussing where they spent their holidays.

- Where did Maria and her family spend their holidays this year?
- Why didn't she like it there?
- Where did the family use to go?
- Where didn't they go there this year?
- Where did Thanos and his family use to go?
- Where did they use to catch the boat?
- Where did they use to stay?
- Where did they go this year?

δεν βρίσκεις ξενοδοχείο	you can't find a hotel
πανάκριβες	very expensive
παλιά	before
σε παλιό σπίτι	in an old house
γυρίζαμε όλο το Πήλιο	we used to tour the whole of Pilion
κατεβαίναμε στο Βόλο	we used to go down to Volos

18

ΑΛΛΗ ΜΙΑ ΦΟΡΑ

Talking about the past 3 and more besides . . .

This chapter looks just one more time – *άλλη μία φορά* – at how to talk about events in the past, and examines a basic feature of the Greek language, namely that it makes a strong distinction between something which happens on a single occasion, and something happening regularly, or over a period of time.

This distinction doesn't apply only when you're talking about past events. You'll come across it in many situations, some of which are illustrated in this chapter.

Chapter 14

Chapter 17

Talking about the past

You have seen that when you're talking about the past you use the endings:

--α	--αμε
--ες	--ατε
--ε	--ανε

When you want to say what you did, or what happened *on a single occasion*, you add these endings to the *second stem* of a regular verb:

Δούλεψα μέχρι τις εννιάμιση.   (from δουλεύω)
I worked until half past nine.
Γύρισα αργά από το χωριό.   (from γυρίζω)
I returned late from the village.

When you want to talk about what used to happen *repeatedly*, or *over a period of time*, you add them to the *first stem*:
Δούλευα στη Θεσσαλονίκη. I used to work in Thessaloniki.
Γύριζα σπίτι το μεσημέρι. I used to go home in the afternoon.

Read through the next two passages, in which people are talking about events in the past, answer the questions in English, and compare the verbs in each of them.

1 Mr Sofoulis is telling his wife what he did yesterday: how he went to Piraeus, took his sister to lunch and then had coffee with a friend.

Κατέβηκα χτες στον Πειραιά. Έφυγα από 'δω στη μία και πήγα στην Ομόνοια με το τρόλλεϋ. Έφτασα στον Πειραιά στις δύ^ και η αδελφή μου και εγώ πήγαμε και φάγαμε σε μία ψαροταβέρνα κοντά στη θάλασσα. Μετά, η αδελφή μου γύρισε στο γραφείο της, κι εγώ είδα το φίλο μου το Λάκη. Ήπιαμε ένα καφεδάκι σ' ένα καφενείο δίπλα στο λιμεναρχείο, και στις έξι πήρα ένα ταξί και γύρισα σπίτι.

κατέβηκα στον Πειραιά   I went down to Piraeus

- What time did Mr Sofoulis leave?
- What time did he get to Piraeus?
- Where did he take his sister for lunch?
- What did his sister do after lunch?
- What did he do?
- Where did he and his friend drink a coffee?
- How did he get back home?

2 Mr Tsoumanis, who comes from a small village in Epiros, northern Greece, describes his schooldays: how he went to the school in the next village, and how in winter he often got his boots full of snow.

Τά Δολιανά: Epirote village

Πήγαινα στο γυμνάσιο στα Δολιανά. Ο πατέρας μου δεν είχε χρήματα για βιβλία και πάντα έπαιρνα παλιά βιβλία. Δεν πήγαινα με το λεωφορείο αλλά με τα πόδια. Τα Δολιανά ήτανε μισή ώρα με τα πόδια, και για έξι χρόνια έφευγα κάθε πρωί και γύριζα κάθε μεσημέρι. Πολλές φορές είχε πολύ χιόνι, και οι μπότες μου ήτανε πιο χαμηλές από το χιόνι και το χιόνι έμπαινε στις μπότες. Κι όταν έφτανα στο σχολείο, έβγαζα τις μπότες και άδειαζα το χιόνι.

δεν είχε χρήματα	didn't have money
έπαιρνα παλιά βιβλία	I used to get old books
πολλές φορές	often
είχε πολύ χιόνι	there was a lot of snow
πιο χαμηλές	lower
έμπαινε στις μπότες	went into the boots
έβγαζα	I took off
άδειαζα	I emptied

- Where did Mr Tsoumanis go to school?
- Why did he never have new books?
- How far was it to school?
- How did he travel?
- How long did he go to this school?
- Why did he get snow in his boots?
- What did he do about it when he got to school?

In English, both Mr Sofoulis and Mr Tsoumanis could say 'I left', 'I arrived', 'I returned' and so on, even though the former is describing a series of events that happened just once and the latter is talking about things he did every day for six years. In Greek, when you are talking about things that happened repeatedly or continuously you *must* use the *imperfect* – that is, the past endings with the *first* stem of the verb. Compare the following statements from the above two passages:

Έφυγα από δω στη μία.
Έφευγα κάθε πρωί.   (from φεύγω)
Έφτασα στον Πειραιά στις δύο.
Όταν έφτανα στο σχολείο . . .   (from φτάνω)
Γύρισα σπίτι.
Γύριζα κάθε μεσημέρι.   (from γυρίζω)

Now compare the following two headlines which appeared in the Greek press in September 1982:

Δούλεψα σκληρά για τη νίκη
Δούλευε σκληρά για τα παιδιά της

The first was a quote from the winner of the Marathon in the European Games held in Athens: 'I worked hard for victory' (i.e. on that single occasion). The second referred to a woman who had died tragically: 'She worked hard for her children' (i.e. over a long period of time).

3 Mr Sofoulis' wife is questioning him about what he did yesterday. Listen as she asks him, e.g., *Τι ώρα έφυγες;* and answer for him, e.g., *Έφυγα στη μία*. Her questions are set out below, and the answers indicated in English.

Τι ώρα έφυγες;   I left at one.
Τι ώρα έφτασες στον Πειραιά;   I arrived in Piraeus at two.
Πού έφαγες;   I ate at a fish-taverna.
Ήπιες καφέ;   Yes, I drank a coffee with Lakis.
Τι ώρα γύρισες σπίτι;   I came back home at six.

4 This time play the part of Mr Tsoumanis, who is discussing his schooldays with a friend. Listen as the friend asks, e.g., *Πήγαινες στο σχολείο με το λεωφορείο*; and answer, e.g., *Όχι, πήγαινα με τα πόδια*. Again, the questions are set out below, and the answers indicated in English. The completed dialogue is on your cassette.

Πήγαινες στο σχολείο με το λεωφορείο; No, I went on foot.
Έφευγες κάθε πρωί; Yes, I left every morning.
Τι ώρα έφτανες στο σχολείο; I arrived at eight.
Τι ώρα γύριζες σπίτι; I came back in the afternoon.
Πού έτρωγες; I ate at home.
Έπινες καφέ; No, I drank orangeade.

What you have to do

You have already seen the distinction between the two stems when you're talking about something you have to do. In chapter 16 you saw that *πρέπει να* is sometimes followed by a verb using the second stem (or future form), and sometimes by a verb using the first stem (or present form):

Πρέπει να φύγεις αμέσως.	(i.e. immediately)
Πρέπει να φεύγεις κάθε μέρα στις οχτώ.	(i.e. regularly)
Πρέπει να μιλήσετε στο Νίκο τώρα.	(i.e. now)
Πρέπει να μιλάτε μόνο Ελληνικά.	(i.e. in general)
Πρέπει να φάω μία τυρόπιττα.	(i.e. now)
Δεν πρέπει να τρώω τυρόπιττες.	(i.e. ever)

What you're going to do

The same thing also applies when you're talking about what you're going to do, or what is going to happen in the future.

You saw in chapter 11 that you use θα to form the future:

Θα φτάσουμε στις δέκα.	We'll arrive at ten. (from φτάνω)
Το τραίνο θα φύγει στις οχτώ.	The train will leave at eight. (from φεύγω)

In these, and in all the examples in chapter 11, you use the second stem (or future form) of the verb because you're talking about a single occasion.

This is the form you use most of the time, but sometimes you'll want to talk about things that are going to happen regularly, or continuously over a period, and in this case you use the first stem:

Κάθε μέρα, το   θα φεύγει στις οχτώ . . .
Every day, the train will leave at eight . . .
και θα φτάνει στις δέκα.
and will arrive (every day) at ten o'clock.

5 Imagine that Mr Sofoulis is now telling his wife what he is going to do tomorrow. He is talking about events that will happen once only. Read through the passage and note the forms of the verbs.

Αύριο θα πάω στον Πειραιά. Θα φύγω από 'δώ στη μία και θα πάω στην Ομόνοια με το τρόλλεϋ. Θα φτάσω στον Πειραιά στις δύο, και η αδελφή μου και εγώ θα πάμε και θα φάμε σε μία ψαροταβέρνα κοντά στη θάλασσα. Μετά, η αδελφή μου θα γυρίσει στο γραφείο της, κι εγώ θα δω το φίλο μου το Λάκη. Θα πιούμε ένα καφεδάκι, και στις έξι θα πάρω ταξί και θα γυρίσω σπίτι.

Now imagine that the Tsoumanis family has decided to move to a large town, and the young Tsoumanis is writing to his grandmother, telling her how he'll get to school from now on. Read through the passage and then compare the verbs with those in the passage above.

Το σχολείο είναι πολύ κοντά, και θα πηγαίνω με τα πόδια. Θα φεύγω κάθε πρωί στις εφτάμιση και θα φτάνω στις οχτώ παρά τέταρτο. Το χιόνι δεν θα μπαίνει στις μπότες μου, γιατί δεν χιονίζει στην πόλη. Ο πατέρας μου έχει χρήματα και δεν θα παίρνω παλιά βιβλία. Και κάθε μεσημέρι θα γυρίζω σπίτι, θα τρώω με τους γονείς μου, και θα πίνω ένα καφεδάκι.

με τους γονείς μου   with my parents

What you want to do

Finally, saying what you want to do: in chapter 12, you saw that you use θέλω να with a verb using the second stem (or future form):

Θέλουμε να φύγουμε στις έξι.
Θέλω να μιλήσω στο Νίκο.
Δεν θέλω να δουλέψω αύριο.

Again, all these examples express something you want to do on a single occasion, and, again, this is the kind of thing you'll want to say most of the time. Occasionally, you might be thinking of something you want to do regularly, or continuously over a long period, and in this case you use the first stem (or present form) of the verb:

Δεν θέλω να φεύγω κάθε πρωί στις έξι. I don't want to leave every morning at six.
Φέτος θέλω να μιλάω μόνο Ελληνικά. This year I want to speak only Greek.
Θέλω να δουλεύω σε εργοστάσιο. I want to work in a factory.

With most verbs, the important thing to remember in all these situations is that whenever you're thinking of something happening on a single occasion only, you use the second stem; and whenever you're thinking of something happening regularly, or continuously over a period of time, you use the first stem.

With the few irregular verbs, you need to remember *two* forms for events which happen on single occasions: the simple past, and the form used after θα and να. For regular or continuous events, use the first stem.

Compare the following examples:

REGULAR VERBS
1 Past events
Χτες έφυγα νωρίς. Yesterday I left early.
Παλιά έφευγα νωρίς κάθε μέρα. In the old days I used to leave early every day.

211

2 Πρέπει να . . .

Σήμερα πρέπει να φύγω νωρίς. Today I have to leave early.
Πρέπει να φεύγω νωρίς κάθε μέρα. I have to leave early every day.

3 Future events

Αύριο θα φύγω νωρίς. Tomorrow I'll leave early.
Του χρόνου θα φεύγω νωρίς κάθε μέρα. Next year I'll leave early every day.

4 Θέλω να . . .

Θέλω να φύγω νωρίς σήμερα. I want to leave early today.
Θέλω να φεύγω νωρίς κάθε μέρα. I want to leave early every day.

IRREGULAR VERBS

1 Past events

Χτες ήπια κρασί. Yesterday I drank wine.
Παλιά έπινα μόνο νερό. In the old days I only drank water.

2 Πρέπει να . . .

Πρέπει να πιω κάτι αμέσως. I must drink something immediately.
Από αύριο πρέπει να πίνω μόνο νερό. From tomorrow I must drink only water.

3 Future events

Απόψε θα πιω μπύρα. Tonight I'll drink beer.
Από αύριο θα πίνω μόνο νερό. From tomorrow, I'll drink only water.

4 Θέλω να . . .

Θέλω να πιω μπύρα απόψε. I want to drink beer tonight.
Από αύριο θέλω να πίνω μόνο νερό. From tomorrow I want to drink only water.

You have now seen some of the ways in which Greek distinguishes between something happening on a single occasion and something happening repeatedly or continuously over a period of time. This is a basic feature of the language, that you will notice frequently if you listen carefully to Greeks talking.

English doesn't always make the same distinction: you might well say 'I *worked* ('used to work') in London for three years and *left* ('used to leave') the house at seven every morning'. In Greek, you *must* say Δούλευα στο Λονδίνο για τρία χρόνια και έφευγα από το σπίτι κάθε πρωί στις εφτά.

It takes time and practice to master these forms and usages, but even if you make mistakes you'll still be understood, and you'll soon start getting this feature of Greek right.

7 The illustration is part of an advertisement for self-taught language courses. The headline reads 'Choose which language you want to learn and in three months you'll speak it perfectly'. Notice that it says θα τη μιλάς (not θα τη μιλήσεις) because once you've learned it you'll be speaking it for a long time – the rest of your life!

212

Examine the languages available, and tick the appropriate boxes if you wanted to learn:

● Russian ● Czech ● Hebrew ● Portuguese ● Swahili
● Classical Arabic ● South American Spanish ● Modern Greek

Διάλεξε ποιά γλώσσα θέλεις νά μάθεις καί σέ 3 μῆνες θά τή μιλᾶς τέλεια

☐ Ἀγγλικά	☐ Σουηδικά	☐ Γερμανικά	☐ Πορτογαλικά	☐ Ἀραβικά (κλασικά)
☐ Γαλλικά	☐ Δανέζικα	☐ Ἐβραϊκά	☐ Φινλανδικά	☐ Ἰσπανικά (Καστίλλης)
☐ Ἰταλικά	☐ Ἰρλανδικά	☐ Ὀλλανδικά	☐ Μαλαϊκά	☐ Ἰσπανικά (Ν. Ἀμερικῆς)
☐ Ἰαπωνικά	☐ Ἰσλανδικά	☐ Νορθηγικά	☐ Σουαχίλι	☐ Νεοελληνικά (γιά ξένους)
☐ Ρωσικά	☐ Τσέχικα	☐ Ἀφρικανικά	☐ Ἀραβικά (Αἰγυπτικά)	☐ Κινεζικά (Mandarin)
☐ Ἰνδικά	☐ Ἀμερικανικά	☐ Περσικά	☐ Ἀραβικά (Ἀλγερινά)	☐ Κινεζικά (Cantonese)
				☐ Σερβοκροατικά

19

ΔΕΝ ΜΠΟΡΩ!

Talking about what you can do

When they've had all they can take (which is probably the way you feel now!) Greeks often exclaim *Δεν μπορώ!* or *Δεν μπορώ άλλο!*: I can't (take) any more! But, since this is the last chapter to contain new material, let's accentuate the positive!

Saying what you can do

Notice the position of the stress on the verb Μπορώ.

When you want to say that you can do something, or ask if you can do something, use μπορώ να . . .

Μπορώ να φύγω αύριο; Can I leave tomorrow?
Μπορώ να κάνω ένα τηλέφωνο; Can I make a phone call?
Μπορούμε να φάμε μαζί. We can eat together.

As with *θέλω να* . . ., the endings of *both* verbs change:

Μπορώ να φύγω αύριο.
Μπορείς να φύγεις αύριο.
Μπορεί να φύγει αύριο.
Μπορούμε να φύγουμε αύριο.
Μπορείτε να φύγετε αύριο.
Μπορούνε να φύγουνε αύριο.

In the examples above a single occasion is involved (see chapter 18). Read through the following dialogues and notice the form of the verbs following μπορώ να.

1 Waiting for Nikos

77-02-710

Mr Mavros tries again.
● Μήπως μπορώ να κάνω ένα τηλέφωνο;
● Ευχαρίστως. Το τηλέφωνο είναι στο χωλ.
● Ευχαριστώ. (Dials) Εβδομήντα εφτά, μηδέν δύο, εφτακόσια δέκα.

Phone answers
● Εμπρός.
● Μπορώ να μιλήσω στο Νίκο παρακαλώ;
● Μιλάει στο άλλο τηλέφωνο.
● Καλά, θα περιμένω . . .
 (later) . . . Νίκο, εσύ είσαι; Επιτέλους σε βρήκα!
● Γειά σου Λάκη. Τι κάνεις;
● Μιά χαρά. Πρέπει να σε δω απόψε.
● Εντάξει Λάκη. Μπορούμε να φάμε μαζί, αν θέλεις.
● Ωραία. Αλλά δεν ξέρω πού μένεις. Μπορείς να περάσεις από το ξενοδοχείο;
● Όχι. Δεν έχω καιρό. Μπορούμε να συναντηθούμε στο Σύνταγμα;
● Ναι, τι ώρα;
● Θα σε δω γύρω στις εννιά.
● Εντάξει. Γειά σου Νίκο.
● Γειά.

στο άλλο τηλέφωνο	on the other phone
θα περιμένω	I'll wait
εσύ είσαι;	is that you?
επιτέλους	at last
μπορείς να περάσεις από . . .	can you call at . . .
μπορούμε να συναντηθούμε . . .;	can we meet . . .?

2 Island blues

Takis and his wife are on holiday on an island, and she can't seem to find anything to interest her, but it's not easy getting back to Athens.

- Τι θα κάνουμε τώρα, Τάκη;
- Δεν ξέρω. Μπορούμε να κάνουμε μπάνιο, αν θέλεις.
- Όχι, δεν θέλω. Φυσάει πολύ.
- Καλά. Μπορούμε να πιούμε ένα καφεδάκι στην πλατεία.
- Δεν θέλω να πιω άλλο καφέ.
- Θέλεις να πας στο μουσείο;
- Δεν μπορούμε να πάμε στο μουσείο Τάκη – είναι κλειστό.
- Α ναι, ξέχασα. Είναι Τρίτη.
- Δεν μπορούμε να γυρίσουμε στην Αθήνα; Βαριέμαι.
- Δεν έχει άλλο καράβι σήμερα.
- Μπορούμε να πάρουμε το αεροπλάνο.
- Δεν φεύγει το αεροπλάνο. Φυσάει πολύ.
- Πότε μπορούμε να φύγουμε λοιπόν;
- Έχει καράβι σε μία εβδομάδα.
- Σε μία εβδομάδα; Αχ, δεν μπορώ άλλο!

φυσάει πολύ	it's very windy
βαριέμαι	I'm bored

216

3 A day trip to Marathon

An English girl staying with a Greek friend wants to see Marathon. She is delighted when the friend offers to take her in her car.

- Θα ήθελα πολύ να δω το Μαραθώνα.
- Εντάξει. Θα πάμε αύριο αν θέλεις.
- Κάθε πότε φεύγει το λεωφορείο;
- Κάθε μισή ώρα – αλλά μπορούμε να πάμε με το αυτοκίνητό μου.
- Έχεις αυτοκίνητο;
- Βεβαίως – ένα Πεζώ.
- Πολύ ωραία. Πάμε λοιπόν.
- Ξέρεις ότι αύριο δεν μπορείς να δεις το μουσείο;
- Γιατί;
- Γιατί οι φύλακες έχουνε απεργία.
- Δεν το ήξερα. Αλλά νομίζω ότι μπορούμε να κάνουμε μπάνιο.
- Ναι. Έχει ωραία πλαζ στο *Σχοινιά – έχει και μία ταβέρνα πού μπορούμε να φάμε.
- Θαύμα! Θα πάμε αύριο το πρωί.

Πεζώ: Peugeot

ήξερα=past of ξέρω
*Beach near Marathon.

ο Μαραθώνας	Marathon
οι φύλακες	(museum) guards
έχουνε απεργία	are on strike
ωραία πλαζ	a nice beach

4 Where can I rent a car?

A couple on holiday in Crete are trying to find out where they can rent a car.

- Μπορείτε να μου πείτε πού νοικιάζουνε αυτοκίνητα;
- Ευχαρίστως. Υπάρχει ένα μεγάλο γραφείο εδώ δίπλα, και ένα μικρό στην πλατεία.
- Ποιο είναι το πιο φτηνό;
- Δεν είμαι σίγουρος, αλλά νομίζω ότι το πιο μικρό είναι και το πιο φτηνό.

μπορείτε να μου πείτε . . .	can you tell me . . .
πού νοικιάζουνε αυτοκίνητα	where they rent cars
δεν είμαι σίγουρος	I'm not sure
είναι και	is also

5 Renting the car

Having found the office, they make enquiries.

- Καλημέρα.
- Καλημέρα σας.
- Μπορώ να νοικιάσω ένα αυτοκίνητο;
- Μάλιστα. Τι αυτοκίνητο θέλετε;
- Ένα μικρό.
- Για πόσες μέρες το θέλετε;
- Για μία εβδομάδα.
- Εντάξει. Έχουμε ένα μικρό Φίατ.
- Ωραία. Πόσο κάνει;
- Θα πληρώσετε χίλιες διακόσιες την ημέρα, και μπορείτε να κάνετε εκατό χιλιόμετρα. Μετά πληρώνετε τρεις δραχμές το χιλιόμετρο.
- Μπορεί να οδηγήσει και η γυναίκα μου;

Φίατ: Fiat

217

*See Grammar, page 266.

● Αν έχει το δίπλωμά* της εδώ, μπορεί.
● Εντάξει λοιπόν.

θα πληρώσετε	you'll pay
την ημέρα=τη μέρα	per day
τρεις δραχμές το χιλιόμετρο	three drachmas per kilometre
μπορεί να οδηγήσει;	can (my wife) drive?
το δίπλωμά της	her licence

1 You've rented a villa by the sea so that you can combine a holiday with completing some long-outstanding work. Just as you get down to it a neighbour drops in and invites you for a walk. Listen as she says, e.g., *Θέλεις να πας βόλτα*; and reply, e.g., *Δεν μπορώ να πάω βόλτα τώρα*. Her various attempts to entice you away from your work are set out below, and the complete dialogue is on your cassette.

Θέλεις να πας βόλτα; ....

Θέλεις να φας; ....

Θέλεις να κάνεις μπάνιο; ....

Θέλεις να πιεις ένα καφέ; ....

Θέλεις να πάρεις ένα γλυκό; ....

Θέλεις να γυρίσεις στην Αθήνα; ....

2 You've finally realised your ambition to visit Greece, and have just arrived at the hotel. You can hardly contain your excitement and keep firing questions at the tour guide. Your questions are suggested below in English, and the guide's answers given in Greek. Ask the questions and then listen to the completed conversation on your recording.

Can we see the Acropolis? Ναι, θα δούμε την Ακρόπολη αύριο.
Can we eat in a taverna? Ναι, θα φάμε σε ταβέρνα αύριο.
Can we go to Delphi? Θα πάμε στους Δελφούς μεθαύριο.
Can we go to an island? Θα πάμε σε νησί την Τρίτη.
Can we go swimming? Θα κάνουμε μπάνιο σήμερα.
Can we dance? Θα χορέψουμε το Σάββατο.

The distinction that you saw in chapter 18 also applies with μπορώ να . . . Sometimes you'll be thinking of something you can do over a period of time, rather than on a single occasion, and then you use the first stem (or present form) of the verb after μπορώ να . . .

This is true whenever you're talking about a skill or an ability ('I can swim', 'I can dance'), because you mean you can do it all the time:

Μπορώ να κολυμπάω.   I can swim.

People often say ξέρω να . . . I know how to . . .

Ξέρω να χορεύω.   I know how to dance.

3 You've just arrived to stay for a month with a Greek family, and they're keen to find out what you like doing. Unhappily, you seem unable to do anything they suggest. Listen as the father asks, e.g., Σ' αρέσει να κολυμπάς; and reply, e.g.,Δυστυχώς δεν ξέρω να κολυμπάω. Use ξέρω for the first three, and μπορώ for the other three.

Σ' αρέσει να κολυμπάς; ....
Σ' αρέσει να κάνεις σκι; ....
Σ' αρέσει να χορεύεις; ....
Σ' αρέσει να τραγουδάς; ....
Σ' αρέσει να μαγειρεύεις; ....
Σ' αρέσει να τρως κρέας; ....

κρέας: meat

4 The illustration shows the European records in track and field events *before* the 1982 games held in Athens. The abbreviations Λ.Δ.Γ. and ΕΣΣΔ stand for East Germany and the USSR respectively. Study the records and then answer the following questions:

- In what events did Sebastian Coe and Steve Ovett hold records?
- What was Sara Simeoni's record in the women's high jump?
- The men's long jump record was 8.54 m. What was the record in the women's event, and who held it?
- The women's javelin record was held by a Finnish woman. What nationality was the holder of the men's event?
- What was the name of the West German who held the record for the 400 m hurdles?

┌─────────────── ΤΑ ΡΕΚΟΡ ΕΥΡΩΠΗΣ ───────────────┐

ΑΝΔΡΙΚΑ ΑΓΩΝΙΣΜΑΤΑ

Event	Time/Mark	Holder	Year
100 μέτρα	10.01	Πιέτρο Μεννέα ('Ιταλ.)	1979
200 μέτρα	19.72	Πιέτρο Μεννέα ('Ιταλ.)	1979
400 μέτρα	44.60	Βίκτωρ Μαρκὶν (ΕΣΣΔ)	1980
800 μέτρα	1.41.73	Σεμπάστιαν Κόου (Μ. Βρετ.)	1980
1.500 μέτρα	3.31.36	Στῆβ ῎Οβετ (Μ. Βρετ.)	1980
5.000 μέτρα	13.00.42	Νταῆηβιντ Μόορκροφτ (Μ. Βρετ.)	1982
10.000 μέτρα	27.22.95	Φερνάντο Μαμέντε (Πορτ.)	1982
110 μ.ἐμπόδια	13.28	Γκὺ Ντρὺ (Γαλ.)	1975
400 μ. ἐμπόδια	47.85	Χάραλντ Σμὶτ (Δ. Γερμ.)	1979
3.000 μ. στῆπλ	8.08.02	῎Αντερς Γκάρντερουντ (Σουηδ.)	1976
῞Υψος	2.36	Γκέρντ Βέσσινγκ (Λ.Δ.Γ.)	1980
Κοντῶ	5.81	Βλαδιμὴρ Πολιακώφ (ΕΣΣΔ)	1981
Μῆκος	8.54	Λοὺτς Ντομπρόφσκι (Λ.Δ.Γ.)	1980
Τριπλοῦν	17.57	Κῆθ Κόννορ (Μ. Βρετ.)	1982
Σφαιροβολία	22.15	Οὔντο Μπάγερ (Λ.Δ.Γ.)	1978
Δισκοβολία	71.16	Βόλφγκανγκ Σμὶτ (Λ.Δ.Γ.)	1978
Σφυροβολία	83.98	Σεργκέϋ Λιτβίνωφ (ΕΣΣΔ)	1982
῎Ακοντισμός	96.72	Φέρεντς Πάραγκι (Οὔγγ.)	1980
Δέκαθλο	8.797 β.	Νταῆηλυ Τόμπσον (Μ. Βρετ.)	1982
4 × 100 μ.	38.26	Σοβ. ῎Ενωση	1980
4 × 400 μ.	3.00.58	Δυτ. Γερμανία καὶ Πολωνία	1968
		καὶ Μεγ. Βρετανία	1972
20.000 μ. βάδην	1.21.21.3	Ρόναλντ Βίζερ (Λ.Δ.Γ.)	1979
50.000 μ. βάδην	3.45.51	Οὔβε Ντύνκελ (Λ.Δ.Γ.)	1981

ΓΥΝΑΙΚΕΙΑ ΑΓΩΝΙΣΜΑΤΑ

Event	Time/Mark	Holder	Year
100 μέτρα	10.88	Μαρλὶς Γκὲρ (Λ.Δ.Γ.)	1078. '82
200 μέτρα	21.71	Μαρίτα Κὸχ (Λ.Δ.Γ.)	1979
400 μέτρα	48.60	Μαρίτα Κὸχ (Λ.Δ.Γ.)	1979
800 μέτρα	1.53.43	Ναντέσα ῎Ολισαρένκο (ΕΣΣΔ)	1980
1.500 μέτρα	3.52.47	Τατιάνα Καζανκίνα (ΕΣΣΔ)	1980
3.000 μέτρα	8.26.78	Σβετλιάνα Οὐλμάσοβα (ΕΣΣΔ)	1982
100 μ. ἐμπόδια	12.36	Γκρατσύνα Ράμπστυν (Πολ.)	1980
400 μ. ἐμπόδια	54.28	Κάριν Ρόσλεϋ (Λ.Δ.Γ.)	1980
῞Υψος	2.01	Σάρα Σιμεόνι ('Ιταλ.)	1978
Μῆκος	8.20	Βάλι 'Ιονέσκου (Ρουμ.)	1982
Σφαιροβολία	22.45	῎Ιλόνα Σλούπιανεκ (Λ.Δ.Γ.)	1980
Δισκοβολία	71.80	Μαρία Βέργκοβα - Πέτκοβα (Βουλγ.)	1980
῎Ακοντισμός	72.40	Τίνα Λίλλακ (Φινλ.)	1982
῎Επταθλο	6.772 β.	Ραμόνα Νόυμπερτ (Λ.Δ.Γ.)	1982
4 × 100 μ.	41.60	Λ. Δ. Γερμανίας	1980
4 × 400 μ.	3.19.23	Λ. Δ. Γερμανίας	1980

Understanding Greek

You will hear a conversation between a young couple who have taken their new car into Athens and can't find anywhere to park. The penalty for illegal parking in Athens is the removal of the car's number plates, which then have to be reclaimed by paying a fine.

- Why can't they park at the first place the wife suggests?
- Where does she recommend they go next?
- What's the problem there?
- Why can't they park in the next space she sees?
- What is her next idea?
- Why does the husband object?
- How does she counter this objection?
- Do they find a parking meter?
- Why don't they park there?

*See Grammar, page 275.
(Relatives)

πού μπορώ να παρακάρω;	where can I park?
τον αστυφύλακα	policeman
που* βγάζει πινακίδες	who's removing number plates
πλατεία Κλαυθμώνος	Klafthmonos Square between Omonia and Sindagma Squares, on Stadiou Street
θα βρούμε θέση	we'll find a place
κάπου εδώ	somewhere here
δεν έχουμε ελπίδα	we haven't a hope
εκεί πέρα	over there
έξοδος γκαράζ	garage exit
η Μητρόπολη	Cathedral
παρκόμετρα	parking meters
ούτε εγώ	me neither
έπρεπε να πάρουμε το τρόλλεϋ	we should have taken the trolleybus

The situation in the cartoon is that the centre of Athens has been closed to traffic in the morning until 9:30.

Θα κόψετε: you cross over (lit. 'cut')
Φθάσετε = Φτάσετε
Θα' χει πάει: it will have gone
Θα μπείτε: you'll go into
Αλεξάνδρας, etc.: names of streets

20 ΦΤΑΣΑΜΕ!

Review

In Part I of this book, you became familiar with the basic language you need to deal effectively with common everyday situations in Greece; and also to take part in simple conversations about the background and interests of the people you meet.

In the second part, you have greatly increased the scope of the *kinds* of thing you can say; you have seen some of the more important ways in which the Greek language works, and you have become familiar with a broad range of expressions that you'll find useful in a much wider variety of situations.

You now know how to use:

Chapters 12, 16, 18, 19.

θέλω να . . .	to say 'I want to . . .'
λέω να . . .	to say 'I'm planning to . . .'
μπορώ να . . .	to say 'I can . . .'
ξέρω να . . .	to say 'I know how to . . .'
μ' αρέσει να . . .	to say 'I like to . . .'
πρέπει να . . .	to say 'I have to . . .'

You can express your opinions by saying:

Chapter 15.

νομίζω ότι . . .	'I think that . . .'
πιστεύω ότι . . .	'I believe that . . .'
ξέρω ότι . . .	'I know that . . .'
λέω ότι . . .	'I say that . . .'

You can express doubt or disagreement by saying:

| δεν νομίζω ότι . . . | 'I don't think that . . .' |
| δεν πιστεύω ότι . . . | 'I don't believe that . . .' |

And you can find out other people's opinions about things by asking:

τί γνώμη έχετε για . . .;   'What's your opinion of . . .?'

You can also compare two people or things by saying, e.g.:
Ο Νίκος είναι πιο ψηλός από τη Μαρία.
Τα πεπόνια είναι πιο φτηνά από τις ντομάτες.

Chapter 13.

You have met some of the special Greek expressions of congratulations and good wishes, and have seen which to use on which occasions.

You have also learnt more about asking for things and ordering things:

Chapter 15.

Θέλω τον Ελληνικό δίσκο.
Θα πάρω τη μικρή τσάντα.
Δώστε μου το μεγάλο μήλο.

Θέλω τους Ελληνικούς δίσκους.
Θα πάρω τις μικρές τσάντες.
Δώστε μου τα μεγάλα μήλα.

Chapters 11, 12, 14, 17, 18, 19.

Finally you have become familiar with the way Greek verbs work:

You have seen that 'I, you, he, she' and so on is indicated by a change in the ending of the verb. And that most regular verbs have two stems.

You can use θα followed by a form of the verb using the second stem to say what you're going to do:

Θα φύγω αύριο.   'I'm going to leave tomorrow.'

You can use this second stem with the 'past endings' to say what you did:

Έφυγα προχτές.   'I left the day before yesterday.'

And you can add these 'past endings' to the first stem to say what you used to do:

Έφευγα κάθε πρωί.   'I left every morning.'

You have seen that there are about a dozen 'irregular' verbs for which you have to remember the present tense, the simple past, and the special form for use after θα and να.

And you have seen that in Greek it is important to distinguish between a single event and an event that is regular or continuous, so that you might say:

Θα μιλήσω στο Νίκο τώρα.   'I'll speak to Nikos now.'

But you would say:

Θα μιλάω στο Νίκο κάθε μέρα.   'I'll speak to Nikos every day.'

In short, you have by now acquired a good basic knowledge of the Greek language on which you can build when you go to Greece and practise with native speakers. Then you can truly say 'we've arrived': φτάσαμε!

Meanwhile, the rest of this chapter is designed to help you get some more immediate practice in the skills you have acquired.

1 The illustration is taken from a Greek magazine and shows the index to the book reviews that have appeared over the previous year. You should not expect to understand everything in it, but you will probably be able to say on which page reviews of books by the following authors appear:

Anton Chekhov   J. D. Salinger
Nikolai Gogol   Raymond Chandler
Upton Sinclair   H. G. Wells
Philip Roth   Fyodor Dostoyevsky
Kathryn Mansfield

Now give the page reference for the following *titles*:

The Elephant   The Life of the City
Mrs Bloom   You are not me
The American   Masque of the Red Death
Last Exit to Brooklyn   East of Eden (Vols. 1 and 2)
Zazi dans le Métro

2 You have to go from Athens to Thessaloniki on business, and call at a travel agent to make arrangements. Your part of the conversation is suggested in English, and the travel agent's replies given in Greek. Play your part in Greek, and then turn to your recording, where you'll hear the whole conversation.

Good morning. **Καλημέρα σας.**
I want to go to Thessaloniki. **Μάλιστα. Με αεροπλάνο;**
How much does it cost? **Δύο χιλιάδες διακόσιες.**
OK. But I have to go tomorrow. **Δυστυχώς δεν έχει θέση αύριο. Μεθαύριο;**
I can't go the day after tomorrow. **Εντάξει. Μπορείτε να πάρετε το λεωφορείο, αν θέλετε.**
What time does it leave? **Εννιά το πρωί.**
Good. Can I return by plane? **Πότε θα γυρίσετε;**
On Tuesday. **Ναι. Δεν υπάρχει πρόβλημα.**
Can I book a room? **Βεβαίως. Θα κάνω ένα τηλέφωνο τώρα.**
Thank you very much.

TRAVEL AGENT, LATER, AFTER THE PHONE CALL.

Λοιπόν . . . είναι το ξενοδοχείο Λουξ, κοντά στην πλατεία Βαρδάρη.
Can I go on foot from the bus station? **Ναι. Είναι πολύ κοντά.**
Good. How much do I owe? **Χίλιες πεντακόσιες έξι.**
Here you are. Thank you – goodbye. **Γειά σας.**

3 You're on holiday in Greece and decide you want to spend a couple of days in Nafplio to do some swimming. It's the height of the summer and you think it would be better to book in advance. Your friend gives you the number of a hotel, and the receptionist answers when you call.

Ξενοδοχείο Παράδεισος. Καλημέρα σας. Good morning. I want to book a room.
Μάλιστα. Τι δωμάτιο θέλετε; A single with a bath please.
Εντάξει. Από πότε το θέλετε; I plan to arrive in Nafplio on Monday.
Και πόσο καιρό θα μείνετε; I have to leave on Wednesday.
Θέλετε να μείνετε δύο νύχτες δηλαδή. Precisely. Do you have a restaurant?
Δυστυχώς όχι, αλλά υπάρχει μία ταβέρνα δίπλα στη θάλασσα. Is it far from the hotel?
Όχι. Πολύ κοντά. Does it have fish?
Βεβαίως. Ότι θέλετε. Is there a beach (πλαζ) nearby?
Ναι. Κοντά στην ταβέρνα. Good, because I like swimming.
Εδώ η θάλασσα είναι πολύ ωραία. Fine. How much does the room cost?
Οχτακόσιες σαράντα. OK.
Το όνομά σας κύριε; Holiday.
Εντάξει κύριε Χόλιντεϋ. Θα σας δούμε τη Δευτέρα. Thank you. Goodbye.

Ότι θέλετε: whatever you want.

4 At your hotel in Greece, you find yourself eating breakfast at the same table as a Greek couple you have seen once or twice. The wife breaks the ice.

Καλημέρα σας. Good morning.
Από πού είσαστε, αν επιτρέπεται; From London.
Αλήθεια; Ο άντρας μου δούλευε στο Λονδίνο για ένα χρόνο. When?
Το εβδομήντα πέντε. Where did he (use to) work?
Στην Εθνική Τράπεζα Ελλάδος, στο Γουεστ Εντ. Where did he (use to) live?

National Bank of Greece.

226

Έμενε με την αδελφή του στο Χάμπστεντ.   Really? I used to live in Hampstead.
Πότε;   In 76.
Δούλευατε στο Λονδίνο;   Yes. I worked in an office.
Σας άρεσε η δουλειά;   Not a lot. I used to leave home at seven in the morning.
Πηγαίνατε στο γραφείο με το αντεργκράουντ;   No. I used to go by bus.
Τι ώρα γυρίζατε το βράδι;   I used to get back at seven.

tiring work

Πω πω. Κουραστική δουλειά.   Yes, very tiring work . . . Excuse me, I have to leave now.

It's been a great pleasure.

Γειά σας. Χάρηκα πολύ.

5 You've been touring Greece and keep bumping into a Greek who is also on holiday. He meets you again on the beach, and falls into conversation about what he did yesterday.

Γειά σου. Τι κάνεις;   Fine. How about you?
Καλά.   Where did you go yesterday?
Στο Σούνιο.   Did you go by bus?

τα αρχαία: the ruins
το ηλιοβασίλεμα: the sunset

Όχι. Νοίκιασα αυτοκίνητο.   Did you see the ruins?
Ναι, όλα: και το ηλιοβασίλεμα – θαυμάσιο!   What time did you get back?
Στις οχτώ – είχε πολλή κίνηση.   *I'm* going to Egina tomorrow.
Αλήθεια; Τι ώρα φεύγει το καράβι;   I think it leaves every hour.
Τι ώρα θα φύγεις από 'δώ;   I'm intending to leave at seven.
Πώς θα πας στον Πειραιά;   I'll take a taxi.
Καλή ιδέα. Τι ώρα λες να γυρίσεις;   I think I'll get back at nine in the evening.
Μάλιστα. Το ραδιόφωνο λέει ότι θα βρέξει.   I don't think it will rain.
Λοιπόν. Πρέπει να φύγω. Καλό ταξίδι.   Thank you. Goodbye.

6 It's your last day in Greece, and you decide to visit the shops to buy a present for your daughter.

Good evening. Καλησπέρα σας. Τι θέλετε παρακαλώ;
I want to buy a present. Τι δώρο θέλετε;
Something for my daughter. Πόσων χρονών είναι;
Seventeen. Μήπως σας αρέσει αυτή η μπλούζα;
No, I don't like the colour. Τι χρώμα σας αρέσει;
Do you have a red one? Βεβαίως. Αυτή εδώ είναι πολύ όμορφη.
Yes, but it's very big. Do you have a smaller one? Μάλιστα. Σας αρέσει αυτή εδώ;
Yes, it's very nice. How much is it? Χίλιες πεντακόσιες.
It's very expensive. Καλά, για σάς κυρία μου – χίλιες τριακόσιες πενήντα.
Thank you. I'll take it. Πολύ καλά.
Here you are. Thank you very much. Εγώ ευχαριστώ. Αντίο σας.

(μία κόκκινη)

για σάς: for you
Notice that the stress is
different from γειά σας.

Tailpiece . . . or Endgame?

άργησα λίγο – I'm a bit late.

θες = θέλεις

μπον φιλέ: steaks
τσιγάρο: cigarette
δεν καπνίζω: I don't smoke

Mr Mavros is waiting for Nikos in Sindagma Square.

- Λάκη γειά σου. Άργησα λίγο . . .
- Δεν πειράζει Νίκο. Πού θα φάμε;
- Πάμε εδώ κοντά στην Πλάκα;
- Εντάξει, πάμε.

IN THE RESTAURANT
- Τι θες να πιεις Λάκη – μπύρα ή κρασί;
- Εγώ προτιμώ κρασί.
- Ωραία. Γκαρσόν! Φέρτε μας μισόκιλο κρασί, δικό σας, και μερικά μεζεδάκια. Και μετά δύο μπον φιλέ.
 . . . Τσιγάρο;
- Όχι, ευχαριστώ, δεν καπνίζω.
- . . . Τι κάνει η γυναίκα σου;
- Καλά είναι Νίκο.
- Και τα παιδιά – ο Γιώργος και η Ελένη;
- Καλά, Νίκο – όλα καλά.

228

- Σ' αρέσει το φαγητό;
- Ναι. Είναι πολύ νόστιμο.
- Και τι λες για το κρασί;
- Το κρασί είναι πολύ καλό.

- Λοιπόν Λάκη, είναι πολύ αργά. Πάμε σιγά-σιγά;
- Μα πρέπει να σου μιλήσω Νίκο.
- Δεν μπορούμε να μιλήσουμε αύριο; Είμαι πολύ κουρασμένος Λάκη μου.
- Καλά, αν θέλεις. Πότε θα συναντηθούμε;
- Δεν μπορώ να σου πω τώρα. Δεν ξέρω το πρόγραμμά μου.
- Τι θα κάνουμε λοιπόν;
- Πάρε με στο τηλέφωνο αύριο.

πρόγραμμα: schedule

πάρε με: call me

Understanding Greek

Thanasis has just been to London, and finds himself sitting next to his friend Maria on the flight back to Athens.

- How long did Thanasis stay in London?
- What did he do with his evenings?
- Where did he stay?
- How much did he pay?
- Where did Maria stay?
- How long did she stay?
- What did she buy in London?
- How does she avoid saying how much she's spent?
- How do they decide to get home from the airport?

είχα άδεια	I had a holiday from work
Βρεταννικό Μουσείο	British Museum
οι γκαλερί	the (art) galleries
ένα σωρό πράγματα	a 'pile' of things
μία ζακέτα	a jacket

Landmarks in Modern Greek History

1821 Greek War of Independence begins. After some four hundred years of Turkish rule Greece becomes, in 1827, a nation.

1831 First president, Capodistrias, assassinated, one year after coming to power.

1833 Greece becomes a monarchy. Thessaly, Epiros, Macedonia, Crete remain under Turkish rule. The Great Idea – η Μεγάλη Ιδέα – to unite the Greek Empire is born.

1864 Ionian Islands ceded by Great Britain.

1881 Thessaly and part of Epiros united to Greece.

1910 Venizelos, Cretan statesman, becomes Prime Minister.

1912-1913 Balkan Wars: Thessaloniki, Macedonia, Epiros, Crete and East Aegean islands are liberated from the Turks.

1922 Greek move into Asia Minor. Defeat by the Turks. Treaty of Lausanne orders an 'exchange of populations': 400,000 Turks living in Greece return to Asia Minor; some $1^1/_2$ million Greeks living in Turkey are evacuated to Greece – the population of which was then only $5^1/_2$ million. The Asia Minor Disaster, as it is known, shapes the main frontiers, politics, population and history of contemporary Greece. The 'Great Idea' is no more.

1940	Greece says no – όχι – to the Italian ultimatum to surrender. Albanian campaign follows. 28th October is still celebrated as 'όχι' day.
1941	Hitler invades Greece. Greek Resistance fighters (*andartes*) eventually form the guerrilla force EAM (National Liberation Front), with its army ELAS, under Communist leadership. British forces join in the fight against Hitler.
1944	Germans retreat from Greece, British intervene to support returned Greek Government in exile and bloody Civil War ensues, lasting until 1949, when the Communists are finally defeated.
1947	Dodecanese islands liberated from Italian rule and restored to Greece.
1960	Cyprus becomes independent from British rule.
1967	The Colonels' junta overthrows Government, imposes dictatorship.
1973-1974	Student uprisings brutally repressed.
1974	Attempt by junta to overthrow President Makarios in Cyprus fails. Turkey invades Cyprus. The junta collapses.
1974	Karamanlis returns from exile, founds New Democracy Party (ND), promotes Greece's entry into EEC. Greek Communist Party (KKE) officially recognised.
1981	Greece finally enters Common Market. First ever Socialist Government is elected, under Prime Minister Andreas Papandreou, leader of the Pan Hellenic Socialist Movement ΠΑΣΟΚ, with the slogan αλλαγή: change.

Suggested Reading

If you want to find out more about modern Greek language, history, life and culture before or during your visit to Greece, you might find some of the following books useful or interesting:

*The books marked with an asterisk may be out of print, but may be available through your library.

BURN, A.R. *The living past of Greece: a time-traveller's tour of historic and prehistoric places* Herbert Press, 1980; Penguin Books, 1982.
BUTTERWORTH, K. and SCHNEIDER, S. ed. *Rebetika: songs from the old Greek underworld* New York: Komboloi, 1975.
*CAMPBELL, J. and SHERRARD, P. *Modern Greece.* Benn London, 1968.
CLOGG, R. *A short history of modern Greece* CUP, 1979.
FERMOR, P.L. *Roumeli: travels in Northern Greece* J. Murray, 1973.
*HOLDEN, D. *Greece without Columns, The Making of the Modern Greeks* Faber and Faber, 1972.
PETRIDES, T. *Greek dances* Athens: Lycabettus Press, 1980.
PRING, J.T. *A grammar of modern Greek* Hodder, 1980.
PRING, J.T. *The Oxford dictionary of Greek* OUP, 1982.
*TSOUKALAS, C. *The Greek Tragedy* Penguin 1966.

Key to exercises

1 **Pronunciation guide to Greek words:**

1 KAFE	11 TSAI	21 GALA
2 KAFENIO	12 OOZO	22 PAGOTO
3 FARMAKIO	13 METRIO	23 PSOMI
4 TAVERNA	14 MEZETHES	24 PARAKALO
5 BAR	15 LEMONI	25 EFHARISTO
6 BIRA	16 LEMONATHA	26 ISOTHOS
7 NESKAFE	17 PORTOKALATHA	27 EKSOTHOS
8 FRAPE	18 SOOPERMARKET	28 KSENOTHOHIO
9 MOOSIO	19 ZAHAROPLASTIO	29 ATHINA
10 PASTA	20 TAHITHROMIO	30 THESSALONIKI

3 1. 3   2. 2   3. 1   4. 6   5. 4   6. 5   7. 7

4

1 ΕΝΑ ΚΑΦΕ ΠΑΡΑΚΑΛΩ   5 ΕΝΑ ΠΑΓΩΤΟ ΠΑΡΑΚΑΛΩ

2 ΕΝΑ ΟΥΖΟ ΠΑΡΑΚΑΛΩ   6 ΕΝΑ ΤΣΑΪ ΜΕ ΛΕΜΟΝΙ

3 ΜΙΑ ΜΠΥΡΑ ΠΑΡΑΚΑΛΩ   7 ΜΙΑ ΛΕΜΟΝΑΔΑ ΚΑΙ ΜΙΑ ΜΠΥΡΑ

4 ΜΙΑ ΠΟΡΤΟΚΑΛΑΔΑ ΠΑΡΑΚΑΛΩ

5 ΘΕΣΣΑΛΟΝΙΚΗ, ΤΑΒΕΡΝΑ, ΤΑΧΥΔΡΟΜΕΙΟ, ΞΕΝΟΔΟΧΕΙΟ, ΜΕΤΡΙΟ, ΖΑΧΑΡΟΠΛΑΣΤΕΙΟ, ΦΑΡΜΑΚΕΙΟ, ΕΙΣΟΔΟΣ

6 These are the thirteen games on the coupon:

Aston Villa	v	Nottingham (Forest)
Watford	v	(West) Bromwich (Albion)
West Ham	v	Birmingham
Coventry	v	Arsenal
Liverpool	v	Luton
Manchester United	v	Ipswich
Brighton	v	Sunderland
Norwich	v	Southampton
Notts. County	v	Everton
Stoke City	v	Swansea
Tottenham	v	Manchester City
Newcastle	v	Chelsea
Sheffield Wed.	v	Leeds

7 Gene Hackman, Mia Farrow, Jack Nicholson, Michael Caine, Richard Burton, Liz Taylor, Warren Beatty, Faye Dunaway, Marlon Brando, Vincent Price.

Understanding Greek
See page 249 for dialogue

They go to a ΖΑΧΑΡΟΠΛΑΣΤΕΙΟ. They order: ΕΝΑ ΦΡΑΠΕ, ΕΝΑ ΣΚΕΤΟ, ΕΝΑ ΜΕΤΡΙΟ.

Dialogues

1
- TI THA PA RETE?
- ENA KAFE PARAKALO.
- TI KAFE THELETE?
- ENA METRIO.

2
- TI THA PARETE PARAKALO?
- MIA BIRA.
- ENA OOZO PARAKALO.
  . . . EFHARISTO . . .
- STIN IYASOO.
- STIN IYASOO.

- ETSI INE I ZOI.

Chapter Two

3 **Pronunciation guide to Greek words:**

1 OTE	9 KRITI	17 EPITREPETE
2 vólta	10 hiliómetro	18 APAGOREVETE
3 horós	11 moosikí	19 NAFPLIO
4 záhari	12 TWALETTA	20 psári
5 gazóza	13 DISKOTEK	21 tirópitta
6 ESTIATORIO	14 adío	22 GALAKTOPOLIO
7 retsína	15 SANDWITS	23 FOTOGRAFIES
8 krasí	16 TRAPEZA	24 endáksi

5 Beethoven, Verdi, Ravel, Bach, Mahler, Wagner, Mozart, Stravinski, Dvorak, Chopin.

7
- μία ντολμάδες ένα σουβλάκι
- μία χωριάτικη ένα μουσακά
- ένα τζατζίκι μία μπαρμπούνια
- μία γίγαντες ένα κοτόπουλο

8
- μία γίγαντες και ένα κοτόπουλο
- ένα τζατζίκι και ένα μουσακά
- μία ντολμάδες και μία μπαρμπούνια
- μία χωριάτικη και ένα σουβλάκι

9
1 μία μπύρα παρακαλώ
2 ένα μπουκάλι ρετσίνα
3 ένα μπουκάλι κρασί
4 μία λεμονάδα παρακαλώ

10 ΚΑΛΗΣΠΕΡΑ, ΓΚΑΡΣΟΝ, ΤΟΝ ΚΑΤΑΛΟΓΟ, ΚΡΑΣΙ, ΣΑΛΑΤΑ, ΚΟΤΟΠΟΥΛΟ, ΜΟΣΧΑΡΙ, ΟΡΙΣΤΕ, ΧΩΡΙΑΤΙΚΗ, ΤΟ ΛΟΓΑΡΙΑΣΜΟ
The shaded vertical column should read ΕΣΤΙΑΤΟΡΙΟ.

They drink μισόκιλο κρασί.
From the ορεκτικά, they choose:
ένα τζατζίκι ● μία ταραμοσαλάτα ● μία χωριάτικη

For the main dishes, they choose:
ένα μοσχάρι ψητό ● μία μπριζόλα ● ένα κοτόπουλο
● ένα σουβλάκι

Dialogues:

1 *Have you got . . .?*
● Ton katálogo parakaló.
● Oríste.
● Efharistó. Mípos éhete mousaká?
● ´Ohi.
● Mípos éhete keftéthes?
● ´Ohi.
● Mípos éhete soovlákia?
● ´Ohi.
● Ti éhete?
● Móno kotópoolo.

2 *What have you got, and what's that?*
● Ti tha fáte?
● Ti éhete?
● Eláte na thíte.

....
● Ti íne aftó?
● Domátes yemistés.
● Ke aftó?
● Psári.
● Endáksi – mía domátes yemistés parakaló.
● Málista.

3 *And to drink?*
● Ti tha pyíte?
● ´Ena bookáli retsína parakaló.
● Málista.
● Mas férnete ke neró parakaló?
● Amésos.
● Efharistoóme.

Chapter Three

1 **Pronunciation guide to Greek words:**

1 ANIHT○	11 OTH○ S	21 KS○ NOS
2 KLIST○	12 ISIT○ RIO	22 EVR○ PI
3 VIVL○ A	13 TIL○ FONO	23 PELOP○ NNISOS
4 VIVLIOPOL○ O	14 F○O RNOS	24 ○ VRIO
5 PLAT○ A	15 STATHM○ S	25 AFTOK○ NITO
6 OM○ NIA	16 HALKITHIK○	26 KATHARIST○ RIO
7 ○ NDAGMA	17 FESTIV○ L	27 K○ NDRO
8 ANGL○ A	18 PER○ PTERO	28 MET○ ORA
9 ELL○ THA	19 EKKLIS○ A	29 M○ TSOVO
10 OOZER○	20 ○ LIMBOS	30 ○ LIO

4 1. 3 2. 7 3. 1 4. 5 5. 6 6. 2

1 ο φούρνος 2 ο σταθμός 3 η πλατεία 4 η εκκλησία 5 η τράπεζα
6 το ταχυδρομείο

5 1. 9 2. 11 3. 12 4. 8 5. 10 6. 6

7 φαρμακείο 8 ξενοδοχείο 9 ταβέρνα 10 περίπτερο
11 ζαχαροπλαστείο 12 τουαλέττα

6 → ← ← ↑ →

7 ● first ● third ● second ● second.

8 1 Churchill, 2 Hill, 3 John Kennedy, 4 Fr. Roosevelt, 5 Canning, 6 Byron,
7 Truman.

Understanding Greek
See page 249 for dialogue

- Turn right at the corner and take the second street on the left.
- They lead to the *cinema* called Alex, not the theatre.
- At a kiosk.
- Go straight on and, at the square, turn left.
- Yes.

Dialogues:

1 *Where's the bank?*
- Parakaló. Poo íne i trápeza?
- ´Isia, theksyá.
- ´Ine makriá?
- ´Ohi, polí kondá.
- Efharistó.

2 *Where's the chemist's?*
- Parakaló. Poo íne to farmakío?
- Káto, stin platía. Theksyá káto.
- Pyo argá parakaló. Then katálava.
- Theksyá káto.
- Efharistó polí.

3 *Where's the post office?*
- Signómi. Poo íne to tahithromío?
- Tha párete to tríto stenó aristerá.
- Efharistó polí.
- Parakaló.

Chapter four

1 **Pronunciation guide to Greek words:**

1 platía	11 Anglía	21 kotópoolo
2 APAGOREVETE	12 yásas	22 logariasmó
3 ekklisía	13 TWALETTA	23 ESTIATORIO
4 ZAHAROPLASTIO	14 vólta	24 endáksi
5 TAHITHROMIO	15 tirópitta	25 ´Olimbos
6 EKSOTHOS	16 kalispéra	26 anihtó
7 THESSALONIKI	17 garsón	27 isitírio
8 mezéthes	18 FARMAKIO	28 efharistó
9 pagotó	19 ávrio	29 bíra
10 aftokínito	20 domátes	30 PSAROTAVERNA

2 1
● Γειά σας κύριε Σκληράκη. Τι κάνετε;
● Καλά ευχαριστώ. Εσείς;
● Πολύ καλά, ευχαριστώ.

2
● Γειά σου Κώστα.
● Γειά σου Αλίκη. Τι κάνεις;
● Μιά χαρά. Εσύ τι κάνεις;
● Καλά.

3
● Καλησπέρα.
● Καλησπέρα σας. Τι κάνετε;
● Πολύ καλά, ευχαριστώ. Εσείς;
● Ας τα λέμε καλά.

3 1
Πού μένετε;
Πώς σας λένε;
Τι δουλειά κάνετε;

2
Πού μένετε;
Πώς σε λένε;
Τι δουλειά κάνετε;
Από πού είσαστε;

3
Πώς σας λένε;
Από πού είσαστε;
Πού μένετε;
Τι δουλειά κάνετε;

4 ΑΝΔΡΟΣ, ΜΥΚΟΝΟΣ, ΣΙΦΝΟΣ, ΣΑΜΟΣ,
ΡΟΔΟΣ, ΚΡΗΤΗ.

5 America   (President Reagan)
   Greece   (President Karamanlis)
   France   (President Mitterand)
   Russia   (President Brezhnev)
   England   (Mrs Thatcher)
   Israel   (Menahem Begin)
   Italy   (Mr Spadolini)
              (Yasser Arafat)
   China   (Deng Siao Ping)
   Greece   (Andreas Papandreou)

Understanding Greek
See page 250 for dialogue

● Athens
● Milos
● Athens
● Athens

● Metsovo
● University teacher
● Yorgos Anousakis.

Chapter five

3 ● Καλημέρα (σας) ● Πόσο κάνουνε τα μήλα; ● Δύο κιλά παρακαλώ.
● Θα ήθελα ένα τέταρτο φέτα. ● Μήπως έχετε λεμόνια; ● Δώστε μου μισόκιλο παρακαλώ. ● Πόσο κάνουνε;

4 Όχι, δώστε μου δύο πορτοκαλάδες.
Όχι, δώστε μου δύο μήλα.
Όχι, δώστε μου δύο πεπόνια.
Όχι, δώστε μου δύο δίσκους.
Όχι, δώστε μου δύο κουτιά σπίρτα.

5 Δυστυχώς έχω μόνο ένα μήλο.
Δυστυχώς έχω μόνο ένα μπουκάλι κρασί.
Δυστυχώς έχω μόνο μία μπύρα.
Δυστυχώς έχω μόνο ένα δίσκο.
Δυστυχώς έχω μόνο μία κάρτα.

6 ● Eugene Ionesco ● John Steinbeck ● Anton Chekhov
● Somerset Maugham ● Henry Miller ● Dante Aligheri
● William Faulkner ● Maxim Gorky ● Simone de Beauvoir
● Gabriel Garcia Marquez

7 The table is as follows:

	Gold	Silver	Bronze
East Germany	13	8	7
West Germany	8	1	4
Soviet Union	6	12	8
Great Britain	3	5	1
Czechoslovakia	1	4	4
Spain	1	2	2
Italy	1	2	2
Bulgaria	1	2	1
Poland	1	2	1
Roumania	1	2	0
Finland	1	0	3
Greece	1	0	1
Sweden	1	0	1
Holland	1	0	0
Portugal	1	0	0
Belgium	0	1	1
France	0	0	3
Norway	0	0	1
Hungary	0	0	1

These did not win any medals: Yugoslavia, Turkey, N. Ireland, Switzerland, Denmark, Gibraltar, Iceland, Austria, Malta.

Understanding Greek
See page 250 for dialogue

● 60 (drachmas) per kilo, ● Two kilos, ● Two, ● Yes,
● Three, ● A thousand-drachma note.

237

Chapter six

1   Τι ώρα φεύγει το λεωφορείο για το Ναύπλιο;
Τι ώρα φεύγει το λεωφορείο για τη Βέροια;
Τι ώρα φεύγει το καράβι για τη Σίφνο;
Τι ώρα φεύγει το καράβι για τη Μήλο;
Τι ώρα φεύγει το αεροπλάνο για τη Θεσσαλονίκη;
Τι ώρα φεύγει το αεροπλάνο για το Λονδίνο;

2   Από πού φεύγει το λεωφορείο για το Ναύπλιο;
Από πού φεύγει το λεωφορείο για τη Βέροια;
Από πού φεύγει το καράβι για τη Σίφνο;
Από πού φεύγει το καράβι για τη Μήλο;
Από πού φεύγει το αεροπλάνο για τη Θεσσαλονίκη;
Από πού φεύγει το αεροπλάνο για το Λονδίνο;

3   1 1:30   2 3   3 2:15   4 3:15   5 2:45   6 1:10

4   ● Καλημέρα (σας). ● Κάθε πότε έχει καράβι για τη Χίο;
● Τι ώρα φεύγει; ● Και τι ώρα φτάνει; ● Πόσο κάνει το εισιτήριο;
● Τουριστική. ● Δώστε μου τρία εισιτήρια παρακαλώ.
● Ευχαριστώ. Γειά σας (Αντίο (σας)).

5   ● 8,940
● 16,500
● Dusseldorf
● London, Amsterdam, Brussels.

Understanding Greek
See page 251 for dialogue

● Tomorrow ● Eight hours ● Half an hour ● Maria is afraid of flying ● Quarter past eight in the morning ● In a ticket office in Omonia

Chapter seven

1   ● Μήπως έχετε δωμάτια; ● Ένα μονόκλινο. ● Με μπάνιο.
● Για τρεις μέρες.

2   (Top left)   Ένα δίκλινο με μπάνιο για δύο μέρες.
(Top right)   Ένα μονόκλινο χωρίς μπάνιο για πέντε μέρες.
(Bottom left)   Ένα τρίκλινο με μπάνιο για έξι μέρες.
(Bottom right)   Ένα δίκλινο χωρίς μπάνιο για μία μέρα.

3   ● Μήπως έχετε δωμάτια; ● Δύο μονόκλινα παρακαλώ. ● Με μπάνιο. ● Για μία εβδομάδα. ● Πόσο κάνουνε; ● Μπορούμε να τα δούμε;

4   ● Για τρεις μέρες.
● Για πέντε μέρες.
● Για μία εβδομάδα.
● Για δύο εβδομάδες.
● Από σήμερα μέχρι την Τρίτη.
● Από αύριο μέχρι την Κυριακή.
● Από τη Δευτέρα μέχρι την Παρασκευή.

5   The five replies are:
    1 Απέναντι από το φαρμακείο.
    2 Πίσω από την εκκλησία.
    3 Δίπλα στο καφενείο. (Number 3 is correct)
    4 Μπροστά στο ξενοδοχείο.
    5 Κοντά στο εστιατόριο.

6   Answers to clues:
    ΕΝΑ ΜΟΝΟΚΛΙΝΟ, ΧΩΡΙΣ ΜΠΑΝΙΟ, ΔΥΟ ΔΙΚΛΙΝΑ, ΑΠΟ ΣΗΜΕΡΑ, ΜΗΠΩΣ ΕΧΕΤΕ ΔΩΜΑΤΙΑ,
    ΕΙΜΑΣΤΕ ΓΕΜΑΤΟΙ, ΤΟ ΔΙΑΒΑΤΗΡΙΟ ΣΑΣ, ΓΙΑ ΤΡΕΙΣ ΜΕΡΕΣ, ΜΙΑ ΕΒΔΟΜΑΔΑ, ΜΕ ΝΤΟΥΣ,
    ΜΕΧΡΙ ΤΗΝ ΤΡΙΤΗ. Shaded column: ΚΑΛΗ ΔΙΑΜΟΝΗ

Understanding Greek
See page 251 for dialogue

● Two doubles and a single.   ● Two days.   ● He doesn't have a single.
● A double and a triple.   ● Three doubles.   ● The Παράδεισος.
● Opposite the Port Authority.

Chapter eight

1   1
    Πώς σε λένε;
    Πόσων χρονών είσαι;
    Ποιος είναι αυτός;
    Πόσων χρονών είναι:
    Τι δουλειά κάνει;
    Ποια είναι αυτή;
    Και ποιος είναι αυτός;

    2
    Πώς σε λένε;
    Πόσων χρονών είσαι;
    Και ποια είναι αυτή;
    Πόσων χρονών είναι;
    Πώς τη λένε;
    Ποιος είναι αυτός;
    Πώς τον λένε;
    Πόσων χρονών είναι;
    Τι δουλειά κάνει;

2   ● Yorgos Maridakis.   ● Maria.   ● He's a sailor   ● Three – two brothers
    and a sister.   ● In Athens.   ● No, she goes to High School.   ● To the
    park.

3   ● Είναι χοντρός ο πατέρας σου;
    ● Είναι κοντός ο πατέρας σου;
    ● Είναι χοντρή η μητέρα σου;
    ● Είναι ψηλή η μητέρα σου;

4   ● Όχι, αλλά η αδελφή μου είναι ψηλή.
    ● Όχι, αλλά η αδελφή μου είναι όμορφη.
    ● Όχι, αλλά η αδελφή μου είναι μελαχροινή.
    ● Όχι, αλλά η αδελφή μου είναι παντρεμένη.
    ● Όχι, αλλά η αδελφή μου είναι έξυπνη.

6   *Across:*   *Down:*
    3 Η ΓΥΝΑΙΚΑ   1 ΛΕΠΤΗ
    5 Η ΚΟΡΗ   2 ΧΟΝΤΡΟΣ
    7 Ο ΠΑΤΕΡΑΣ   4 ΚΟΝΤΟΣ
    9 Ο ΑΔΕΛΦΟΣ   6 Η ΜΗΤΕΡΑ
    10 Η ΑΔΕΛΦΗ   7 ΟΜΟΡΦΟΣ
    11 Ο ΓΙΟΣ   8 ΜΕΓΑΛΟΣ
    13 ΨΗΛΗ   12 Ο ΑΝΤΡΑΣ   The 'hidden' word is
    14 ΜΙΚΡΗ   ΠΑΝΤΡΕΜΕΝΗ.

● Tall ● His brother ● Twenty-seven ● Θεανώ ● She's wearing a green hat ● From Δράμα ● Two ● He's gone to Δράμα ● Χρήστος

Chapter nine

3 ● In a factory ● In a house with other Greeks ● He doesn't like it ● It has a lot of cinemas ● He watches TV ● Because he doesn't like life in Germany.

4 ● Ναι, της αρέσει.
● Ναι, της αρέσει.
● Όχι, δεν της αρέσουνε.
● Ναι, της αρέσουνε.
● Ναι, της αρέσει πολύ.

5 Aeschylus, Euripides, Aristophanes, Sophocles, Clytemnaestra, Electra, Oedipus, Agamemnon, Orestes, Iphigeneia.

6 ● Όχι, δεν μ' αρέσουνε καθόλου οι μαύρες φούστες.
● Όχι, δεν μ' αρέσουνε καθόλου τα μικρά καπέλλα.
● Όχι, δεν μ' αρέσουνε καθόλου τα κίτρινα πουκάμισα.
● Όχι, δεν μ' αρέσουνε καθόλου οι Ελληνικοί δίσκοι.

7 1 Είναι δικό μου.
2 Είναι δική μου.
3 Είναι δικός μου.
4 Είναι δικές μου.
5 Είναι δικά μου.

8 1 Όχι, η δική μου είναι εδώ
2 Όχι, ο δικός μου είναι εδώ
3 Όχι, οι δικές μου είναι εδώ
4 Όχι, τα δικά μου είναι εδώ
5 Όχι, οι δικοί μου είναι εδώ.

● Yes ● Old Rebetika (songs) ● Classical music ● Yes ● She thinks they're awful ● No, not at all.

Chapter ten

1 1 ζ 2 ε 3 δ 4 γ 5 α 6 β

2 ● Δύο μπύρες και μία πορτοκαλάδα.
● Δύο καφέδες και ένα φραπέ.
● Τρία τσάϊα με λεμόνι.
● Τρεις λεμονάδες.
● Δύο ούζα και μία μπύρα.
● Τρία ούζα.

3 ● Καλησπέρα (σας). ● Μισόκιλο ρετσίνα παρακαλώ. ● Τι ορεκτικά
έχετε; ● Φέρτε μας κολοκυθάκια, τζατζίκι, ντολμάδες και μία
χωριάτικη. ● Μία κεφτέδες, ένα μουσακά, και δύο σουβλάκια. ● Το
λογαριασμό παρακαλώ. ● Ορίστε. Ευχαριστώ. ● Καληνύχτα (σας).

4 ● Tuesday ● Tomato and cucumber ● Tuesday and Friday
● Friday.

The complete 'menu' is as follows:

Tuesday
Fish with mushrooms
Potatoes and courgettes
Salad
Russian salad done in a mould
Fruit

Wednesday
Moussaka without meat
Tomato/cucumber salad
Cheese
Fruit

Thursday
Potato-keftethes
Roast sausages
Greek salad
Cheese
Fruit

Friday
Bean salad
Tzatziki
Anchovies
Cucumber with vinegar
Olives
Fruit

Saturday
Courgettes and baked potatoes
('potatoes in the oven')
Greek salad
Cheese
Fruit

Sunday
Coq au vin
Mashed potatoes
Greek salad
Cheese
Fruit
Chocolate cake

Monday
Lasagne au gratin
Tomato/cucumber salad
Cheese
Fruit

5 ● Red ● Yes ● The pattern ● The colour is too dark. ● It's too big.
● She doesn't like the colour. ● She goes to the shop opposite.

Understanding Greek
See page 252 for dialogue

● Δημήτρη. ● Από τη Χαλκίδα. ● Μένει στην Αθήνα. ● Όχι, με
τον αδελφό του. ● Είκοσι πέντε. ● Είναι φοιτητής στο Πολυτεχνείο.
● Μαθηματικά. ● Τα λαϊκά.

6 'Reds' starring Warren Beatty, Diane Keaton, Jack Nicholson.
'Last Tango in Paris' starring Marlon Brando, Maria Schneider.

Chapter eleven

1 ● He's going to go to the theatre.
● They're going to go to a disco.
● She's going to go to her mother's.
● He'll be going to the kafeneio.

241

3
- Μάλιστα, θα φύγουμε στις δέκα.
- Μάλιστα, θα φτάσουμε στις εντεκάμιση.
- Μάλιστα, θα κάνουμε μπάνιο.
- Μάλιστα, θα μείνουμε μέχρι το βράδι.
- Μάλιστα, θα γυρίσουμε στις οχτώμιση.

4
- Πού θα πάμε αύριο; ● Τι ώρα θα φύγουμε; ● Θα γυρίσουμε αύριο;
- Πού θα μείνουμε; ● Τι ώρα θα φύγουμε μεθαύριο; ● Τι ώρα θα φτάσουμε εδώ;

5
- Τη Δευτέρα θα πάει στο Μουσείο.
- Την Τρίτη θα πάει εκδρομή στη Χαλκιδική.
- Την Τετάρτη θα γυρίσει στη Θεσσαλονίκη.
- Την Πέμπτη θα φύγει για τα Μετέωρα.
- Την Παρασκευή θα φτάσει στα Γιάννενα.
- Το Σάββατο θα γυρίσει στην Αθήνα.

6
- Στις τριάντα Σεπτεμβρίου.
- Στις δέκα Οκτωβρίου.
- Στις είκοσι μία Οκτωβρίου.
- Την πρώτη Νοεμβρίου.
- Στις δεκαπέντε Νοεμβρίου.

7
- Wednesday. ● Thursday. ● 4:20. ● An evening with Burt Reynolds. ● 2:30.

Understanding Greek
See page 252 for dialogue

- Architecture. ● Open an office with his brother. ● In Volos.
- Because they like the 'mansions' (αρχοντικά) on Pilion.
- Archaeology. ● She's not decided.

Chapter twelve

1
- Εγώ θέλω να φάω ένα σάντουιτς.
- Εγώ θέλω να φύγω σήμερα το βράδι.
- Εγώ θέλω να γυρίσω το Σάββατο.
- Εγώ θέλω να μείνω στο Ναύπλιο.
- Εγώ θέλω να πιω ένα ούζο.

2
- Δεν θέλω να πάω στη γιαγιά.
- Δεν θέλω να πάρω το λεωφορείο.
- Δεν θέλω να πάω στο πάρκο.
- Δεν θέλω να κάνω μπάνιο.
- Δεν θέλω να διαβάσω Μίκυ Μάους.

3
- Ο φίλος μου θέλει να κάνει μπάνιο.
- Ο φίλος μου θέλει να πάει στην Αθήνα.
- Ο φίλος μου θέλει να πάει στο Μουσείο.
- Ο φίλος μου θέλει να φάει ψάρι.
- Ο φίλος μου θέλει να πιει ένα καφέ.

4
- Όχι, λέει να γυρίσει αύριο.
- Όχι, λέει να πάει στο Ναύπλιο αύριο.
- Όχι, λέει να δουλέψει αύριο.
- Όχι, λέει να φτάσει αύριο.

5 ● ΑΥΡΙΑΝΗ, ● ΑΠΟΓΕΥΜΑΤΙΝΗ, ● ΒΡΑΔΥΝΗ, ● ΕΛΕΥΘΕΡΗ ΩΡΑ,
● ΕΛΕΥΘΕΡΟΤΥΠΙΑ, ● ΑΚΡΟΠΟΛΙΣ, ● ΕΛ. ΚΟΣΜΟΣ.

Understanding Greek
See page 253 for dialogue

- Her brother has a villa there.
- Evia is close to Athens and there will be a lot of people there.
- Thessaloniki.
- He wants to see the new exhibition at the museum.
- Afterwards they can go on to Halkithiki and swim.
- Thessaloniki.
- Monday morning.

Chapter fourteen

1
- Όχι, δεν δούλεψα.
- Όχι, δεν μίλησα στο Νίκο.
- Όχι, δεν γύρισα στο Βόλο.
- Όχι, δεν έφτασα στην Αθήνα.
- Όχι, δεν έφυγα από τη Σίφνο.

2
- Όχι, θα δουλέψω αύριο.
- Όχι, θα μιλήσω στο Νίκο αύριο.
- Όχι, θα γυρίσω στο Βόλο αύριο.
- Όχι, θα φτάσω στην Αθήνα αύριο.
- Όχι, θα φύγω από τη Σίφνο αύριο.

3
- Έφυγε πριν μισή ώρα.
- Έφτασε πριν μισή ώρα.
- Φύγανε πριν μισή ώρα.
- Φτάσανε πριν μισή ώρα.
- Γυρίσανε πριν μισή ώρα.

4 ● Samos ● He had three days off, and was tired ● By air ● No ● He rented a car ● The museum ● Yes ● Yesterday evening ● A visit to the Irodio.

6 33°   12°   18-25°   Montreal   New Delhi   17-29°.

Understanding Greek
See page 253 for dialogue

● About 40,000 drachmas ● She went to the shops in Athens ● She had it when she went to the bank ● She went back home ● By taxi ● She had it when she paid the taxi ● To her mother's ● By car ● In the car.

Chapter fifteen

1
- Μπα, δεν νομίζω ότι θα κάνει ζέστη αύριο.
- Μπα, δεν νομίζω ότι το ξενοδοχείο θα είναι γεμάτο.
- Μπα, δεν νομίζω ότι το ταξίδι ήτανε κουραστικό.
- Μπα, δεν νομίζω ότι το αεροπλάνο φεύγει στις δέκα.
- Μπα, δεν νομίζω ότι το ταχυδρομείο κλείνει στις εφτά.

2
- Νομίζετε ότι το αεροπλάνο θα φτάσει στις οχτώ;
- Νομίζετε ότι το κρασί θα είναι καλό;
- Νομίζετε ότι το ξενοδοχείο θα είναι γεμάτο;
- Νομίζετε ότι το φαγητό θα είναι ακριβό;
- Νομίζετε ότι η ταβέρνα θα είναι κοντά στο ξενοδοχείο;

3
- Ναι, αλλά ο αδελφός της είναι πιο ψηλός.
- Ναι, αλλά ο αδελφός της είναι πιο καλός.
- Ναι, αλλά ο αδελφός της είναι πιο έξυπνος.
- Ναι, αλλά ο αδελφός της είναι πιο όμορφος.
- Ναι, αλλά ο αδελφός της είναι πιο μεγάλος.

4
- Ναι, αλλά ο Δημήτρης είναι πιο ψηλός από τη Νούλα.
- Ναι, αλλά ο Δημήτρης είναι πιο καλός από τη Νούλα.
- Ναι, αλλά ο Δημήτρης είναι πιο έξυπνος από τη Νούλα.
- Ναι, αλλά ο Δημήτρης είναι πιο όμορφος από τη Νούλα.
- Ναι, αλλά ο Δημήτρης είναι πιο μεγάλος από τη Νούλα.

5
- Boris Godunov ● Tchaikovsky ● 1,200 drachmas ● 250 drachmas ● A. Lazarev and F. Mansourov ● Prokofiev, (Rimsky) Korsakov, Moussorgsky, Bizet.

6
- Θα πάρω την εφημερίδα.
- Θα πάρω το δίσκο.
- Θα πάρω τις τσάντες.
- Θα πάρω τα βιβλία.
- Θα πάρω τους δίσκους.

7
- Όχι, δεν θέλω το βιβλίο.
- Όχι, δεν θέλω το δίσκο.
- Όχι, δεν θέλω τα βιβλία.
- Όχι, δεν θέλω τις τσάντες.
- Όχι, δεν θέλω τους δίσκους.

8
- Όχι, θα πάρω το μικρό δίσκο.
- Όχι, θα πάρω το μικρό καπέλλο.
- Όχι, θα πάρω τους μικρούς δίσκους
- Όχι, θα πάρω τα μικρά καπέλλα.
- Όχι, θα πάρω τις μικρές τσάντες.

9
- Ναι, θα το πάρω.
- Ναι, θα τον πάρω.
- Ναι, θα τα πάρω.
- Ναι, θα τις πάρω.
- Ναι, θα τους πάρω.

● Apples, oranges, potatoes and courgettes   ● They're expensive
● The courgettes   ● Oil and feta cheese   ● The cheese   ● The oil
● The potatoes and the oil.

Chapter sixteen

1 ● Ναι, μ' αρέσει να βλέπω τηλεόραση.
   ● Ναι, μ' αρέσει να ακούω ραδιόφωνο.
   ● Ναι, μ' αρέσει να δουλεύω σε τράπεζα.
   ● Ναι, μ' αρέσει να χορεύω.
   ● Ναι, μ' αρέσει να κάνω μπάνιο.

2 ● Σ' αρέσει να χορεύεις;
   ● Σ' αρέσει να βλέπεις τηλεόραση;
   ● Σ' αρέσει να μαγειρεύεις;
   ● Σ' αρέσει να διαβάζεις;
   ● Σ' αρέσει να δουλεύεις σε τράπεζα;

3 ● Πρέπει να πας στη γιαγιά.
   ● Πρέπει να πάρεις το λεωφορείο.
   ● Πρέπει να πας στο πάρκο.
   ● Πρέπει να κάνεις μπάνιο.
   ● Πρέπει να φας παστίτσιο.

4 ● Ναι, αλλά δεν πρέπει να χορεύω.
   ● Ναι, αλλά δεν πρέπει να βλέπω τηλεόραση.
   ● Ναι, αλλά δεν πρέπει να κάνω μπάνιο.
   ● Ναι, αλλά δεν πρέπει να τρώω κοτόπουλο.
   ● Ναι, αλλά δεν πρέπει να πίνω κρασί.

5 ●(La) Dolce Vita, starring M. Mastroianni   ● Robert de Niro, Robert
   Mitchum, Jack Nicholson, Ingrid Boulting   ● The Κολοσσαίον
   ● Who's afraid of Virginia Woolf?   ● The Λιλά.

● Tomorrow   ● Three to four days   ● The shops, the theatre, the cinema
● She doesn't like the journey   ● Twelve hours   ● By plane   ● To book
a ticket at once, because she won't find one tomorrow.

Chapter seventeen

1 ●Εγώ έμενα στην Αθήνα   ●Εγώ δούλευα σε τράπεζα   ●Εγώ έφευγα
   στις εξίμιση   ●Εγώ γύριζα το μεσημέρι   ● Εγώ έτρωγα στις ταβέρνες
   ● Εγώ δεν μαγείρευα   ● Εγώ έπινα μπύρα   ● Εγώ δεν έβλεπα
   τηλεόραση   ● Εγώ πήγαινα στο σινεμά.

2 ●Πού έμενες;   ● Πού δούλευες;   ● Τι ώρα έφευγες το πρωί;   ●Τι
   ώρα γύριζες;   ● Πόσες ώρες δούλευες;   ●Πού έτρωγες;
   ●Μαγείρευες;   ● Τι έπινες με το φαγητό;   ●Πήγαινες στο θέατρο;
   ● Έβλεπες τηλεόραση;

3
- He was a potter. Then he had a kafeneio. Then he carried passengers on boats. Then he fished.
- Because he worked twenty-four hours (a day) and still went hungry.
- He doesn't regard it as work – four hours for a pile of money.
- They sang and played the violin.
- Because they didn't work on Sundays.

4
- Ναι, αλλά τώρα δεν χορεύω.
- Ναι, αλλά τώρα δεν πίνω κρασί.
- Ναι, αλλά τώρα δεν τρώω στις ταβέρνες.
- Ναι, αλλά τώρα δεν κάνω μπάνιο.
- Ναι, αλλά τώρα δεν δουλεύω πολύ.

5

Understanding Greek
See page 255 for dialogue

- On Rhodes ● You can't find a hotel and the prices are very high
- To Pilion ● Her husband wanted to go to an island ● To Hios
- At Rafina ● In a hotel ● To Rhodes

Chapter eighteen

1
- One o'clock ● Two o'clock ● To a fish restaurant by the sea
- She went back to the office ● He saw his friend Lakis ● At a kafeneio near the Port Authority ● By taxi.

2
- In Doliana ● His father didn't have any money ● Half an hour on foot ● On foot ● For six years ● His boots were too low ● He took the boots off and emptied out the snow.

3
- Έφυγα στη μία.
- Έφτασα στον Πειραιά στις δύο.
- Έφαγα σε μία ψαροταβέρνα.
- Ναι, ήπια καφέ με το Λάκη.
- Γύρισα σπίτι στις έξι.

4
- Όχι, πήγαινα με τα πόδια.
- Ναι, έφευγα κάθε πρωί.
- Έφτανα στις οχτώ.
- Γύριζα το μεσημέρι.
- Έτρωγα στο σπίτι.
- Όχι, έπινα πορτοκαλάδα.

7   These are the languages on offer:

English	Swedish	German	Portuguese	Arabic (Classical)
French	Danish	Hebrew	Finnish	Spanish (Castillian)
Italian	Irish	Dutch	Malay	Spanish
Japanese	Icelandic	Norwegian	Swahili	(S. American)
Russian	Czech	Afrikaans	Arabic	Modern Greek
Hindi	American	Persian	(Egyptian)	(for foreigners)
			Arabic	Chinese (Mandarin)
			(Algerian)	Chinese (Cantonese)
				Serbo-Croat

Chapter nineteen

1
- Δεν μπορώ να φάω τώρα.
- Δεν μπορώ να κάνω μπάνιο τώρα.
- Δεν μπορώ να πιω ένα καφέ τώρα.
- Δεν μπορώ να πάρω ένα γλυκό τώρα.
- Δεν μπορώ να γυρίσω στην Αθήνα τώρα.

2
- Μπορούμε να δούμε την Ακρόπολη;
- Μπορούμε να φάμε σε ταβέρνα;
- Μπορούμε να πάμε στους Δελφούς;
- Μπορούμε να πάμε σε νησί;
- Μπορούμε να κάνουμε μπάνιο;
- Μπορούμε να χορέψουμε;

3
- Δυστυχώς δεν ξέρω να κάνω σκι.
- Δυστυχώς δεν ξέρω να χορεύω.
- Δυστυχώς δεν μπορώ να τραγουδάω.
- Δυστυχώς δεν μπορώ να μαγειρεύω.
- Δυστυχώς δεν μπορώ να τρώω κρέας.

4
- The 800 metres and the 1500 metres ● 2.01 metres ● 8.20 metres, held by Vali Ionescu (Roumania) ● Hungarian ● Harald Schmidt.

Understanding Greek
See page 255 for dialogue

- It's forbidden, and a policeman is removing number plates ● To the car park in Klafthmonos Square ● It's full ● It's a garage exit ● To go to the Cathedral, where there are parking meters ● It's too far ● She says they'll take a taxi from there ● Yes ● They don't have any twenty or ten-drachma pieces.

Chapter twenty

1
Authors: pages 170, 250, 300, 200, 270, 220, 130, 240, 380.
Books: pages 200, 40, 350, 250, 180, 160, 220, 300, 430.

2
● Καλημέρα (σας) ● Θέλω να πάω στη Θεσσαλονίκη ● Πόσο κάνει; ● Εντάξει. Αλλά πρέπει να πάω αύριο ● Δεν μπορώ να πάω μεθαύριο ● Τι ώρα φεύγει; ● Ωραία. Μπορώ να γυρίσω με το αεροπλάνο ● Την Τρίτη ● Μπορώ να κλείσω ένα δωμάτιο; ● Ευχαριστώ πολύ ● Μπορώ να πάω με τα πόδια από το σταθμό; ● Ωραία. Τι οφείλω; ● Ορίστε. Ευχαριστώ. Αντίο (σας).

3
● Καλημέρα (σας). Θέλω να κλείσω ένα δωμάτιο ● Ένα μονόκλινο με μπάνιο παρακαλώ ● Λέω να φτάσω στο Ναύπλιο τη Δευτέρα ● Πρέπει να φύγω την Τετάρτη ● Ακριβώς. (Μήπως) Έχετε εστιατόριο; ● Είναι μακριά από το ξενοδοχείο; ● Έχει ψάρι; ● Υπάρχει πλαζ κοντά; ● Καλά, γιατί μ' αρέσει να κολυμπάω ● Ωραία. Πόσο κάνει το δωμάτιο; ● Εντάξει ● Holliday ● Ευχαριστώ. Γειά σας.

4
● Καλημέρα (σας) ● Από το Λονδίνο ● Πότε; ● Πού δούλευε; ● Πού έμενε; ● Αλήθεια; (Και) Εγώ έμενα στο Χάμπστεντ ● Το εβδομήντα έξι ● Ναι, δούλευα σε γραφείο ● Όχι πολύ. Έφευγα από το σπίτι στις εφτά το πρωί ● Όχι, πήγαινα με το λεωφορείο ● Γύριζα

στις εφτά ● Ναι, πολύ κουραστική δουλειά. Με συγχωρείτε, πρέπει να φύγω τώρα.

5 ● Μιά χαρά. Εσύ; ● Πού πήγες χτες; ● Πήγες με το λεωφορείο; ● Είδες τα αρχαία, ● Τι ώρα γύρισες; ● Εγώ θα πάω στην Αίγινα αύριο ● Νομίζω ότι φεύγει κάθε ώρα ● Λέω να φύγω στις εφτά ● Θα πάρω ένα ταξί ● Νομίζω ότι θα γυρίσω στις εννιά το βράδι ● Δεν νομίζω ότι θα βρέξει ● Ευχαριστώ. Γειά σου.

6 ● Καλησπέρα (σας) ● Θέλω να αγοράσω ένα δώρο ● Κάτι για την κόρη μου ● Δεκαεφτά ● Όχι, δεν μ' αρέσει το χρώμα ● Μήπως έχετε μία κόκκινη; ● Ναι, αλλά είναι πολύ μεγάλη. Μήπως έχετε μία πιο μικρή; ● Ναι, είναι πολύ όμορφη. Πόσο κάνει; ● Είναι πολύ ακριβή ● Ευχαριστώ. Θα την πάρω ● Ορίστε. Ευχαριστώ πολύ.

Understanding Greek
See page 255 for dialogue

● A week ● He went to the theatre, the cinema and a concert ● In a hotel in the East End ● £10 per night ● With her sister ● For the weekend ● Presents for the children, a shirt for her husband and a jacket for herself ● She points out that they've arrived in Athens ● By taxi.

Understanding Greek **Dialogues**

Chapter one

- Γειά σας παιδιά.
- Γειά σου Νίκο.
- Πάμε να πιούμε ένα καφέ;
- Ναι. Πάμε στο ζαχαροπλαστείο στην πλατεία.

  . . . .
- Τι θα πάρετε;
- Ένα φραπέ, παρακαλώ.
- Ένα σκέτο.
- Ένα μέτριο για μένα.

  . . . .
- Λοιπόν, γειά σας παιδιά.
- Γειά σας.

Chapter two

- Τι θα πιείτε;
- Τι θα πιούμε παιδιά;
- Μπύρα.
- Έχουνε πολύ καλό κρασί εδώ.
- Λοιπόν, μισόκιλο κρασί.
- Τι θα φάτε;
- Τι ορεκτικά έχετε;
- Έχουμε τζατζίκι, κολοκυθάκια, μελιτζάνες, ταραμοσαλάτα, τυροπιττάκια, σαλάτα χωριάτικη.
- Καλά, φέρτε μας ένα τζατζίκι, μία ταραμοσαλάτα και μία χωριάτικη.
- Και μετά τι θα φάτε;
- Ένα μοσχάρι ψητό.
- Μία μπριζόλα για μένα.
- Ένα κοτόπουλο.
- Ένα σουβλάκι.
- Αμέσως.

  . . . . Καλή όρεξη.
- Ευχαριστούμε . . .
- Πάμε σιγά-σιγά;
- Πάμε. Το λογαριασμό παρακαλώ.
- Αμέσως. . . . Ορίστε.
- Ορίστε. Ευχαριστώ.
- Ευχαριστώ κι εγώ. Καληνύχτα σας.
- Καληνύχτα.

Chapter three

- Συγγνώμη. Πού είναι το θέατρο Άλεξ παρακαλώ;
- Θα στρίψετε δεξιά στη γωνία, και μετά θα πάρετε το δεύτερο στενό αριστερά.
- Ευχαριστούμε.
- Παρακαλώ.

....
- Ωχ! Εδώ δεν είναι το θέατρο Άλεξ, είναι το σινεμά.
- Να ρωτήσουμε στο περίπτερο.
- Με συγχωρείτε. Το θέατρο Άλεξ πού είναι;
- Νάτο.
- Όχι το σινεμά, το θέατρο.
- Α!... το θέατρο... θα πάτε ευθεία, και στην πλατεία θα στρίψετε αριστερά. Εκεί είναι.
- Ευχαριστώ.
....
- Α! νάτο!
- Συγγνώμη. Άρχισε η παράσταση;
- Όχι.
- Ωραία! Δόξα σοι ο Θεός!

Chapter four

- Επιτρέπεται να καθήσω;
- Βεβαίως.
- Στην Αθήνα πάτε;
- Μάλιστα. Εσείς;
- Κι εγώ στην Αθήνα πάω. Από πού είσαστε;
- Από τη Μήλο, αλλά τώρα μένω στην Αθήνα. Εσείς είσαστε από την Αθήνα;
- Όχι, μένω στην Αθήνα, αλλά είμαι από το Μέτσοβο.
- Τι δουλειά κάνετε;
- Είμαι καθηγητής πανεπιστημίου.
- Αλήθεια; Πώς σας λένε;
- Γιώργο Ανουσάκη.

Chapter five

- Καλημέρα σας.
- Καλημέρα. Τι θέλετε παρακαλώ;
- Τα ροδάκινα, πόσο κάνουνε;
- Εξήντα το κιλό.
- Δώστε μου δύο κιλά.
- Μάλιστα.
- Και ένα κιλό μήλα... όχι δώστε μου δύο κιλά.
- Ευχαρίστως.
- Μήπως έχετε κρεμμύδια;
- Βεβαίως. Πόσα θέλετε;
- Μισόκιλο.
- Τίποτ' άλλο;
- Ένα γάλα... και τρεις μπύρες – παγωμένες.
- Ορίστε.
- Πόσο κάνουνε όλα μαζί;
- Έχουμε... δύο κιλά ροδάκινα, δύο κιλά μήλα, μισόκιλο κρεμμύδια, ένα γάλα, και τρεις μπύρες – διακόσιες πενήντα δραχμές.
- Χιλιάρικο έχω.
- Καλά, δεν πειράζει... Ορίστε τα ρέστα σας.
- Ευχαριστώ. Γειά σας.
- Χαίρετε.

Chapter six

- Γιώργο, πάμε στη Μήλο αύριο;
- Γιατί όχι; Τι ώρα φεύγει το αεροπλάνο;
- Αχ! Δεν πάμε καλύτερα με το καράβι;
- Α! όχι βρε Μαρία. Το καράβι κάνει οχτώ ώρες, ενώ με το αεροπλάνο είναι μισή ώρα.
- Το ξέρω, αλλά φοβάμαι το αεροπλάνο.
- Καλά, καλά. Τι ώρα φεύγει το καράβι λοιπόν;
- Στις οχτώ και τέταρτο το πρωί.
- Δηλαδή, φτάνει γύρω στις τέσσερεις και τέταρτο το απόγευμα.
- Μάλιστα.
- Εντάξει. Πού βγάζουνε εισιτήρια;
- Υπάρχει πρακτορείο στην Ομόνοια.
- Τα βγάζεις εσύ;
- Εντάξει.

Chapter seven

- Καλησπέρα σας.
- Χαίρετε.
- Μήπως έχετε δωμάτια;
- Τι δωμάτια θέλετε παρακαλώ;
- Θέλω δύο δίκλινα και ένα μονόκλινο για δύο μέρες.
- Δυστυχώς δεν έχω μονόκλινο. Μήπως θέλετε ένα δίκλινο και ένα τρίκλινο;
- Όχι. Δεν κάνει.
- Τρία δίκλινα λοιπόν;
- Πόσο κάνουνε;
- Χίλιες πεντακόσιες τη βραδιά.
- Δεν γίνεται. Είναι πολύ ακριβό.
- Λυπάμαι, αλλά δεν έχω μονόκλινο. Αν θέλετε δοκιμάστε στο ξενοδοχείο 'Παράδεισος'.
- Είναι μακριά από 'δω;
- Όχι, πολύ κοντά – απέναντι από το λιμεναρχείο.
- Καλά, θα πάμε εκεί. Ευχαριστώ πολύ.
- Παρακαλώ κύριε.

Chapter eight

- Ποιος είναι αυτός;
- Ποιος;
- Το ψηλό αγόρι στη γωνία.
- Αυτός είναι ο αδελφός μου.
- Μπα; Πόσων χρονών είναι;
- Είκοσι εφτά.
- Είναι παντρεμένος;
- Μάλιστα . . . Το μικρό κοριτσάκι είναι η κόρη του.
- Κούκλα είναι. Πώς τη λένε;
- Θεανώ.
- Ποια είναι η γυναίκα του;
- Αυτή με το πράσινο καπέλλο.
- Είναι πολύ όμορφη. Από πού είναι;
- Από τη Δράμα.

- Πόσα παιδιά έχουνε;
- Δύο. Έχουνε και ένα αγόρι, αλλά δεν είναι εδώ απόψε.
- Γιατί;
- Έχει πάει στη Δράμα με τη γιαγιά του.
- Πόσων χρονών είναι;
- Πέντε.
- Α . . . είναι πολύ μικρός ακόμα. Πώς τον λένε;
- Χρήστο.

Chapter nine

- Σ' αρέσουνε τα δημοτικά τραγούδια Ελένη;
- Ναι, πολύ. Σ' αρέσουνε εσένα;
- Ναι, μ' αρέσουνε, αλλά μ' αρέσουνε τα παλιά ρεμπέτικα πιο πολύ.
- Α . . . δεν μ' αρέσουνε αυτά. Προτιμώ κλασσική μουσική.
- Εμένα δεν μ' αρέσει η κλασσική μουσική. Ακούω πολύ τζαζ και ποπ.
- Απαίσια είναι αυτά. Εγώ ακούω ξένη μουσική μόνο όταν βλέπω τηλεόραση.
- Εμένα δεν μ' αρέσει καθόλου να βλέπω τηλεόραση.

Chapter ten

- Καλησπέρα σας.
- Καλησπέρα.
- Πώς σε λένε;
- Δημήτρη.
- Και από πού είσαι Δημήτρη;
- Από τη Χαλκίδα.
- Εκεί μένεις τώρα;
- Όχι, τώρα μένω στην Αθήνα με τον αδελφό μου.
- Πόσων χρονών είσαι;
- Είκοσι πέντε.
- Τι δουλειά κάνεις;
- Είμαι φοιτητής στο πανεπιστήμιο.
- Μάλιστα. Τι σπουδάζεις;
- Μαθηματικά.
- Ωραία. Τι τραγούδια σ' αρέσουνε;
- Τα λαϊκά.
- Τι τραγούδι θα μας πεις απόψε;
- Το 'Σε χρειάζομαι' του Γιάννη Πάριου.
- Μπράβο! Καλή επιτυχία.

Chapter eleven

- Δεν μου λες Αλίκη, θα δώσεις εξετάσεις για το Πανεπιστήμιο;
- Ναι. Δεν θα δώσεις εσύ;
- Όχι. Εγώ θα πάω στο Πολυτεχνείο.
- Τι θα σπουδάσεις;
- Αρχιτεκτονική.
- Και τι θα κάνεις μετά;
- Θα ανοίξω γραφείο με τον αδελφό μου.
- Αρχιτέκτονας είναι;
- Μάλιστα.

- Πού θ' ανοίξετε γραφείο; Εδώ στην Αθήνα;
- Όχι. Θα πάμε στο Βόλο.
- Γιατί στο Βόλο;
- Γιατί μας αρέσουνε τα αρχοντικά στο Πήλιο.
- Μάλιστα.
- Εσύ τι θα σπουδάσεις;
- Αρχαιολογία.
- Και μετά;
- Δεν ξέρω Λάκη μου. Νωρίς είναι ακόμα – κάτι θα γίνει.

Chapter twelve

- Τι θα κάνουμε το Σαββατοκύριακο Λάκη;
- Τι θες να κάνεις εσύ;
- Εγώ θα ήθελα να πάω στην Εύβοια.
- Στην Εύβοια; Γιατί;
- Ο αδελφός μου έχει μία βίλλα εκεί.
- Ε . . . και;
- Δεν θέλεις να πας; Θα περάσουμε καλά.
- Κοίτα, η Εύβοια είναι πολύ κοντά στην Αθήνα, και θα έχει πολύ κόσμο.
- Εσύ πού θες να πας λοιπόν;
- Στη Θεσσαλονίκη.
- Γιατί;
- Θέλω να δω την καινούρια έκθεση στο Μουσείο.
- Ξέρεις ότι εμένα δεν μ' αρέσουνε τα αρχαία.
- Ναι, αλλά μετά θα πάμε στη Χαλκιδική και θα κάνουμε μπάνιο.
- Μμ . . .
- Και θα γυρίσουμε τη Δευτέρα το πρωί με το αεροπλάνο. Τι λες;
- Εντάξει. Αφού το θέλεις εσύ, πάμε.

Chapter fourteen

- Γειά σου Μαρία. Γιατί είσαι στενοχωρεμένη;
- Έχασα την τσάντα μου.
- Πω πω. Είχε χρήματα μέσα;
- Ναι. Σαράντα χιλιάδες περίπου.
- Δεν ξέρεις πού την άφησες;
- Ιδέα δεν έχω.
- Λοιπόν, τι έκανες το πρωί;
- Πήγα στην Αθήνα, στα μαγαζιά.
- Μήπως την άφησες σε κανένα μαγαζί;
- Όχι. Την είχα όταν πήγα στην τράπεζα.
- Και μετά τι έκανες;
- Μετά πήρα ένα ταξί και γύρισα σπίτι.
- Μήπως την άφησες στο ταξί;
- Όχι. Την είχα όταν πλήρωσα το ταξί.
- Μετά τι έκανες;
- Πήγα στη μαμά μου.
- Με το λεωφορείο;
- Όχι. Πήρα το αυτοκίνητό μου . . . Α! θα είναι στο αυτοκίνητο.

Chapter fifteen

- Καλημέρα σας.
- Καλημέρα.
- Τι αγοράσατε σήμερα;
- Μήλα, πορτοκάλια, πατάτες, κολοκυθάκια.
- Πώς σας φαίνονται οι τιμές;
- Τα μήλα και τα πορτοκάλια είναι πολύ ακριβά.
- Ήτανε πιο φτηνά πέρσι;
- Ναι βέβαια.
- Και οι πατάτες;
- Και οι πατάτες είναι πιο ακριβές. Αλλά τα κολοκυθάκια είναι πιο φτηνά.
- Και σεις κυρία μου, τι αγοράσατε;
- Εγώ αγόρασα μόνο λάδι και φέτα.
- Και τι λέτε για τις τιμές;
- Το λάδι είναι πιο φτηνό τώρα αλλά η φέτα είναι πιο ακριβή.
- Και τι γνώμη έχετε για την ποιότητα;
- Τα μήλα και τα πορτοκάλια ήτανε πιο καλά πέρσι.
- Και οι πατάτες;
- Οι πατάτες είναι πιο καλές φέτος.
- Τι λέτε για το λάδι, κυρία μου;
- Το λάδι φέτος είναι καλύτερο.
- Ευχαριστώ πολύ.
- Παρακαλώ.

Chapter sixteen

- Γειά σου Μαρία, τι κάνεις;
- Ας τα Θόδωρε. Πρέπει να πάω στην Αθήνα αύριο.
- Γιατί;
- Ο θείος μου έρχεται από την Αυστραλία, και πρέπει να τον πάρω από το αεροδρόμιο.
- Πότε θα γυρίσεις – μεθαύριο;
- Όχι. Ο θείος θέλει να δει την Αθήνα. Θα μείνω τρεις-τέσσερεις μέρες.
- Δεν σ' αρέσει η Αθήνα;
- Μ' αρέσει η Αθήνα Θόδωρε. Θα πάω στα μαγαζιά, στο θέατρο, στο μουσείο . . .
- Ε, λοιπόν;
- Δεν μ' αρέσει το ταξίδι.
- Θα πας με το καράβι;
- Δεν θέλω. Κάνει δώδεκα ώρες, και ζαλίζομαι.
- Τότε πρέπει να πας με το αεροπλάνο.
- Ξέρω, αλλά δεν μ' αρέσει να ταξιδεύω με το αεροπλάνο – φοβάμαι.
- Μαρία μου, πρέπει να πας ή με το καράβι ή με το αεροπλάνο. Δεν έχει άλλο.
- Το ξέρω. Νομίζω ότι θα πάω με το αεροπλάνο.
- Καλά. Αλλά πρέπει να κλείσεις εισιτήριο από τώρα – δεν θα βρεις αύριο.
- Έχεις δίκιο. Θα προσπαθήσω να κλείσω αμέσως. Γειά σου.
- Γειά σου Μαρία.

Chapter seventeen

● Γειά σου Μαρία.
● Γειά σου Θάνο. Καλό χειμώνα.
● Επίσης. Πού περάσατε το καλοκαίρι;
● Στη Ρόδο. Αλλά δεν μ' άρεσε πολύ.
● Γιατί;
● Είχε πάρα πολύ κόσμο. Δεν βρίσκεις ξενοδοχείο και οι τιμές είναι πανάκριβες.
● Παλιά, δεν πηγαίνατε στο Πήλιο;
● Πηγαίναμε. Και περνούσαμε ωραία. Μέναμε σε παλιό σπίτι, νοικιάζαμε αυτοκίνητο, γυρίζαμε όλο το Πήλιο, και καμμιά φορά κατεβαίναμε στο Βόλο.
● Γιατί δεν πήγατε φέτος;
● Ο άντρας μου ήθελε να πάει σε νησί.
● Καλά, αυτό το καταλαβαίνω. Έμεις παλιά πηγαίναμε στη Χίο. Παίρναμε το καράβι από τη Ραφήνα. Μέναμε σε ξενοδοχείο, βλέπαμε τα αρχαία, κάναμε τα μπάνια μας και τρώγαμε καλά.
● Θαύμα! Πού πήγατε φέτος;
● Στη Ρόδο!

Chapter nineteen

● Λοιπόν, πού μπορώ να παρκάρω;
● Δεν μπορείς να αφήσεις το αυτοκίνητο εδώ;
● Όχι, δεν μπορώ. Εδώ απαγορεύεται. Και δεν βλέπεις τον αστυφύλακα που βγάζει πινακίδες;
● Α ναι. Πάμε στο πάρκινγκ στην πλατεία Κλαυθμώνος.
● Μπράβο! Καλή ιδέα . . . Αχ, είναι γεμάτο.
● Ίσως θα βρούμε θέση κάπου εδώ.
● Αποκλείεται. Δεν έχουμε ελπίδα εδώ.
● Κοίτα – εκεί πέρα έχει θέση.
● Α! ωραία . . . ωχ, δεν επιτρέπεται εδώ.
● Γιατί;
● Είναι έξοδος γκαράζ.
● Ξέρεις τι θα κάνεις;
● Όχι, πες μου.
● Θα πας στη Μητρόπολη – έχει πολλά παρκόμετρα στην πλατεία.
● Μα η Μητρόπολη είναι πολύ μακριά.
● Το ξέρω. Θα πάρουμε ταξί από 'κει.
● Καλά, πάμε.
● Νά . . . έχει ελεύθερο παρκόμετρο.
● Πολύ ωραία. Δος μου ένα εικοσάρικο.
● Δεν έχω εικοσάρικο.
● Δύο δεκάρικα λοιπόν.
● Δεν έχω καθόλου ψιλά.
● Ούτε εγώ. Τώρα τι θα κάνουμε;
● Δεν ξέρω. Έπρεπε να πάρουμε το τρόλλεϋ.

● Γειά σου Μαρία. Τί κάνεις;
● Γειά σου Θανάση. Στο Λονδίνο πήγες και συ;
● Ναι βέβαια. Είχα άδεια και πήγα.
● Πόσο καιρό έμεινες;

- Μία εβδομάδα.
- Πολύ ωραία. Τί έκανες;
- Πήγα στο Βρεταννικό Μουσείο και στις γκαλερί, και τα βράδια πήγα στο θέατρο, στο σινεμά, και σε μία συναυλία.
- Έμεινες σε ξενοδοχείο;
- Ναι. Βρήκα ένα φτηνό ξενοδοχείο στο Ηστ Εντ.
- Πόσο πλήρωσες;
- Δέκα λίρες τη βραδιά.
- Μόνο; Πολύ φτηνό.
- Εσύ πού έμεινες;
- Με την αδελφή μου.
- Ήσουνα εκεί για πολλές μέρες;
- Όχι. Πήγα για το Σαββατοκύριακο.
- Και τι έκανες;
- Πήγα στα μαγαζιά και αγόρασα ένα σωρό πράγματα: δώρα για τα παιδιά, ένα πουκάμισο για τον άντρα μου, και μία ζακέτα για μένα . . .
- Έδωσες πολλά λεφτά δηλαδή;
- Ε! . . . Νά, φτάσαμε στην Αθήνα.
- Νομίζεις ότι θα βρούμε ταξί;
- Θα βρούμε. Εσύ πού πας τώρα;
- Πάω σπίτι – στην Καισαριανή.
- Εγώ πάω στο Παγκράτι. Πάμε μαζί;
- Σύμφωνοι.

Grammar

This grammar is intended mainly to act as a reference for the language used in the course, and is not an exhaustive grammar of the Greek language. At a few points, however, material has been included that does not form part of the course, so that the reader who wishes to do so can progress a little further.

The Greek language

Greek is what is called an *inflected* language. This means that grammatical relationships (who does what to whom, and how) are expressed not by the order of the words, as in English, but by changes in the *form* of the words, usually in the way they end. Such a change is called an *inflexion*.

In the English sentence *John loves Mary*, you know that it's John who is in love and Mary that he's in love with because of the order of the words: if you change it to *Mary loves John*, that is a totally different remark.

In Greek, *John loves Mary* is ο Γιάννης αγαπάει τη Μαρία. If you want to say *Mary loves John*, it's not enough to rearrange the words to read τη Μαρία αγαπάει ο Γιάννης (this still means *John loves Mary*): you must also change ο Γιάννης to το Γιάννη, and τη Μαρία to η Μαρία, and say η Μαρία αγαπάει το Γιάννη.

See section on word order, page 275.

The grammar that follows is largely an explanation of the various forms that words can have, and of the situations in which you use each form.

Partly as a result of the history of the modern language (see page 144), there is often more than one variation of a particular form or ending of a word ('I speak', for example, can be μιλάω or μιλώ – see page 270). Where this is so, the version most commonly used in everyday speech has been selected and the others omitted, in the interests of clarity. Alternative forms are only given when *both* are *commonly* used in the spoken language: where two versions are given, the reader is advised to concentrate on using the main form and simply note the alternative, rather than try to remember both.

Nouns

The names of people and things are called *nouns*.

Gender

Greek nouns are divided into three groups (genders), conventionally called masculine, feminine and neuter. You need to know to which group each noun belongs in order to predict how it changes. The word for 'the' is different for each group, and the simplest way to remember the gender of any noun is to remember the word for 'the' used with it: for masculine nouns it's ο: for feminine nouns η; and for neuter nouns το (see page 260).

Cases

Each different form of a noun is called a *case*. Greek has three main cases, conventionally called nominative, accusative and genitive. Their principal uses are set out below, page 261.

Singular and Plural

Nouns have two sets of endings: one is used when you are talking about only one item (singular) and the other is used for more than one (plural).

When you look up a word in the dictionary, it is given in the form of the nominative singular.

There are three major types of masculine noun: those that end in --ος, those that end in --ης and those that end in --ας. The different forms of each type are set out below, together with the word for 'the', which also changes (see page 260).

1	singular	plural
nominative	ο φίλος	οι φίλοι
accusative	το φίλο	τους φίλους
genitive	του φίλου	των φίλων

If the noun happens to be stressed on the third syllable from the end, the stress usually 'moves' to the second syllable from the end in the genitive singular and accusative and genitive plural. (There is a growing tendency for the stress *not* to move in the spoken language.)

2	singular	plural
nominative	ο άνθρωπος	οι άνθρωποι
accusative	τον άνθρωπο	τους ανθρώπους
genitive	του ανθρώπου	των ανθρώπων

A few nouns ending in --ος are feminine: η οδός (street), η είσοδος (entrance), η έξοδος (exit) and the names of most of the islands: η Άνδρος, η Σίφνος, η Μήλος etc.

3	singular	plural
nominative	ο φοιτητής	οι φοιτητές
accusative	το φοιτητή	τους φοιτητές
genitive	του φοιτητή	των φοιτητών

4	singular	plural
nominative	ο πατέρας	οι πατέρες
accusative	τον πατέρα	τους πατέρες
genitive	του πατέρα	των πατέρων

There are three main types of feminine noun: one ends in --α and two end in --η.

1	singular	plural
nominative	η μητέρα	οι μητέρες
accusative	τη μητέρα	τις μητέρες
genitive	της μητέρας	των μητέρων

2	singular	plural
nominative	η αδελφή	οι αδελφές
accusative	την αδελφή	τις αδελφές
genitive	της αδελφής	των αδελφών

3	singular	plural
nominative	η τηλεόραση	οι τηλεοράσεις
accusative	την τηλεόραση	τις τηλεοράσεις
genitive	της τηλεόρασης	των τηλεοράσεων

η τηλεόραση differs from η αδελφή only in the plural. Originally, it also differed in the singular:

nominative   η τηλεόρασις
accusative   την τηλεόραση
genitive   της τηλεοράσεως

You will occasionally *hear* these forms, and most dictionaries will give the nominative singular of this type as, e.g., η κίνησις (traffic): you should convert this to η κίνηση and use the first set of forms given above.

Neuter nouns

There are four main types of neuter noun: those that end in --*o*: those that end in --*ι*: those that end in --*α*: and those that end in --*ος*.

Nouns ending in -o are sometimes given in -ov in dictionaries

1	singular	plural
nominative	το θέατρο	τα θέατρα
accusative	το θέατρο	τα θέατρα
genitive	του θεάτρου	των θεάτρων

2	singular	plural
nominative	το αγόρι	τα αγόρια
accusative	το αγόρι	τα αγόρια
genitive	του αγοριού	των αγοριών

Notice the shift of stress in the genitive singular and plural. When a noun of this type is stressed on the last syllable, there is also a shift of stress in the nominative and accusative plural:

	singular	plural
nominative	το παιδί	τα παιδιά
accusative	το παιδί	τα παιδιά
genitive	του παιδιού	των παιδιών

3	singular	plural
nominative	το γράμμα	τα γράμματα
accusative	το γράμμα	τα γράμματα
genitive	του γράμματος	των γραμμάτων

Notice the shift of stress in the genitive plural. If a noun of this type happens to be stressed on the third syllable from the end, there are other shifts of stress, as follows:

	singular	plural
nominative	το πρόγραμμα	τα προγράμματα
accusative	το πρόγραμμα	τα προγράμματα
genitive	του προγράμματος	των προγραμμάτων

4	singular	plural
nominative	το λάθος	τα λάθη
accusative	το λάθος	τα λάθη
genitive	του λάθους	των λαθών

Other noun forms

Χρόνος is partly masculine, and partly neuter:

	singular	plural
nominative	ο χρόνος	τα χρόνια
accusative	το χρόνο	τα χρόνια
genitive	του χρόνου	των χρονών

259

A few common masculine and feminine nouns form the plural by adding δ to the stem, before the endings, as follows:

	singular	plural
nominative	ο μουσακάς	οι μουσακάδες
accusative	το μουσακά	τους μουσακάδες
genitive	του μουσακά	των μουσακάδων

	singular	plural
nominative	ο καφές	οι καφέδες
accusative	τον καφέ	τους καφέδες
genitive	του καφέ	των καφέδων

	singular	plural
nominative	ο παππούς	οι παππούδες
accusative	τον παππού	τους παππούδες
genitive	του παππού	των παππούδων

	singular	plural
nominative	η γιαγιά	οι γιαγιάδες
accusative	τη γιαγιά	τις γιαγιάδες
genitive	της γιαγιάς	των γιαγιάδων

	singular	plural
nominative	η καφετζού	οι καφετζούδες
accusative	τη καφετζού	τις καφετζούδες
genitive	της καφετζούς	των καφετζούδων

Some of these have the same *singular* forms as other noun types (e.g. μουσακάς is like άντρας, ταξιτζής is like φοιτητής, γιαγιά is like μητέρα). To help you the nominative *plural* is given in the glossary.

Many foreign loan words (σπορ, ντισκοτέκ, ταξί, etc.) do not change their endings at all:

	singular	plural
nominative	το ταξί	τα ταξί
accusative	το ταξί	τα ταξί
genitive	του ταξί	των ταξί

Articles

The words 'the' and 'a' or 'an' are called articles: 'the' is known as the definite article, and 'a' as the indefinite article.

The definite article

The various forms of the definite article have already been given with the nouns above. They are set out here for convenience.

	singular			plural		
	m	*f*	*n*	*m*	*f*	*n*
nominative	ο	η	το	οι	οι	τα
accusative	το(ν)	τη(ν)	το	τους	τις	τα
genitive	του	της	του	των	των	των

Note: το(ν) and τη(ν): in these two cases the final ν only occurs in certain situations, depending on the initial letter of the noun it goes with. If the

260

noun begins with a vowel (α, ε, η, ι, ο, υ, ω) ν should be kept: από την Ελλάδα, στον αδελφό μου. It is also regularly retained before κ, τ, π (τον κατάλογο, στην ταβέρνα, από τον πατέρα μου): the k, t, p sounds are then pronounced like g, d, b.

Uses: the definite article is used more than in English, notably with the names of people, cities, countries and so on:

ο Νίκος	η Μαρία	
ο Βόλος	η Αθήνα	το Ναύπλιο
ο Καναδάς	η Αγγλία	το Βέλγιο
ο κύριος Σκληράκης		
η κυρία Λέκκα		

This is also true of foreign names:

ο Τέρρυ	η Τζίλλ
ο κύριος Σμιθ	
η κυρία Μπράουν	
το Λονδίνο	η Νέα Υόρκη

The indefinite article

For final ν see above.

(*also: μίας)

The forms of the indefinite article are:

	m	*f*	*n*
nominative	ένας	μία	ένα
accusative	ένα(ν)	μία	ένα
genitive	ενός	μιάς*	ενός

Note: the feminine indefinite article is often pronounced as one syllable (μγά).

Uses: the indefinite article is used less commonly than in English. In particular, it is often omitted in sentences like:

υπάρχει ταβέρνα εδώ κοντά;
είμαι ταξιτζής
έχω σπίτι στην Αθήνα

It is also used as the number 'one'.

Case uses

Nominative: the nominative is used mainly to show the subject of the sentence – that is, the person (or thing) that is doing something:

ο Γιάννης αγαπάει τη Μαρία
οι ντομάτες κάνουνε τριάντα δραχμές

It is also used in answer to the questions τι είναι αυτό; τι είναι αυτά;

τι είναι αυτό;   καφές
τι είναι αυτά;   δίσκοι

Accusative: the accusative is mainly used to show the object of the sentence – that is, the person or thing to which the action is done.

ο Γιάννης αγαπάει τη Μαρία
δεν βλέπω την εκκλησία

It is also used after prepositions and prepositional phrases (see page 266).

261

από την Αθήνα
για τη Σάμο
στο Ναύπλιο
μπροστά στην εκκλησία
απέναντι από το περίπτερο
(Note that σε plus το(ν), τη(ν) or το gives στο(ν), στη(ν) or στο.)

The accusative is also used in certain expressions involving time:

στη μία και δέκα
στις δύο παρά τέταρτο
στίς είκοσι πέντε Μαρτίου
την πρώτη Απριλίου
τη νύχτα
τη Δευτέρα
το Φεβρουάριο
το χειμώνα

Genitive: the main use of the genitive is to show who 'owns' or 'possesses' something:

το καπέλλο **του φοιτητή**	the student's hat
ο αδελφός **του Αντρέα**	Andreas's brother

The names of streets are usually in the genitive:

(η) οδός Πανεπιστημίου
(η) οδός Σταδίου

(They are frequently referred to without the word οδός, as
η Πανεπιστημίου, η Σταδίου and so on.)
Women and girls usually have as their surname the genitive form of the name of their husband or father:

ο κύριος Παππάς:	η κυρία Παππά
ο Γιώργος Μαύρος	η Γιωργία Μαύρου

Vocative: the vocative is a fourth case, found only in a few instances. It is used when you are addressing someone directly, and it is mostly identical with the accusative:

Αντρέα! τι κάνεις; (Μαρία! Νίκο!)

With masculine nouns ending in --ος, there is also a separate form ending in --ε: κύριος: κύριε.

καλημέρα κύριε Παππά!

Adjectives

Words that describe people or things, telling you whether they're large or small, blue or white, interesting or boring, are called adjectives.

Forms: the endings of adjectives change to suit ('agree with') the ending of the noun that they are describing: a masculine noun in the accusative plural will have a masculine adjective, also in the accusative plural.

Most adjectives have the same endings as μεγάλος:

singular

	m	f	n
nominative	μεγάλος	μεγάλη	μεγάλο
accusative	μεγάλο	μεγάλη	μεγάλο
genitive	μεγάλου	μεγάλης	μεγάλου

plural

	m	f	n
nominative	μεγάλοι	μεγάλες	μεγάλα
accusative	μεγάλους	μεγάλες	μεγάλα
genitive	μεγάλων	μεγάλων	μεγάλων

A number of common adjectives differ from μεγάλος only in the feminine singular – ωραίος, for example, has the following feminine singular:

nominative	ωραία
accusative	ωραία
genitive	ωραίας

Adjectives like καινούριος, παλιός, whose stem ends in a vowel, belong to this group. Some adjectives like γλυκός, whose stem ends in κ, have the following feminine singular forms:

nominative	γλυκιά
accusative	γλυκιά
genitive	γλυκιάς

The irregular adjective πολύς has these endings:

singular

	m	f	n
nominative	πολύς	πολλή	πολύ
accusative	πολύ	πολλή	πολύ
genitive	πολλού	πολλής	πολλού

plural

	m	f	n
nominative	πολλοί	πολλές	πολλά
accusative	πολλούς	πολλές	πολλά
genitive	πολλών	πολλών	πολλών

(Notice that πολύ, πολλή and πολλοί all *sound* exactly the same.)

Position of adjectives

Adjectives usually stand between the article (where there is one) and the noun:

το μεγάλο βιβλίο	the large book
θα πάρω τους μεγάλους δίσκους	I'll take the large records
θέλω μία μικρή μπύρα	I want a small beer.

But note that αυτός (this/that), εκείνος (that), τούτος (this), and όλος (all) come *before* the article:

αυτό το βιβλίο	this book
θέλω εκείνη την τσάντα	I want that bag
όλος ο κόσμος θα πάει	everybody ('all the world') will go.

263

Comparison	If you want to say that something is bigger, more expensive and so on, simply put πιο (more) in front of the adjective:

πιο μεγάλος   bigger
πιο ακριβός   more expensive

There is also a separate form of the adjective that involves changing the ending. The following are commonly used:

μικρότερος   smaller
μεγαλύτερος   larger
καλύτερος   better
χειρότερος   worse
περισσότερος   more
λιγότερος   less

You may also hear the two combined:

πιο μικρότερος, etc.

For 'than' use από followed by a noun in the accusative (see page 186):

ο Γιάννης είναι πιο ψηλός από τη Μαρία John is taller than Mary
η Αθήνα είναι μικρότερη από τη Νέα Υόρκη Athens is smaller than New York.

Superlatives

To say something is the biggest, most expensive and so on, add the definite article to the comparative form:

το πιο μεγάλο σπίτι   the largest house
η πιο φτηνή τσάντα   the cheapest handbag
ο καλύτερος δίσκος   the best record.

Very, Too much

'Very' is πολύ or πάρα πολύ:

είναι πολύ μεγάλο   it is very big
είναι πάρα πολύ φτηνό   it is *very* cheap.

'Too much' is also πάρα πολύ. Greek does not distinguish between the ideas 'very much' and 'too much'.
   'I have too much' is έχω πάρα πολύ, and 'the shirt is too big' is το πουκάμισο είναι πολύ (πάρα πολύ) μεγάλο.

Adverbs

Many adverbs are formed from adjectives and have the same form as the neuter accusative plural:

καλός = good,   καλά = well.

A few have the same form as the neuter accusative singular:

πολύ   a lot
μόνο   only
λίγο   a little

Some end in --ως:
ευχαρίστως   with pleasure

Some have two forms:

βέβαια, βεβαίως   of course

For emphasis they are often 'doubled up': perhaps the commonest example is σιγά-σιγά (slowly-slowly). Compare also:

το πολύ-πολύ   at the very most

Pronouns

Words like 'I, you, he, she, it, we, they' are called pronouns: they stand in place of nouns. In Greek they each have different forms for the nominative, accusative and genitive cases. These are set out separately below.

Nominative:

εγώ	I	(ε)μείς	we
εσύ	you	(ε)σείς	you
αυτός	he	αυτοί	they (m)
αυτή	she	αυτές	they (f)
αυτό	it	αυτά	they (n)

Nominative pronouns are not normally used with verbs, since it is clear from the ending of the verb (see page 267) which is meant. They are included only to add emphasis.

είμαι ταξιτζής	I'm a taxi-driver
εγώ είμαι φοιτητής	*I'm* a student
είμαστε Έλληνες	We're Greek
εμείς είμαστε Άγγλοι	*We're* English

Accusative: the accusative has two forms, often called 'strong' and 'weak'.

The weak forms are:

See page 261 above for final ν.

με	me	μας	us
σε	you	σας	you
τον	him	τους	them (m)
τη(ν)	her	τις	them (f)
το	it	τα	them (n)

The weak form is used as the object of a verb:

σε βλέπω	I see you
θα τα πάρω	I'll take them
τον άκουσα	I heard him

But see page 275 for the use with imperatives.

It always comes *before* the verb. The ε of με and σε is sometimes omitted before a verb beginning with a vowel:

μ' άκουσες;   Did you hear me?

The strong forms are:

(ε)μένα	me	(ε)μάς	us
(ε)σένα	you	(ε)σάς	you
αυτόν	him	αυτούς	them (m)
αυτήν	her	αυτές	them (f)
αυτό	it	αυτά	them (n)

Contrast the stress on γειά σας, meaning 'hello', or 'goodbye'.

These forms are used after prepositions:

από μένα	from me
σ' αυτούς	to them
για σάς	for you

Genitive:

μου	my, to me	μας	our, to us
σου	your, to you	σας	your, to you
του	his, to him	τους	their, to them (m)
της	her, to her	τους	,, (f)
του	its, to it	τους	,, (n)

These are used:

1 *after* a noun to indicate 'my, your, his, her' etc.:

ο αδελφός μας	our brother
η τσάντα της	her handbag
το αυτοκίνητό μου	my car

When μου, σου, του, της, etc. come after a word like διαβατήριο, which is stressed three syllables from the end, the word is given an extra stress on its last syllable:

το διαβατήριό μου	το αυτοκίνητό τους
το όνομά σου	το δίπλωμά της.

2 to mean 'to me, to you, to him' etc., with verbs like send, write, speak, give and so on (this is called the indirect object):

Μου δίνεις το βιβλίο;	Would you give (to) me the book?
Θα σου γράψω αύριο.	I'll write to you tomorrow.
Μας φέρνετε ένα μουσακά;	Would you bring (to) us a moussaka?

For the word order with imperatives, see page 275.

In sentences like 'I gave it to you' the word order is always σου το έδωσα – that is, genitive pronoun (indirect object), accusative pronoun (direct object) verb:

Θα σας τα στείλω αύριο.	I'll send them to you tomorrow.

These are also the forms used with αρέσει: μ' αρέσει, σ' αρέσει are short for μου αρέσει, σου αρέσει.

Prepositions

Word like 'in, from, near, at' are called prepositions. The following are common in Greek:

από	from	με	with
σε	in, at, to	μέχρι	until
για	for	χωρίς	without

The word that follows these is in the accusative case (see page 261-2).
   Many adverbs are used with από and σέ to form 'prepositional phrases'. Some of the more common are:

μπροστά σε	in front of	δίπλα σε	next to
πίσω από	behind	απέναντι από	opposite
κοντά σε	near to	πάνω από	above
μακριά από	far from	πάνω σε	on
μέσα σε	inside	κάτω από	below
έξω από	outside		

Notice also: μαζί με with, along with

Verbs

Words that indicate action, or doing something (sing, dance), and words that indicate being, or feeling (am, think) are called verbs.

Verbs have *tenses*, which refer to different points in time, such as the future, the present and the past.

Regular verbs

The great majority of Greek verbs are 'regular' – that is, the way they change follows a set pattern: once you know how this pattern works you can use it with most of the verbs you meet. It is set out below for the verbs γράφω (write) and δουλεύω (work).

Present tense

The present tense corresponds roughly to the English 'I write (work)' or 'I'm writing (working)'.

Verbs consist of a stem and an ending. The form of the ending tells you whether 'I, you, he, we, etc.' are performing the action. Here are the different forms for γράφω:

γράφ ω	I write, I'm writing
γράφ εις	You write, You're writing
γράφ ει	He (she, it) writes, is writing
γράφ ουμε	We write, We're writing
γράφ ετε	You write, You're writing
γράφ ουνε	They write, They're writing

You'll also hear γράφουν

The dictionary will give a verb in the form γράφω (there is no infinitive in Greek): --ω is the ending, and by removing it, you leave the stem γραφ--. By removing --ω from δουλεύω you leave the stem δουλευ-- and you can add the other endings as follows:

δουλεύ ω	I work, I'm working
δουλεύ εις	You work, You're working
δουλεύ ει	He (she, it) works, is working
δουλεύ ουμε	We work, We're working
δουλεύ ετε	You work, You're working
δουλεύ ουνε	They work, They're working

Also δουλεύουν

In the present tense, the stress always falls on the final syllable of the stem.

You do not need to use the words for 'I, you, he, she, etc.' because it is clear from the ending which you mean. They are added only for emphasis (see page 265).

Imperfect tense

The imperfect tense corresponds roughly to the English 'I used to write (work)' or 'I was writing (working)'. To form it, you add the following endings to the stem of the verb:

267

$$---\alpha$$
$$---\varepsilon\varsigma$$
$$---\varepsilon$$
$$---\alpha\mu\varepsilon$$
$$---\alpha\tau\varepsilon$$
$$---\alpha\nu\varepsilon$$

Also --αν

For γράφω and δουλεύω this gives:

έγραφ α	δούλευ α
έγραφ ες	δούλευ ες
έγραφ ε	δούλευ ε
γράφ αμε	δουλεύ αμε
γράφ ατε	δουλεύ ατε
γράφ ανε	δουλεύ ανε

Also έγραφαν δούλευαν

The stress in the imperfect tense is always on the third syllable from the end. Where the verb would otherwise have only two syllables (e.g., γραφα, γραφες, γραφε), an ε is added at the beginning and stressed.

The second stem

All regular verbs have a second stem in addition to the one used in the present and imperfect tenses. In the case of γράφω this second stem is γραψ-- and for δουλεύω it's δουλεψ--.

There are certain patterns in the way the second stem is formed from the first.

φ often changes to ψ	γραφ-: γραψ--

ευ	to	εψ	δουλευ-:	δουλεψ-
ν	to	σ	κλειν-:	κλεισ-
ζ	to	σ	γυριζ-:	γυρισ-
γ	to	ξ	ανοιγ-:	ανοιξ-

There are exceptions to all these, however, and you should remember the second stem for each verb you meet.

The Simple Past

The simple past tense corresponds roughly to the English 'I wrote (worked)'. To form it, the endings used in the imperfect tense are added to the *second* stem, as follows:

έγραψα	δούλεψα
έγραψες	δούλεψες
έγραψε	δούλεψε
γράψαμε	δουλέψαμε
γράψατε	δουλέψατε
γράψανε	δουλέψανε

Also έγραψαν   δούλεψαν

As in the imperfect tense, the stress is always on the third syllable from the end, and where necessary, an ε is added at the beginning and stressed.

The Subjunctive

When the endings of the present tense are added to the second stem, they form what is called the subjunctive, as follows:

γράψω	δουλέψω
γράψεις	δουλέψεις

268

γράψει	δουλέψει
γράψουμε	δουλέψουμε
γράψετε	δουλέψετε
γράψουνε	δουλέψουνε

Also γράψουν   δουλέψουν

The subjunctive has no meaning on its own, but it is used frequently after θέλω να . . ., πρέπει να . . ., μπορώ να . . . etc. (see chapters 12, 16, 19).

Its most common use is in forming the simple future.

The Simple Future

The simple future tense corresponds roughly to the English 'I'll write (work)'. To form it, use θα followed by the subjunctive, as follows:

θα γράψω	θα δουλέψω
θα γράψεις	θα δουλέψεις
θα γράψει	θα δουλέψει
θα γράψουμε	θα δουλέψουμε
θα γράψετε	θα δουλέψετε
θα γράψουνε	θα δουλέψουμε

Perfect and Pluperfect tenses

These are not treated systematically in this course.

The simple past is often used in Greek where you would say 'I've written (worked)', or 'I'd written (worked)' in English: for both you can say έγραψα (δούλεψα).

You will also hear two tenses corresponding to the English tenses, formed with the verb έχω and the third person singular of the subjunctive, as follows:

Perfect tense: I've written (worked)

έχω γράψει	έχω δουλέψει
έχεις γράψει	έχεις δουλέψει
έχει γράψει	έχει δουλέψει
έχουμε γράψει	έχουμε δουλέψει
έχετε γράψει	έχετε δουλέψει
έχουνε γράψει	έχουνε δουλέψει

Pluperfect tense: I'd written (worked)

είχα γράψει	είχα δουλέψει
είχες γράψει	είχες δουλέψει
είχε γράψει	είχε δουλέψει
είχαμε γράψει	είχαμε δουλέψει
είχατε γράψει	είχατε δουλέψει
είχανε γράψει	είχανε δουλέψει

The tenses of the regular verb may be summarised (in the first person) as follows:

Present:	γράφω	δουλεύω
Imperfect:	έγραφα	δούλευα
Simple Future:	θα γράψω	θα δουλέψω
Simple Past:	έγραψα	δούλεψα
Perfect:	έχω γράψει	έχω δουλέψει
Pluperfect:	είχα γράψει	είχα δουλέψει

The pattern can be applied to other regular verbs as follows: αγοράζω (buy) gives a stem αγοραζ-. The simple past is αγόρασα, from which you can work out the second stem by removing the final --α, to give αγορασ-.

Similarly, φεύγω (leave) has a stem φευγ- and from the simple past έφυγα you can work out the second stem by removing the final --α and the initial έ- which is added for the stress. This gives a second stem φυγ-.

Both verbs now receive the endings as in the pattern set out above, to give:

Present:		αγοράζω		φεύγω
Imperfect:		αγόραζα		έφευγα
Simple Future:	θα	αγοράσω	θα	φύγω
Simple Past:		αγόρασα		έφυγα
Perfect:	έχω	αγοράσει	έχω	φύγει
Pluperfect:	είχα	αγοράσει	είχα	φύγει

This method can be applied to any regular verb provided that you know both stems. The first is formed by removing --ω from the form given in the dictionary, and the second by removing --α (and, where there is one, initial έ) from the simple past. In the glossary, the simple past as well as the present is given for each verb.

Contracted Verbs

A number of commonly used verbs end in --άω: μιλάω, τραγουδάω, πεινάω, etc. These differ from regular verbs in the present and imperfect tenses, which are as follows:

Present Tense
You will also hear μιλώ, πεινώ

μιλάω	πεινάω
μιλάς	πεινάς
μιλάει	πεινάει
μιλάμε	πεινάμε
μιλάτε	πεινάτε
μιλάνε	πεινάνε

Notice that the stress always falls on the -ά- sound. These verbs really have a stem ending in -α (μιλα-, πεινα-) and this sometimes 'fuses' with the ending to produce a 'contracted' form (μιλά-εις=μιλάς: πεινά-ετε=πεινάτε). As a result, these verbs are called 'contracted verbs'.

Imperfect Tense

Also μιλούσαν   πεινούσαν

μιλούσα	πεινούσα
μιλούσες	πεινούσες
μιλούσε	πεινούσε
μιλούσαμε	πεινούσαμε
μιλούσατε	πεινούσατε
μιλούσανε	πεινούσανε

Notice that the stress is always on the -ούσ- sound, even where it is not three syllables from the end.

(You will also hear an imperfect tense as follows:

μίλαγα	μιλάγαμε
μίλαγες	μιλάγατε
μίλαγε	μιλάγανε

The stem μιλαγ- is formed by adding γ to the stem μιλα- and the regular imperfect endings are added in the normal way.)

In the other tenses, contracted verbs change in the regular way. The second stem for μιλάω is μιλησ- and for πεινάω it's πεινασ-. This gives the following pattern:

Simple Future:	θα	μιλήσω	θα	πεινάσω
Simple Past:		μίλησα		πείνασα
Perfect:	έχω	μιλήσει	έχω	πεινάσει
Pluperfect:	είχα	μιλήσει	είχα	πεινάσει

The verb μπορώ has the following present tense:

μπορώ	μπορούμε
μπορείς	μπορείτε
μπορεί	μπορούνε*

*Also μπορούν

Notice the position of the stress. Μπορώ is a contracted verb, like μιλάω, but its stem ends in -ε, so the contracted forms are different (μπορέ-ετε=μπορείτε). Many verbs that used to follow the pattern of μπορώ now follow μιλάω.

The Imperfect tense of μπορώ is as follows:

μπορούσα	μπορούσαμε
μπορούσες	μπορούσατε
μπορούσε	μπορούσανε*

*Also μπορούσαν

Six common verbs have present tenses that are contracted in a similar way: λέω (say), ακούω (hear), τρώω (eat), κλαίω (cry), φταίω (be to blame), καίω (burn):

λέω	ακούω	τρώω	κλαίω	φταίω	καίω
λες	ακούς	τρως	κλαις	φταις	καις
λέει	ακούει	τρώει	κλαίει	φταίει	καίει
λέμε	ακούμε	τρώμε	κλαίμε	φταίμε	καίμε
λέτε	ακούτε	τρώτε	κλαίτε	φταίτε	καίτε
λένε	ακούνε	τρώνε	κλαίνε	φταίνε	καίνε

The imperfect tenses of these verbs are formed on the same principle as μίλαγα above: έλεγα, άκουγα, έτρωγα, έκλαιγα, έφταιγα, έκαιγα.

Be and Have

Present Tense

The verbs 'be' and 'have' have three tenses:

είμαι	έχω
είσαι	έχεις
είναι	έχει
είμαστε	έχουμε
είσαστε	έχετε
είναι	έχουνε

Also είστε

Past Tense

ήμουνα	είχα
ήσουνα	είχες
ήτανε	είχε
ήμαστε	είχαμε
ήσαστε	είχατε
ήτανε	είχανε

Also ήταν

Also ήταν   είχαν

Future Tense

The future tense is formed with θα and the present tense:

θα είμαι   θα έχω
          etc.

These are often 'fused' to give θάμαι, θάχω, etc.

Some Common Irregular Verbs

A handful of verbs in common use are irregular in that they do not have a second stem from which it is possible to work out the simple past and the subjunctive (and therefore the future tense). For these verbs you have to remember the present, the simple past, and the subjunctive separately. Note that some of them have only two syllables in the simple past, yet do not add an ε at the beginning.

Present		Simple Past	Subjunctive
βλέπω	(see)	είδα	δω*
βρίσκω	(find)	βρήκα	βρω*
μπαίνω	(go in)	μπήκα	μπω*
βγαίνω	(go, come out)	βγήκα	βγω*
ανεβαίνω	(go, come up)	ανέβηκα	ανεβώ*
κατεβαίνω	(go, come down)	κατέβηκα	κατεβώ*
λέω	(say)	είπα	πω*
πίνω	(drink)	ήπια	πιω*
τρώω	(eat)	έφαγα	φάω †
πηγαίνω or πάω	(go)	πήγα	πάω †
παίρνω	(take)	πήρα	πάρω
έρχομαι	(come)	ήρθα	έρθω

For έρχομαι see below page 273.

* changes like the present tense of μπορώ
† changes like the present tense of μιλάω

Other Verbs

Some verbs you may meet have a completely different system of endings from those above. They do not form part of this course, but are set out here for reference. The two verbs used as examples are σηκώνομαι (get up) and κοιμάμαι (go to sleep, sleep). (The endings of σηκώνομαι are used to form the passive voice of a regular verb: the passive is not dealt with in this course. In spoken Greek an active formulation is often preferred, and the passive is rarer than in English.)

Present Tense

σηκώνομαι	κοιμάμαι
σηκώνεσαι	κοιμάσαι
σηκώνεται	κοιμάται
σηκωνόμαστε	κοιμόμαστε
σηκωνόσαστε	κοιμόσαστε
σηκώνονται	κοιμούνται

Also σηκώνεστε   κοιμάστε

Imperfect Tense

σηκωνόμουνα	κοιμόμουνα
σηκωνόσουνα	κοιμόσουνα
σηκωνότανε	κοιμότανε
σηκωνόμαστε	κοιμόμαστε
σηκωνόσαστε	κοιμόσαστε
σηκωνόντουσαν	κοιμόντουσαν

Simple Future	θα σηκωθώ	θα κοιμηθώ
	θα σηκωθείς	θα κοιμηθείς
	θα σηκωθεί	θα κοιμηθεί
	θα σηκωθούμε	θα κοιμηθούμε
	θα σηκωθείτε	θα κοιμηθείτε
Also θα σηκωθούν θα κοιμηθούν	θα σηκωθούνε	θα κοιμηθούνε
Simple Past	σηκώθηκα	κοιμήθηκα
	σηκώθηκες	κοιμήθηκες
	σηκώθηκε	κοιμήθηκε
	σηκωθήκαμε	κοιμηθήκαμε
	σηκωθήκατε	κοιμηθήκατε
Also σηκώθηκαν κοιμήθηκαν	σηκωθήκανε	κοιμηθήκανε
Perfect Tense	έχω σηκωθεί	έχω κοιμηθεί
Pluperfect Tense	είχα σηκωθεί	είχα κοιμηθεί

The verb έρχομαι (come)

- has present and imperfect tenses like σηκώνομαι.
- has a simple past with regular endings added to the stem *ήρθ-* (or *ηλθ-*):

ήρθα	ήρθαμε
ήρθες	ήρθατε
ήρθε	ήρθανε

- has a future tense formed by 'fusing' θα with the subjunctive έρθω. The stress varies; the following is perhaps most usual in everyday speech:

θάρθω	θαρθούμε
θάρθεις	θαρθείτε
θάρθει	θαρθούνε*

*Also θάρθουν

(Similar forms are also found with να: θέλετε ναρθείτε; do you want to come?)

Verbal aspect
See also chapter 18

The two stems of the regular verb that are used to form the various tenses reflect a basic feature of the Greek verb that is much more important than in English: Greek distinguishes between an action that is, or is perceived as, continuing or repeated, and an action that is, or is perceived as, complete. This distinction is one of *aspect*, and is reflected in the two stems: the first (e.g., γραφ-, δουλευ-) is often called the *imperfective* stem, and is used whenever the action involved is continuing or repeated; and the second (e.g., γραψ-, δουλεψ-) is called the *perfective* stem, and is used whenever the action involved is complete.

When you are referring to past time, for example, you would use the *imperfective* form έγραφα for 'I wrote' if you were thinking of a repeated action (έγραφα κάθε μέρα: I wrote every day), but the *perfective* form έγραψα if you had a single occasion in mind (χτες έγραψα στη μητέρα μου: I wrote to my mother yesterday).

There are also two future forms based on the same distinction: the imperfective (θα γράφω κάθε μέρα: I'll write every day) and the perfective (θα γράψω στη μητέρα μου αύριο: I'll write to my mother tomorrow).

Imperfective forms are also used to render 'I was writing' etc. (στις πέντε έγραφα στη μητέρα μου: At five I was writing to my mother).

Similarly, after θέλω να . . . πρέπει να . . . μπορώ να . . . the verb will have an imperfective stem if you are thinking of a continuing or repeated action, and a perfective stem if you are thinking of a single action (see chapters 16, 18, 19).

If you have in mind a *series* of events that are *complete*, the *perfective* form is used:

Πήγα στο Λονδίνο τρεις φορές (not πήγαινα)
I went to London three times.
Θα το τραγουδήσω δύο φορές (not τραγουδάω)
I'll sing it twice.

(Irregular verbs have two forms for *perfective* action (the simple past and the subjunctive) which have to be remembered separately (see above page 272).

This is not a difficult idea for an English-speaker, but since English doesn't work this way, it's a common source of mistakes for an English-speaker learning Greek.

English does not normally distinguish in the verb between:

I'll see you tomorrow
I'll see you every morning

Greek does:

θα σε δω αύριο
θα σε βλέπω κάθε πρωί.

Imperatives

The imperative is a form of the verb you use to tell or order someone to do something (come here! sit down!)

It is formed in two ways:

1 add -ε or -τε to the *second* stem:

γύρισε!	δούλεψε!	(singular)
γυρίστε!	δουλέψτε!	(plural, formal)

2 add -ε or -ετε to the *first* stem:

γύριζε!	δούλευε!	(singular)
γυρίζετε!	δουλεύετε!	(plural, formal)

The difference between the two is one of aspect (see above). The first form is more common.

Most of the imperatives you'll hear, or will want to use, are irregular, and should be remembered as individual words.

Singular	Plural	Meaning
έλα	ελάτε	come
πάρε	πάρτε	take

φέρε	φέρτε	bring
δος (δώσε)	δώστε	give
κάτσε	καθήστε	sit down
περίμενε	περιμένετε	wait
κοίτα	κοιτάξτε	look
ας (άσε)	αφήστε	let, let go

Pronouns come *after* imperatives:

φέρτε τα	bring them
δος μου το	give it to me.

If the imperative is stressed on the third syllable from the end, it is given an extra stress on the last syllable when followed by a pronoun:

μίλησέ μου	speak to me
άκουσέ με	listen to me.

To tell someone *not* to do something, use μη with the subjunctive:

μη γυρίσεις	μη δουλέψεις
μη γυρίσετε	μη δουλέψετε.

Μη also occurs in such signs as 'μη καπνίζετε' (no smoking). You'll also hear μη! used on its own to mean 'don't'.

Questions

See chapter 3, page 46.

Negatives

See chapter 4, page 57, and chapter 9, page 119.

Word order

As you saw on page 257, grammatical relationships are not expressed by the order of words in Greek, but by the particular form of the words in the sentence. This means that word order is much more flexible in Greek than in English. There is a tendency to follow the same kind of order as in English: *John loves Mary* would often be ο Γιάννης αγαπάει τη Μαρία – but this order is often changed – sometimes to achieve emphases that would need a rephrasing of the English. For example τη Μαρία αγαπάει ο Γιάννης might be used for 'It's Mary (not Elisabeth) that John loves'.

This is not the place for an extensive illustration of the ways word order can be used in Greek: simply note that it will often vary considerably from what is normal in English.

See dialogues 12 and 13 in chapter nine for good examples of how flexible word order can be.

Relatives

Notice that the relative 'που' does *not* have an accent.

Relatives are not dealt with in this course. Που can be used to mean 'who, which, whom, etc.' It does not change. Here are some examples of how it can be used:

η γυναίκα που αγόρασε τη μπλούζα
the woman who bought the blouse
ο άντρας που δουλεύει στην τράπεζα
the man who works in the bank
το μαγαζί που κλείνει στις οχτώ
the shop that closes at eight
οι μπλούζες που αγόρασα στην Ελλάδα
the blouses I bought in Greece

Some uses of να

You have seen how to use να after θέλω, μ' αρέσει, πρέπει, μπορώ and ξέρω.

The following construction with θέλω is very useful:

θέλετε να πάμε στο θέατρο;
do you want us to go to the theatre?
θέλω να φύγουνε αμέσως
I want them to leave at once.

προσπαθώ changes like μπορώ

The verb προσπαθώ (try) is followed by να:

Θα προσπαθήσω να τηλεφωνήσω αύριο.
I'll try to phone tomorrow.
Θα προσπαθήσουμε να το κάνουμε.
We'll try to do it.

Να can also be used in expressions like 'may I . . .' etc.:

να σας συστήσω . . .
may I introduce . . .
να σας προσφέρω ένα γλυκό;
may I offer you a sweet?
να ζήσετε
may you live (a long life)

or in expressions like:

τι να κάνουμε;
what can we do?
τι να σου πω;
what can I say (to you)?

Να is also used to express purpose:

ήρθαμε στην Αθήνα να δούμε τους φίλους μας
we came to Athens to see our friends

Sometimes it is reinforced by για:
πήγα στο θέατρο νωρίς για να κλείσω εισιτήρια
I went to the theatre early in order to book tickets

In this situation, νά has a stress mark.

Finally, νά can be used to mean 'look, there's (here's) . . .:

νά το σπίτι μου!
There's my house!

Note the forms:

νάτος!   Here (there) he is!
νάτη!   Here (there) she is!
νάτο!   Here (there) it is!

276

Numbers

1 ένα	11 έντεκα	10 δέκα	100 εκατό
2 δύο	12 δώδεκα	20 είκοσι	200 διακόσια*
3 τρία	13 δεκατρία	30 τριάντα	300 τριακόσια*
4 τέσσερα	14 δεκατέσσερα	40 σαράντα	400 τετρακόσια*
5 πέντε	15 δεκαπέντε	50 πενήντα	500 πεντακόσια
6 έξι	16 δεκαέξι	60 εξήντα	600 εξακόσια
7 εφτά	17 δεκεφτά	70 εβδομήντα	700 εφτακόσια
8 οχτώ	18 δεκαοχτώ	80 ογδόντα	800 οχτακόσια
9 εννιά	19 δεκαεννιά	90 ενενήντα	900 εννιακόσια

Also επτά

Also εννέα

*You'll also hear: διακόσα, τρακόσα, τετρακόσα and so on.

1,000 χίλια
2,000 δύο χιλιάδες
3,000 τρεις χιλιάδες
10,000 δέκα χιλιάδες, etc.

N.B. 0=μηδέν

The forms given are those used in counting. Some numbers are adjectives, and change according to the gender of what you're describing. For 'one' see above page 261.

Τρεις and τέσσερεις are the masculine and feminine forms of τρία and τέσσερα, which are the neuter forms.

The hundreds from 200-900, and 1000 are plural adjectives: διακόσιοι, διακόσιες, διακόσια, etc. and χίλιοι, χίλιες, χίλια.

χιλιάδες is a feminine plural noun.

You'll often hear numbers in the feminine form – when you're dealing with prices, for example, because δραχμή is feminine.

Numbers are combined as follows:

είκοσι τρείς	23
ενενήντα πέντε	95
εκατό σαράντα	140
εκατόν ογδόντα δύο	182
πεντακόσιες τριάντα τέσσερεις	534
χίλιες πενήντα	1,050
χίλιες εννιακόσιες εξήντα μία	1,961
δύο χιλιάδες δέκα	2,010
τέσσερεις χιλιάδες διακόσιες δεκατρείς	4,213

Note that εκατό adds ν if the next word begins with a vowel.

One, three and four have separate forms for the answer to the question Πόσων χρονών είσαι; These are: ενός, τριών, τεσσάρων: if you were 13, 21, 33, 54, you would reply

δεκατριών
είκοσι ενός
τριάντα τριών
πενήντα τεσσάρων.

The Greek Alphabet: pronunciation guide

Capital letter	Small letter	Name	Approximate sound	
A	α	alfa	cat	
B	β	vita	voice	
Γ	γ	gama	1 sugar	(soft 'g')
			2 yes	(before 'e' and 'i')
Δ	δ	thelta	this	
E	ε	epsilon	ten	
Z	ζ	zita	zoo	
H	η	ita	feet	(clipped short)
Θ	θ	thita	thick	
I	ι	yota	feet	(clipped short)
K	κ	kapa	king	
Λ	λ	lamtha	long	
M	μ	mi	man	
N	ν	ni	not	
Ξ	ξ	ksi	box	
O	ο	omikron	taut	(clipped short)
Π	π	pi	pit	
P	ϱ	ro	red	
Σ	σ, ς*	sigma	1 sit	
			2 zoo†	
T	τ	taf	top	
Y	υ	ipsilon	feet	(clipped short)
Φ	φ	fi	fat	
X	χ	khi	1 loch	
			2 hue	(before 'e' and 'i')
Ψ	ψ	psi	lapse	
Ω	ω	omega	taut	(clipped short)

*Used at end of words only

† pronounced 'z' if the following letter is one of β, γ, δ, ζ, μ, ν, ϱ:
e.g. Λέσβος (Lézvos) κόσμος (kozmos)

Combinations of letters	Approximate sound	
αι	ten	
ει	feet	(clipped short)
οι	feet	(clipped short)
αυ	after	
	have	
ευ	left	
	ever	
ου	moon	
γγ	England	
γκ	go	
	England	
γχ	inherent	

μπ	slumber
	bat
ντ	bending
	dog
τζ	adze

αυ and ευ are pronounced av, ev, unless the following letter is one of: θ, κ, ξ, π, σ, τ, φ, χ, ψ, in which case they are pronounced af, ef:

e.g. αυγά (avgá): αυτός (aftós): δουλεύει (thoolévi): ευχαριστώ (efharistó).

μπ, ντ, γκ are *normally* pronounced 'b', 'd', 'g' at the beginning of a word, and 'mb', 'nd', 'ng' in the middle of a word:

μπράβο	(brávo)	κομπολόϊ	(kombolói)
ντισκοτέκ	(diskoték)	εντάξει	(endáksi)
γκαρσόν	(garsón)	μάγκας	(mángas)

(but there are a few exceptions to this rule: *cp.* αντίο (adío)).

Some sounds can be written in more than one way:

αι and ε have exactly the same
sound (ten)   *cp.* χαίρετε, επιτρέπεται
ο and ω are both 'o' as in taut
(clipped short)   παγωτό
η, ι, υ, ει, οι all represent the same
sound (feet)   φοιτητής, εισιτήριο, μπύρα

Glossary

The glossary is designed to be a pronunciation guide, as well as giving English meanings. After each Greek word there is a transliteration, followed by the meaning of the word as it occurs in this course. In the case of nouns, the plural (*pl.*) is also given. In the case of verbs, the first person of the present tense is given, and also the first person of the simple past (*s.p.*). With irregular verbs the future (*fut.*) is given, as well as the past. In the case of adjectives (*adj.*) the feminine and neuter endings are indicated after the masculine form. Adverbs are indicated thus: *adv*. The other abbreviation used is *lit.* (literally).

А	В	Γ	Δ	Ε	Ζ	Η	Θ	Ι	Κ	Λ	Μ	Ν	Ξ	Ο	Π	Ρ	Σ	Τ	Υ	Φ	Χ	Ψ	Ω
α	β	γ	δ	ε	ζ	η	θ	ι	κ	λ	μ	ν	ξ	ο	π	ρ	σ	τ	υ	φ	χ	ψ	ω

Α α

αγαπάω, *agapáo*: love, like (*s.p.* αγάπησα) (σ' αγαπώ: I love you).

η αγάπη, *agápi*: love (*pl.* οι αγάπες) (αγάπη μου: term of endearment)

η Αγγλία, *Anglía*: England

η Αγγλίδα, *Anglítha*: English woman (*pl.* οι Αγγλίδες)

τα Αγγλικά, *Angliká*: English (language)

ο Άγγλος, *Anglos*: English (man) (*pl.* οι Άγγλοι)

το αγγούρι, *angoóri*: cucumber (*pl.* τα αγγούρια)

αγοράζω, *agorázo*: buy (*s.p.* αγόρασα)

το αγόρι, *agóri*: boy (*pl.* τα αγόρια)

η άδεια, *áthia*: leave (holiday)

αδειάζω, *athyázo*: empty (*s.p.* άδειασα)

η αδελφή, *athelfí*: sister (*pl.* οι αδελφές)

ο αδελφός, *athelfós*: brother (*pl.* οι αδελφοί)

τα αδέρφια, *athérfia*: brothers and sisters

το αεροδρόμιο, *aërothrómio*: airport (*pl.* τα αεροδρόμια)

το αεροπλάνο, *aëropláno*: plane (*pl.* τα αεροπλάνα)

η Αθήνα, *Athína*: Athens

ακόμα, *akóma*: still, yet

ακούω, *akoúo*: hear, listen to (*s.p.* άκουσα)

ακριβός -ή -ό, *akrivós*: expensive (*adj.*)

ακριβώς, *akrivós*: exactly, precisely (*adv.*)

η αλήθεια, *alíthya*: truth (αλήθεια; – really?)

αλλά, *allá*: but

άλλος -η -ο, *állos*: other, another

η Αμερικανίδα, *Amerikanítha*: American (woman) (*pl.* οι Αμερικανίδες)

τα Αμερικάνικα, *Amerikánika*: American (language)

ο Αμερικάνος, *Amerikános*: American (man) (*pl.* οι Αμερικάνοι)

η Αμερική, *Amerikí*: America

αμέσως, *amésos*: just a minute (*lit.* 'directly')

αν, *an*: if

ανατολικός -ή -ό, *anatolikós*: east (*adj.*)

ο άνθρωπος, *ánthropos*: human being (*pl.* οι άνθρωποι)

ανοίγω, *anígo*: open (*s.p.* άνοιξα)

η άνοιξη, *ániksi*: spring (season)

ανοιχτός -ή -ό, *anihtós*: (i) open, (ii) light (of colour)

αντέχω, *andého*: hold out, bear (*s.p.* άντεξα) (δεν αντέχω – I can't hold out)

αντίο, *adío*: goodbye

ο άντρας, *ándras*: husband, man (*pl.* οι άντρες)

απαγορεύεται, *apagorévete*: it is forbidden

απαίσιος -α -ο, *apésios*: awful

απέναντι *apénandi*: opposite

η απεργία, *aperyía*: strike (*pl.* οι απεργίες)

απλός -ή -ό, *aplós*: simple, ordinary (of petrol – 2 star)

απλώς, *aplós*: simply, just (*adv.*)

από, *apó*: from

το απόγευμα, *apóyevma*: late afternoon – early evening (*pl.* τα απογεύματα)

η απόδειξη, *apóthiksi*: receipt (*pl.* οι αποδείξεις)

αποκλείεται, *apoklíete*: it's out of the question

απόψε, *apópse*: this evening

ο Απρίλιος, *Aprílios*: April

αργά, *argá*: (i) slowly, (ii) late (είναι αργά: it's late)

άργησα, *áryisa*: I'm late

αργότερα, *argótera*: later

αρέσει, *arési*: μ' αρέσει . . . I like . . . (*s.p.* άρεσε)

αρετσίνωτος, *aretsínotos*: without resin (wine)

αριστερά, *aristerá*: left (direction)

άρρωστος -η -ο, *árrostos*: ill, sick

τα αρχαία, *arhéa*: ancient ruins

η αρχαιολογία, *arheoloyía*: archaeology

αρχαιολογικός -ή -ό, *arheoloyikós*: archaeological

αρχίζω, *arhízo*: begin (*s.p.* άρχισα)

ο αρχιτέκτονας, *arhitéktonas*: architect

η αρχιτεκτονική, *arhitektonikí*: architecture

ας, *ass*: let go, let's . . . (ας τα λέμε καλά: can't complain)

η ασπιρίνη, *aspiríni*: aspirin (*pl.* οι ασπιρίνες)

άσπρος -η -ο, *áspros*: white

η αστυνομία, *astinomía*: police

η ατμόσφαιρα, *atmósfera*: atmosphere

το αυγό, *avgó*: egg (*pl.* τα αυγά)

ο Αύγουστος, *Avgoostos*: August

η αυλή, *avlí*: courtyard (*pl.* οι αυλές)

αύριο, *ávrio*: tomorrow

το αυτοκίνητο, *aftokínito*: motor car (*pl.* τα αυτοκίνητα)

αυτός -ή -ό, *aftós*: this, that, he, she, it (See Grammar page 265.)

αφήνω, *afíno*: leave (something behind), let, let go (*s.p.* άφησα)

αφού, *afoó*: since, because

B β

το βαπόρι, *vapóri*: boat, ship (*pl.* τα βαπόρια)

βαρετός -ή -ό, *varetós*: boring

βαριέμαι, *varyéme*: I'm bored, fed up

η βάρκα, *várka*: small boat (*pl.* οι βάρκες)

βγάζω, *vgázo*: I take out, off (*s.p.* έβγαλα) (βγάζω εισιτήρια: issue, buy tickets)

βγαίνω, *vyéno*: I go out (*s.p.* βγήκα, *fut.* θα βγω)

βέβαια, *vévea*: of course

βεβαίως, *vevéos*: of course

η βενζίνη, *venzíni*: petrol

το βιβλίο, *vivlío*: book (*pl.* τα βιβλία)

το βιβλιοπωλείο, *vivliopolío*: book-shop (*pl.* τα βιβλιοπωλεία)

το βιολί, *violí*: violin (*pl.* τα βιολιά)

βλέπω, *vlépo*: see (*s.p.* είδα, *fut.* θα δω)

η βόλτα, *vólta*: stroll (*pl.* οι βόλτες) (κάνω βόλτα: take a stroll)

το βουνό, *voonó*: mountain (*pl.* τα βουνά)

το βράδι, *vráthi*: evening (*pl.* τα βράδια)

βραδυνός -ή -ό, *vrathinós*: evening (*adj.*)

βρέχει, *vréhi*: it rains, is raining (*s.p.* έβρεξε)

βρήκα, *vríka*: see βρίσκω

βρίσκω, *vrísko*: find (*s.p.* βρήκα, *fut.* θα βρω)

βρούμε, *vroóme*: see βρίσκω (πού θα βρούμε; where will we find?)

Γ γ

το γάλα, *gála*: milk (*pl.* τα γάλατα)

γαλάζιος -α -ο, *galázios*: blue

το γαλακτοπωλείο, *galaktopolío*: dairy shop (*pl.* τα γαλακτοπωλεία)

η Γαλλία, *Gallía*: France

η Γαλλίδα, *Gallítha*: French (woman) (*pl.* οι Γαλλίδες)

τα Γαλλικά, *Galliká*: French (lang.)

ο Γάλλος, *Gállos*: French (man) (*pl.* οι Γάλλοι)

γειά σας, *yásas*: hello *or* goodbye (plural or formal)

γειά σου, *yásoo*: hello *or* goodbye (singular, informal)

γελάω, *yeláo*: laugh (*s.p.* γέλασα)

γεμάτος -η -ο, *yemátos*: full

γεμίστε, *yemíste*: fill it up (from γεμίζω)

γεμιστός -ή -ό, *yemistós*: stuffed, full (ντομάτες γεμιστές: stuffed tomatoes)

γενικά, *yeniká*: generally, in general

γεράσαμε, *yerásame*: see γερνάω

η Γερμανία, *Yermanía*: Germany

η Γερμανίδα, *Yermanítha*: German (woman) (*pl.* Γερμανίδες)

τα Γερμανικά, *Yermaniká*: German (language)

ο Γερμανός, *Yermanós*: German (man) (*pl.* οι Γερμανοί)

γερνάω, *yernáo*: grow old (*s.p.* γέρασα)

για, *ya*: for, to

η γιαγιά, *yayá*: grandmother (*pl.* οι γιαγιάδες)

το γιαούρτι, *yaoórti*: yoghurt (*pl.* τα γιαούρτια)

γιατί, *yatí*: (i) why, (ii) because

ο γιατρός, *yatrós*: doctor (*pl.* οι γιατροί)

γιορτάζω, *yortázo*: celebrate (name day, festival) (*s.p.* γιόρτασα)

ο γιος, *yos*: son (*pl.* οι γιοι)

η γκαζόζα, *gazóza*: fizzy drink (*pl.* οι γκαζόζες)

η γκαλερί, *galerí*: (art) gallery (*pl.* οι γκαλερί)

το γκαράζ, *garáz*: garage (*pl.* τα γκαράζ)

το γκαρσόν, *garsón*: waiter (*pl.* τα γκαρσόν)

γλεντάω, *glendáo*: have a good time (*s.p.* γλέντησα)

γλυκός -ιά -ό, *glikós*: sweet

η γνώμη, *gnómi*: opinion (*pl.* οι γνώμες)

οι γονείς, *gonís*: parents

η γραβάτα, *graváta*: tie (*pl.* οι γραβάτες)

το γραμματόσημο, *grammatósimo*: postage stamp (*pl.* γραμματόσημα)

η γραμμή, *grammí*: line (*pl.* οι γραμμές)

το γραφείο, *grafío*: office (*pl.* τα γραφεία)

το γυμνάσιο, *yimnásio*: high school (*pl.* τα γυμνάσια)

η γυναίκα, *yinéka*: wife, woman (*pl.* οι γυναίκες)

γυρίζω, *yirízo*: return (*s.p.* γύρισα)

γύρω, *yíro*: about

η γωνία, *gonía*: corner (*pl.* οι γωνίες)

Δ δ

η δασκάλα, *thaskála*: teacher (woman) (*pl.* οι δασκάλες)

ο δάσκαλος, *tháskalos*: teacher (man) (*pl.* οι δάσκαλοι)

ο Δεκέμβριος, *Thekémvrios*: December

δεν, *then*: not

το δέντρο, *théndro*: tree (*pl.* τα δέντρα)

δεξιά, *theksyá*: right (direction)

η δεσποινίς, *thespinís*: Miss

η Δευτέρα, *Theftéra*: Monday

δεύτερος -η -ο, *théfteros*: second

δηλαδή, *thilathí*: in other words, that's to say

δημοτικός -ή -ό, *thimotikós*: public (το δημοτικό: primary school, τα δημοτικά τραγούδια: folk songs)

διαβάζω, *thiavázo*: read (*s.p.* διάβασα)

το διάβασμα, *thiávazma*: reading (*pl.* τα διαβάσματα)

το διαβατήριο, *thiavatírio*: passport (*pl.* τα διαβατήρια)

η δίαιτα, *thíeta*: diet (*pl.* οι δίαιτες)

το διαμέρισμα, *thiamérizma*: apartment (*pl.* τα διαμερίσματα)

ο δικηγόρος, *thikigóros*: lawyer (*pl.* οι δικηγόροι)

το δίκλινο, *thíklino*: double room (*pl.* τα δίκλινα)

δικός -ή -ό, *thikós* – δικός μου: mine, my own (δικό σας: your own (local wine))

δίνετε, *thínete* — μου δίνετε; would you give me?

δίνω, *thíno*: give (*s.p.* έδωσα)

δίπλα, *thípla*: next to

διπλός -ή -ό, *thiplós*: double

το δίπλωμα, *thíploma*: (driving) licence (*pl.* τα διπλώματα)

ο δίσκος, *thískos*: record, tray (*pl.* οι δίσκοι)

διψάω, *thipsáo*: am thirsty (*s.p.* δίψασα)

δοκιμάζω, *thokimázo*: try, test (*s.p.* δοκίμασα)

η δουλειά, *thoolyá*: work (*pl.* οι δουλειές)

δουλεύω, *thoolévo*: work (*s.p.* δούλεψα)

η δραχμή, *thrahmí*: drachma (*pl.* οι δραχμές)

ο δρόμος, *thrómos*: street, road (*pl.* οι δρόμοι)

δύσκολος -η -ο, *thískolos*: difficult

δυστυχώς, thistihós: unfortunately
δυτικός -ή -ό, thitikós: west (adj.)
δω, tho: see βλέπω
'δω=εδώ
το δωμάτιο, thomátio: room (pl. τα δωμάτια)
το δώρο, thóro: gift (pl. τα δώρα)
δώστε, thóste: see δίνω

Ε ε

έβγαζα, évgaza: see βγάζω
η εβδομάδα, evthomátha: week (pl. οι εβδομάδες)
εγώ, egó: I
εδώ, ethó: here
είδα, ítha: see βλέπω
είμαι, íme: I am (past ήμουνα)
είναι, íne: he, she, it is, (they) are
είπα, ípa: see λέω
το εισιτήριο, isitírio: ticket (pl. τα εισιτήρια)
η είσοδος, ísothos: entrance (pl. οι είσοδοι)
είχα, íha: see έχω
η εκδρομή, ekthromí: excursion (pl. οι εκδρομές)
εκεί, ekí: there
η έκθεση, ékthesi: exhibition (pl. εκθέσεις)
η εκκλησία, ekklisía: church (pl. οι εκκλησίες)
έλα, éla: come! come on! (singular, informal)
ελάτε, eláte: come! come on! (plural or formal) (ελάτε να δείτε: come and look)
ελεύθερος -η -ο, eléftheros: free (also: unmarried)
η ελιά, elyá: olive (pl. οι ελιές)
η Ελλάδα, Ellátha: Greece
η Ελλάς, Ellás: Greece (katharevousa form)
ο Έλληνας, Éllinas: Greek (man) (pl. οι Έλληνες)
η Ελληνίδα, Ellinítha: Greek (woman) (pl. οι Ελληνίδες)
τα Ελληνικά, Elliniká: Greek (language)
η ελπίδα, elpítha: hope (pl. οι ελπίδες)
εμπρός, embrós: lit. forward! – used when answering phone, or knock on door
εντάξει, endáksi: OK, alright
ενώ, enó: while, whereas
οι εξετάσεις, eksetásis: examinations
η έξοδος, éksothos: exit (pl. οι έξοδοι)

έξυπνος -η -ο, éksipnos: clever, intelligent
έξω, ékso: outside
έπαιξε, épekse: see παίζω
ο επιβάτης, epivátis: passenger (pl. οι επιβάτες)
επικίνδυνος -η -ο, epikínthinos: dangerous
επιτέλους, epitéloos: at last!
επιτρέπεται, epitrépete: it is allowed, permitted
η επιτυχία, epitihía: success (καλή επιτυχία: good luck)
το έργο, érgo: work (also film or play) (pl. τα έργα)
το εργοστάσιο, ergostásio: factory (pl. τα εργοστάσια)
έρχεται, érhete: see έρχομαι
έρχομαι, érhome: come (s.p. ήρθα, fut. θάρθω) (Grammar P.273)
εσείς, esís: you (plural or formal)
το εστιατόριο, estiatório: restaurant (pl. τα εστιατόρια)
έτσι, étsi: so, such, like this (έτσι είναι η ζωή: such is life, έτσι κι έτσι: so-so, έτσι δεν είναι; isn't that so? (cp. Fr. n'est-ce pas?))
εσύ, esí: you (singular, informal)
ευθεία, efthía: straight on
ευτυχισμένος -η -ο, eftihisménos: happy
ευχαριστούμε, efharistoóme: (we) thank you
ευχαριστώ, efharistó: (I) thank you
ευχαρίστως, efharístos: with pleasure
έφαγα, éfaga: see τρώω
έφερες, éferes: see φέρνω
η εφημερίδα, efimerítha: newspaper (pl. οι εφημερίδες)
έφτασα, éftasa: just a minute (lit. I've arrived) see φτάνω
έχασα, éhasa: see χάνω
έχω, ého: I have (past είχα) (See Grammar page 271.)

Ζ ζ

η ζακέτα, zakéta: jacket (pl. οι ζακέτες)
ζαλίζομαι, zalízome: get dizzy, sea sick (s.p. ζαλίστηκα)
η ζάχαρη, záhari: sugar
το ζαχαροπλαστείο, zaharoplastío: café, patisserie (pl. τα ζαχαροπλαστεία)
η ζέστη, zésti: heat (pl. οι ζέστες)

(κάνει ζέστη: it's hot)
ζηλεύω, zilévo: envy (s.p. ζήλεψα)
ζήσουν, zísoon: see ζω (να σας ζήσουν! may they live.)
ζητάω, zitáo: look, ask for (s.p. ζήτησα)
ζω, zo: live, be alive (s.p. έζησα)
η ζωή, zoí: life (pl. οι ζωές)

Η η

ή, i: or
ήθελα, íthela: θα ήθελα: I'd like: see θέλω
ο ηλεκτρικός, ilektrikós: the (electric) underground
το ηλιοβασίλεμα, iliovasílema: sunset (pl. τα ηλιοβασιλέματα)
ο ήλιος, ílios: sun (pl. οι ήλιοι)
ήμουνα, ímoona: see είμαι
ήπια, ípya: see πίνω
η ησυχία, isihía: peace, quiet

Θ θ

το θαύμα, thávma: wonder, miracle (θαύμα! wonderful! marvellous!)
θαυμάσιος -α -ο, thavmásios: wonderful (adj.)
η θέα, théa: view (pl. οι θέες)
το θέατρο, théatro: theatre (pl. τα θέατρα)
ο θείος, thíos: uncle (pl. οι θείοι)
θέλω, thélo: want (s.p. θέλησα, imperf. ήθελα) (ότι θέλετε: whatever you want)
η θέση, thési: (i) class (on boat), (ii) seat (in theatre) (pl. οι θέσεις)
η Θεσσαλονίκη, Thessaloníki: Thessaloniki
θυμάσαι; thimáse: do you remember?

Ι ι

ο Ιανουάριος, Yanwários: January
η ιδέα, ithéa: idea (pl. οι ιδέες)
ιδιαίτερα, ithiétera: especially
ο Ιούλιος, Yoólios: July
ο Ιούνιος, Yoónios: June
ίσια, ísya: straight on
η Ισπανία, Ispanía: Spain
η Ισπανίδα, Ispanítha: Spanish (woman) (pl. οι Ισπανίδες)
τα Ισπανικά, Ispaniká: Spanish (language)
ο Ισπανός, Ispanós: Spanish (man) (pl. οι Ισπανοί)
ίσως, ísos: perhaps (in statements)

η Ιταλία, *Italía*: Italy
η Ιταλίδα, *Italítha*: Italian (woman) (*pl.* οι Ιταλίδες)
τα Ιταλικά, *Italiká*: Italian (language)
ο Ιταλός, *Italós*: Italian (man) (*pl.* οι Ιταλοί)

Κ κ

καθαρίζω, *katharízo*: clean (s.p. καθάρισα)
το καθαριστήριο, *katharistírio*: cleaner's (*pl.* τα καθαριστήρια)
κάθε, *káthe*: every (κάθε πότε; how often? κάθε μέρα: every day)
ο καθηγητής, *kathiyitís*: teacher, professor (*pl.* οι καθηγητές)
καλά, *kalá*: well, fine (*adv.*)
καλημέρα, *kaliméra*: good morning, good day
καληνύχτα, *kaliníhta*: good night
καλησπέρα, *kalispéra*: good evening
καθήστε, *kathíste*: take a seat (formal). See κάθομαι
καθήσω, *kathíso*: see κάθομαι
καθόλου, *kathóloo*: not all all (δεν μ' αρέσει καθόλου: I don't like it at all)
κάθομαι, *káthome*: sit (*s.p.* κάθησα)
η καθυστέρηση, *kathistérisi*: delay (*pl.* οι καθυστερήσεις)
και, *ké*: and (και εγώ: me too, και . . . και: both . . . and)
το καΐκι, *kaíki*: caïque, fishing boat (*pl.* τα καΐκια)
καινούριος -α -ο, *kenóoryos*: new
ο καιρός, *kerós*: (i) weather (ii) time (για πόσο καιρό; for how long?)
το καλοκαίρι, *kalokéri*: summer (*pl.* τα καλοκαίρια)
καλός -ή -ό, *kalós*: good
καλύτερα, *kalítera*: better (*adv.*)
καλύτερος -η -ο, *kalíteros*: better (*adj.*)
καμμιά, *kammyá*: καμμιά φορά: sometimes, σε καμμιά μπουάτ: to some night club
κανένα, *kanéna*: σε κανένα μαγαζί: in some shop
κάνω, *kano*: do, cost (*s.p.* έκανα) (τι κάνετε: how are you? how do you do? πόσο κάνει; how much is it? δεν κάνει: it won't do)
το καπέλλο, *kapéllo*: hat (*pl.* τα καπέλλα)
καπνίζω, *kapnízo*: smoke (δεν καπνίζω: I don't smoke)

το κάπνισμα, *kápnisma*: smoking
το καράβι, *karávi*: boat (*pl.* τα καράβια)
η κάρτα, *kárta*: card (post-card) (*pl.* οι κάρτες)
η κασέτα, *kaséta*: cassette (*pl.* οι κασέτες)
κατά, *katá*: according to (κατά τη γνώμη μου: in my opinion)
κατάλαβα, *katálava*: I've understood (δεν κατάλαβα: I didn't understand)
καταλαβαίνω, *katalavéno*: understand (*s.p.* κατάλαβα)
ο κατάλογος, *katálogos*: menu, list (*pl.* οι κατάλογοι)
το κατάστημα, *katástima*: shop (*pl.* τα καταστήματα)
κατεβαίνω, *katevéno*: go, come down (*s.p.* κατέβηκα, *fut.* θα κατεβώ)
κάτω, *káto*: down, below
το καφεδάκι, *kafetháki*: coffee (*pl.* τα καφεδάκια)
το καφενείο, *kafenío*: café (*pl.* τα καφενεία)
ο καφές, *kafés*: coffee (*pl.* οι καφέδες)
'κει=εκεί
το κέντρο, *kéndro*: centre, place of entertainment (*pl.* τα κέντρα)
το κεράσι, *kerási*: cherry (*pl.* τα κεράσια)
το κέφι, *kéfi*: high spirits
οι κεφτέδες, *keftéthes*: meat balls
κι=και
το κιλό, *kiló*: kilo (*pl.* τα κιλά)
η κίνηση, *kínisi*: traffic, movement (*pl.* οι κινήσεις)
κίτρινος -η -ο, *kítrinos*: yellow
κλασσικός -ή -ό, *klassikós*: classical
κλείνω, *klíno*: close (*s.p.* έκλεισα)
κλείσει: see κλείνω (έχω κλείσει: I've booked)
κλειστός -ή -ό, *klistós*: closed
το κλίμα, *klíma*: climate (*pl.* τα κλίματα)
κοίτα, *kíta*: look! (singular, informal)
κοιτάζω, *kitázo*: look (*s.p.* κοίταξα)
κοιτάξτε, *kitákste*: look! (plural or formal)
κόκκινος -η -ο, *kókkinos*: red
κολυμπάω, *kolimbáo*: swim (*s.p.* κολύμπησα)
το κομπολόϊ, *komboló¨i*: 'worry beads' (*pl.* τα κομπολόϊα)

κοντά, *kondá*: near
κοντός -ή -ό, *kondós*: short
η κόρη, *kóri*: daughter (*pl.* οι κόρες)
το κοριτσάκι, *koritsáki*: little girl (*pl.* τα κοριτσάκια)
το κορίτσι, *korítsi*: girl (*pl.* τα κορίτσια)
κοστίζω, *kostízo*: cost (*s.p.* κόστισα)
ο κόσμος, *kózmos*: world, people (*pl.* οι κόσμοι) (έχει πολύ κόσμο: there's a lot of people)
το κοτόπουλο, *kotópoolo*: chicken (*pl.* τα κοτόπουλα)
η κούκλα, *kóokla*: doll (*pl.* οι κούκλες) (κούκλα είναι: she's very pretty)
το κουλουράκι, *koolooráki*: cookie (*pl.* τα κουλουράκια)
κουρασμένος -η -ο, *koorazménos*: tired
κουραστικός -ή -ό, *koorastikós*: tiring
το κουτί, *kootí*: box (*pl.* τα κουτιά)
το κρασί, *krasí*: wine (*pl.* τα κρασιά)
η κρεατόπιττα, *kreatópitta*: meat pie (*pl.* οι κρεατόπιττες)
το κρεββάτι, *krevváti*: bed (*pl.* τα κρεββάτια)
το κρεμμύδι, *kremmíthi*: onion (*pl.* τα κρεμμύδια)
η Κρήτη, *Kríti*: Crete
κρίμα, *kríma*: τι κρίμα: what a pity/shame
κρύος -α -ο, *kríos*: cold (κάνει κρύο: it's cold)
η κυρία, *kiría*: Mrs, lady (*pl.* οι κυρίες)
η Κυριακή, *Kiriakí*: Sunday
κύριε, *kírie*: Mr (when addressing someone)
ο κύριος, *kírios*: Mr, gentleman (*pl.* οι κύριοι)
κυρίως, *kiríos*: mainly
η κωμωδία, *komothía*: comedy (*pl.* οι κωμωδίες)

Λ λ

το λάδι, *láthi*: oil (*pl.* τα λάδια)
η λεμονάδα, *lemonátha*: lemonade (*pl.* οι λεμονάδες)
η λαϊκή, *laikí*: street-market
λαϊκός -ή -ό, *laikós*: popular (τα λαϊκά τραγούδια: popular songs)
το λάστιχο, *lástiho*: tyre (*pl.* τα λάστιχα)
το λεμόνι, *lemóni*: lemon (*pl.* τα

λεμόνια)

λένε, léne: see λέω

η λέξη, léksi: word (pl. οι λέξεις)

τα λεφτά, leftá: money

το λεπτό, leptó: minute (also 1/100 drachma) (pl. τα λεπτά (also λεφτά))

λεπτός -ή -ό, leptós: slim

λέω, léo: say (s.p. είπα, fut. θα πω) (πώς σε λένε; what's your name? να σου πω: let me tell you)

το λεωφορείο, leoforío: bus (pl. τα λεωφορεία)

λίγα, líga: a little (μιλάω λίγα . . .: I speak a little . . .)

λίγο, lígo: a little (adv.)

λίγος -η -ο, lígos: a little (pl. =a few)

λιγότερος -η -ο, ligóteros: less

το λιμάνι, limáni: harbour, port (pl. τα λιμάνια)

το λιμεναρχείο, limenarhío: port authority (pl. τα λιμεναρχεία)

η λίρα, líra: pound (money) (pl. οι λίρες)

ο λογαριασμός, logaryazmós: bill (pl. οι λογαριασμοί)

λοιπόν, lipón: now, well, now then, in that case

το λουλούδι, looloóthi: flower (pl. τα λουλούδια)

λυπάμαι, lipáme: I'm sorry

M μ

μα, ma: but

το μαγαζί, maġazí: shop (pl. τα μαγαζιά)

ο μάγειρας, máyiras: cook (pl. οι μάγειρες)

μαγειρεύω, mayirévo: cook (s.p. μαγείρεψα)

μαζί, mazí: together (μαζί με: together with)

το μάθημα, máthima: lesson (pl. τα μαθήματα) (πάθημα μάθημα: live and learn)

τα μαθηματικά, mathimatiká: mathematics

ο Μάιος, Máios: May

τα μακαρόνια, makarónya: spaghetti, macaroni

μακριά, makriá: far

μάλιστα, málista: yes, certainly

τα μαλλιά, malliá: hair

η μαμά, mamá: mum (pl. οι μαμάδες)

ο μανάβης, manávis: greengrocer (pl. οι μανάβηδες)

το μαντήλι, mandíli: scarf, handkerchief (pl. τα μαντήλια)

ο Μάρτιος, Mártios: March

το μάτι, máti: eye (pl. τα μάτια)

το ματς, mats: match (football, etc.) (pl. τα ματς)

μαύρος -η -ο, mávros: black (μαύρο κρασί: red wine)

με, mé: with (Grammar P.266.)

μεγάλος -η -ο, megálos: large, big (with people, refers to age)

ο μεζές, mezés: hors d'oeuvres (pl. οι μεζέδες)

μεθαύριο, methávrio: the day after tomorrow

μένω, méno: stay, live (s.p. έμεινα)

η μέρα, méra: day (pl. οι μέρες)

μερικοί -ες -α, merikí: some (μερικές λέξεις: a few words)

μέσα, mésa: inside

τα μεσάνυχτα, mesánihta: midnight

το μεσημέρι, mesiméri: afternoon

μετά, metá: after, afterwards

ο μετανάστης, metanástis: migrant

ο μετρητής, metritís: meter (pl. οι μετρητές)

μέτριος -α -ο, métrios: medium (e.g. coffee)

το μέτρο, métro: metre (pl. τα μέτρα)

ο μήνας, mínas: month (pl. οι μήνες)

το μήνυμα, mínima: message (pl. τα μηνύματα)

μέχρι, méhri: until, up to

το μήλο, mílo: apple (pl. τα μήλα)

μήπως, mípos: perhaps (introducing a question)

η μητέρα, mitéra: mother (pl. οι μητέρες)

το μηχανάκι, mihanáki: motor-bike (pl. τα μηχανάκια)

η μηχανή, mihaní: camera (also machine, engine generally) (pl. οι μηχανές)

μία, mía (sometimes myá): a, an, one

μικρός, -ή -ό, mikrós: small (with people refers to age)

μιλάω, miláo: speak (s.p. μίλησε)

μισόκιλο, misókilo: half a kilo

μισός -ή -ό, misós: half

μόνο, móno: only, alone (adv.)

το μονόκλινο, monóklino: single room (pl. τα μονόκλινα)

μόνος -η -ο, mónos: alone, only (μόνος μου: on my own)

το μουσείο, moosío: museum (pl. τα μουσεία)

η μουσική, moosikí: music (pl. οι μουσικές)

μπαίνω, béno: go, come into (s.p. μπήκα, fut. θα μπω)

ο μπακλαβάς, baklavás: sweet, with nuts and honey (pl. οι μπακλαβάδες)

η μπάλα, bála: ball (pl. οι μπάλες)

ο μπαμπάς, babás: dad (pl. οι μπαμπάδες)

το μπάνιο, bánio: bath, swim (pl. τα μπάνια) (κάνω μπάνιο: go swimming)

το μπαρ, bar: bar (pl. τα μπαρ)

η μπαταρία, bataría: battery (pl. οι μπαταρίες)

το μπισκότο, biskóto: biscuit (pl. τα μπισκότα)

μπλε, ble: blue

η μπλούζα, blóoza: blouse (pl. οι μπλούζες)

μπορώ, boró: can, be able (s.p. μπόρεσα, imperf. μπορούσα)

η μπότα, bóta: boot (pl. οι μπότες)

το μπουκάλι, bookáli: bottle (pl. τα μπουκάλια)

το μπριάμ, briám: a dish of courgettes and potatoes

μπροστά, brostá: in front (forwards)

η μπύρα, bíra: beer (pl. οι μπύρες)

το μυθιστόρημα, mithistórima: novel (pl. τα μυθιστορήματα)

το μωρό, moró: baby (pl. τα μωρά)

N ν

να, na: used after θέλω, μπορώ, μ' αρέσει, etc., e.g. θέλω να πάω στο θέατρο: I want to go to the theatre.

νά, na: there's (νά η αδελφή μου: there's my sister, νάτος: there he is, νάτη: there she is, νάτο: there it is)

ναι, ne: yes

ο ναός, naós: temple (pl. οι ναοί)

ο ναυτικός, naftikós: sailor (pl. οι ναυτικοί)

νεαρός -η -ο, nearós: young

το νερό, neró: water (pl. τα νερά)

η νίκη, níki: victory (pl. οι νίκες)

ο Νοέμβριος, Noémvrios: November

το νοίκι, níki: rent (of house, etc.) (pl. τα νοίκια)

νοικιάζω, nikyázo: rent, hire (s.p. νοίκιασα)

νομίζω, nomízo: think (s.p. νόμισα)

νόστιμος -η -ο, *nóstimos*: tasty

η ντομάτα, *domáta*: tomato (*pl.* οι ντομάτες)

ντόπιος -α -ο, *dópyos*: local (ντόπιο κρασί: local wine)

το ντους, *doos*: shower (*pl.* τα ντους)

η νύχτα, *níhta*: night (*pl.* οι νύχτες)

νωρίς, *norís*: early (*adv.*)

Ξ ξ

ξαναπαίρνω, *ksanapérno*: take again (phone again) (*s.p.* ξαναπήρα, *fut.* θα ξαναπάρω)

ξαναπάω, *ksanapáo*: go again (*s.p.* ξαναπήγα, *fut.* θα ξαναπάω)

ξεκουράστηκα, *ksekoorástika*: I relaxed (from ξεκουράζομαι)

η ξενιτιά, *ksenityá*: exile, foreign parts

ο ξένος, *ksénos*: foreigner, stranger (*pl.* οι ξένοι)

ξένος -η -ο, *ksénos*: foreign, strange

ξερός -ή -ό, *kserós*: dry

ξέρω, *kséro*: know (*s.p.* ήξερα)

ξέχασα, *késhasa*: see ξεχνάω

ξεχνάω, *ksehnáo*: forget (*s.p.* ξέχασα)

το ξύλο, *ksílo*: wood (*pl.* τα ξύλα) (θα φας ξύλο: you'll get a hiding)

ο ξυλουργός, *ksiloorgós*: carpenter (*pl.* οι ξυλουργοί)

Ο ο

οδηγώ, *othigó*: drive (*s.p.* οδήγησα) (like μπορώ)

η οδός, *othós*: street (*pl.* οι οδοί)

η οικογένεια, *ikoyénia*: family (*pl.* οι οικογένειες)

ο Οκτώβριος, *Októvrios*: October

όλα, *óla*: everything

όλος -η -ο, *ólos*: all

η ομίχλη, *omíhli*: mist

η Ομόνοια, *Omónia*: Omonia (Concord) Square

όμορφος -η -ο, *ómorfos*: beautiful, handsome

η ομπρέλλα, *ombrélla*: umbrella (*pl.* οι ομπρέλλες)

όμως, *ómos*: however, but

το όνομα, *ónoma*: name (*pl.* τα ονόματα)

οπωσδήποτε, *opozthípote*: definitely

τα ορεκτικά, *orektiká*: hors d'oeuvres

ορίστε, *oríste*: (i) Here you are (ii) Yes, what is it?

ο όροφος, *órofos*: floor (1st, 2nd, etc.)

(*pl.* οι όροφοι)

όταν, *ótan*: when

ο ΟΤΕ, *Oté*: Greek Telecom

το ουζερί, *oozerí*: place to drink ouzo (*pl.* τα ουζερί)

το ούζο, *oózo*: ouzo (*pl.* τα ούζα)

οφείλω, *ofílo*: owe (Τι οφείλω; What do I owe (you)?)

όχι, *óhi*: no

Π π

παγωμένος -η -ο, *pagoménos*: frozen, chilled (of drinks)

το παγωτό, *pagotó*: ice-cream (*pl.* τα παγωτά)

το παιδί, *pethí*: child (*pl.* τα παιδιά, also means 'guys'; can be used to address both sexes)

παίζω, *pézo*: play (*s.p.* έπαιξα) Τι παίζει; what's on? (cinema etc.)

παίρνω, *pérno*: take (*s.p.* πήρα, *fut.* θα πάρω) (Τι θα πάρετε; what will you have? Θα πάρετε το πρώτο . . . You take the first . . .)

το πακέτο, *pakéto*: packet (*pl.* τα πακέτα)

παλιός -ά -ό, *palyós*: old (not used of people)

πάμε, *páme*: let's go, shall we go? See πάω.

πάμφτηνος -η -ο, *pámftinos*: very cheap

πανάκριβος -η -ο, *panákrivos*: very expensive

το πανεπιστήμιο, *panepistímio*: university (*pl.* τα πανεπιστήμια)

το παντοπωλείο, *pandopolío*: grocer's, general store (*pl.* τα παντοπωλεία)

παντρεμένος -η -ο, *pandreménos*: married

πάνω, *páno*: up, above

το παπούτσι, *papoótsi*: shoe (*pl.* τα παπούτσια)

ο παππούς, *papoós*: grandfather (*pl.* οι παππούδες)

παρά, *pará*: 'to' (of time) (μία παρά δέκα: ten to one)

παρακαλώ, *parakaló*: please, don't mention it

η παραλία, *paralía*: sea-front, coast (*pl.* οι παραλίες)

πάρα πολύ, *pára polí*: very much

η Παρασκευή, *Paraskeví*: Friday

η παράσταση, *parástasi*: performance

(theatre, cinema, etc.) (*pl.* οι παραστάσεις)

η παρέα, *parea*: group of friends, company (*pl.* οι παρέες)

παρκάρω, *parkáro*: park (car) (*s.p.* παρκάρησα)

το πάρκο, *párko*: park (*pl.* τα πάρκα)

το παρκόμετρο, *parkómetro*: parking meter (*pl.* τα παρκόμετρα)

η πάστα, *pásta*: cake (*pl.* οι πάστες)

το Πάσχα, *Páskha*: Easter

ο πατέρας, *patéras*: father (*pl.* οι πατέρες)

η πατρίδα, *patrítha*: homeland, birthplace (*pl.* οι πατρίδες)

παχαίνω, *pahéno*: I get fat, put weight on (*s.p.* πάχυνα)

πάω, *páo* (also πηγαίνω): go (*s.p.* πήγα, *fut.* θα πάω) (θα πάτε ευθεία . . . you go straight on . . .)

πεινάω, *pináo*: be, get hungry (*s.p.* πείνασα)

πειράζει: δεν πειράζει, *then birázi*: it doesn't matter, never mind

η Πέμπτη, *Pémpti*: Thursday

το πεπόνι, *pepóni*: honeydew melon (*pl.* τα πεπόνια)

πέρα, *péra*: εκεί πέρα: over there

περάσουμε, *perásoome*: see περνάω

περίεργος -η -ο, *períergos*: curious

περιμένω, *periméno*: wait (*s.p.* περίμενα)

περίπου, *perípoo*: about, roughly

το περίπτερο, *períptero*: kiosk (*pl.* τα περίπτερα)

περνάω, *pernáo*: pass (*s.p.* πέρασα) (περάστε: (i) come in (ii) after you! (iii) get in (taxi), πως περάσατε; what kind of time did you have? περάσαμε καλά: we had a good time)

πέρσι, *pérsi*: last year

η πετσέτα, *petséta*: towel (*pl.* οι πετσέτες)

πήγα, *píga*: see πάω

πηγαίνω, *piyéno*: see πάω

πήρα, *píra*: see παίρνω

πικρός -ή -ό, *pikrós*: bitter

πίνω, *píno*: drink (*s.p.* ήπια, *fut.* θα πιω) (τι θα πιείτε; what will you drink?)

πιο, *pyo*: more

πιστεύω, *pistévo*: believe (*s.p.* πίστεψα)

πίσω, *píso*: behind (backwards)

η πλαζ, *plaz*: beach (*pl.* οι πλαζ)

η πλατεία, *platía*: square (*pl.* οι πλατείες)
πληρώνω, *pliróno*: pay (*s.p.* πλήρωσα)
το πλοίο, *plío*: boat (*pl.* τα πλοία)
το πόδι, *póthi*: foot, leg (*pl.* τα πόδια) με τα πόδια: on foot
το ποδόσφαιρο, *pothósfero*: football
ποιο, *pyo*: which. See ποιος
ποιος -α -ο, *pyos*: who, which
η ποιότητα, *pyótita*: quality
η πόλη, *póli*: city, town (*pl.* οι πόλεις)
πολύ, *polí*: very, much
η πολυκατοικία, *polikatikía*: apartment building (*pl.* οι πολυκατοικίες)
πολύς, πολλή, πολύ, *polís*: much, many. (See Grammar page 263.)
η πολυτέλεια, *politélya*: luxury
το πολυτεχνείο, *politehnío*: polytechnic university (*pl.* τα πολυτεχνεία)
πονάω, *ponáo*: hurt, be in pain (*s.p.* πόνεσα)
ο πονοκέφαλος, *ponokéfalos*: headache (*pl.* οι πονοκέφαλοι)
η πορτοκαλάδα, *portokalátha*: orangeade (*pl.* οι πορτοκαλάδες)
πόσος -η -ο, *pósos*: how much, many
πότε, *póte*: when (in questions)
ποτέ, *poté*: never
πού, *poo*: where
πουθενά, *poothená*: nowhere
το πουκάμισο, *pookámiso*: shirt (*pl.* τα πουκάμισα)
το πούλμαν, *poólman*: coach (bus) (*pl.* τα πούλμαν)
το πράγμα, *prágma*: thing (*pl.* τα πράγματα: luggage)
το πρακτορείο, *praktorío*: ticket agency (*pl.* τα πρακτορεία)
πράσινος -η -ο, *prásinos*: green
το πρόβλημα, *próvlima*: problem (*pl.* τα προβλήματα)
το πρόγραμμα, *prógramma*: programme, schedule (*pl.* τα προγράμματα)
ο πρόεδρος, *próethros*: president (*pl.* οι πρόεδροι)
προσπαθώ, *prospathó*: try (*s.p.* προσπάθησα) (like μπορώ)
προτιμώ (προτιμάω), *protimó*: prefer (*s.p.* προτίμησα)
προχτές, *prohtés*: the day before yesterday
το πρωί, *proí*: morning

το πρωινό, *proinó*: breakfast (*pl.* τα πρωινά)
ο πρωταγωνιστής, *protagonistís*: leading man (*pl.* οι πρωταγωνιστές)
πρώτος -η -ο, *prótos*: first
η πτήση, *ptísi*: flight (*pl.* οι πτήσεις)
πω, *po*: see λέω
πώς, *pos*: how πώς σε λένε; what's your name?

Ρ ρ

τα ρέστα, *résta*: change (from large note or coin)
η ρετσίνα, *retsína*: resinated wine
το ροδάκινο, *rothákino*: peach (*pl.* τα ροδάκινα)
ροζέ, *rosé*: rosé wine
τα ρούχα, *roóha*: clothes
το ρύζι, *rízi*: rice
η Ρωσία, *Rossía*: Russia
η Ρωσίδα, *Rossítha*: Russian (woman) (*pl.* οι Ρωσίδες)
τα Ρωσικά, *Rossiká*: Russian (language)
ο Ρώσσος, *Róssos*: Russian (man) (*pl.* οι Ρώσσοι)
ρωτάω, *rotáo*: ask (*s.p.* ρώτησα)

Σ σ

το Σάββατο, *Sávvato*: Saturday
το Σαββατοκύριακο, *Savvatokíriako*: week-end (*pl.* τα Σαββατοκύριακα)
η σαλάτα, *saláta*: salad (*pl.* οι σαλάτες)
το σάντουιτς, *sándwits*: sandwich (*pl.* τα σάντουιτς)
σας, *sas*: you (*Grammar P.265*)
σε, *se*: (i) in, at, to (ii) you (*see Grammar page 266*)
ο Σεπτέμβριος, *Septémvrios*: September
σήμερα, *símera*: today
σιγά, *sigá*: slowly (σιγά-σιγά: slowly-slowly, take it easy)
σίγουρος -η -ο, *sígooros*: sure, certain
το σινεμά, *sinemá*: cinema (*pl.* τα σινεμά)
σκέτος -η -ο, *skétos*: neat, plain (of coffee: without sugar)
σκληρός -ή -ό, *sklirós*: hard, tough
σκούρος -α -ο, *skoóros*: dark (of colours)
το σουβλάκι, *soovláki*: meat grilled on

a skewer (*pl.* τα σουβλάκια)
η σπανακόπιττα, *spanakópitta*: spinach pie (*pl.* οι σπανακόπιττες)
το σπίρτο, *spírto*: match (*pl.* τα σπίρτα)
το σπίτι, *spíti*: house (*pl.* τα σπίτια)
το σπορ, *spor*: sport (*pl.* τα σπορ)
σπουδάζω, *spootházo*: study (*s.p.* σπούδασα)
η σπουδή, *spoothí*: study (*pl.* οι σπουδές)
το στάδιο, *státhio*: stadium (*pl.* τα στάδια)
ο σταθμός, *stathmós*: station (bus, railway, etc.) (*pl.* οι σταθμοί)
στέλνω, *stélno*: send (*s.p.* έστειλα)
στενός, -ή -ό, *sténos*: narrow (το στένο: side street)
στενοχωρεμένος -η -ο, *stenohoreménos*: sad, upset
η στιγμή, *stigmí*: moment (*pl.* οι στιγμές) (μία στιγμή! just a moment!)
στρίβω, *strívo*: turn (*s.p.* έστριψα) θα στρίψετε: you turn
στρίψετε, θα στρίψετε, *tha strípsete*: you turn. See στρίβω
συγγνώμη, *signómi*: excuse me
συγχωρείτε, *sinhoríte*, με συγχωρείτε: excuse me
σύμφωνοι, *símfoni*: agreed!
συμφωνώ, *simfonó*: agree (*s.p.* συμφώνησα) (like μπορώ)
συναντηθούμε, *sinandithoóme*, θα συναντηθούμε: we'll meet, μπορούμε να συναντηθούμε: we can meet
συνέχεια, *sinéhya*: continuously, all the time
συνηθίζω, *sinithízo*: get used to (*s.p.* συνήθισα) (το συνηθίζεις: you get used to it)
συνήθως, *siníthos*: usually
η συννεφιά, *sinnefyá*: cloudy weather
το Σύνταγμα, *Síndagma*: Sindagma (Constitution) Square
συστήνω, *sistíno*: introduce (*s.p.* σύστησα) (να σας συστήσω: let me introduce)
το σχέδιο, *skhéthio*: design, pattern (*pl.* τα σχέδια)
το σχολείο, *skholío*: school (*pl.* τα σχολεία)

Τ τ

η ταβέρνα, *tavérna*: taverna (*pl.* οι

ταβέρνες)
το ταξί, *taksí*: taxi (*pl.* τα ταξί)
το ταξίδι, *taksíthi*: journey (*pl.* τα ταξίδια)
ο ταξιτζής, *taxidzís*: taxi driver (*pl.* οι ταξιτζήδες)
η ταυτότητα, *taftótita*: identity card (*pl.* οι ταυτότητες)
το ταχυδρομείο, *tahithromío*: post office (*pl.* τα ταχυδρομεία)
τελευταία, *teleftéa*: recently (also: τώρα τελευταία)
τελευταίος -α -ο, *teleftéos*: last, most recent
η Τετάρτη, *Tetárti*: Wednesday
το τέταρτο, *tétarto*: quarter (kilo, hour, etc.)
τέτοιος -α -ο, *tétyos*: such, like this (τέτοια μέρα: a day like this)
το τηλεγράφημα, *tilegráfima*: telegram (*pl.* τα τηλεγραφήματα)
η τηλεόραση, *tileórasi*: television (*pl.* οι τηλεοράσεις)
τηλεφωνηθούμε, *tilefonithoóme*, θα τηλεφωνηθούμε: we'll telephone each other
το τηλέφωνο, *tiléfono*: telephone (*pl.* τα τηλέφωνα)
τηλεφωνώ, *tilefonó*: phone (*s.p.* τηλεφώνησα)
τι, *ti*: what
η τιμή, *timí*: price (*pl.* οι τιμές)
τίποτα, *típota*: nothing, don't mention it
τίποτ' άλλο; *típot' allo*: anything else?
η τουαλέττα, *twalétta*: toilet (*pl.* οι τουαλέττες)
τουλάχιστον, *tooláhiston*: at least
τουριστικός -ή -ό, *tooristikos*: tourist (*adj.*, e.g. class on boat)
τραγουθάω, *tragoothão*: sing (*s.p.* τραγούδησα)
το τραγούδι, *tragoóthi*: song (*pl.* τα τραγούδια)
η τραγωδία, *tragothía*: tragedy (*pl.* οι τραγωδίες)
το τραίνο, *tréno*: train (*pl.* τα τραίνα)
η τράπεζα, *trápeza*: bank (*pl.* οι τράπεζες)
το τρίκλινο, *tríklino*: room with three beds (*pl.* τα τρίκλινα)
η Τρίτη, *Tríti*: Tuesday
τρίτος -η -ο, *trítos*: third
τρώω, *tróö*: eat (*s.p.* έφαγα, *fut.* θα φάω)

το τσάϊ, *tsái*: tea (*pl.* τα τσάϊα)
η τσάντα, *tsánda*: handbag (*pl.* οι τσάντες)
το τυρί, *tirí*: cheese (*pl.* τα τυριά)
η τυρόπιττα, *tirópitta*: cheese pie (*pl.* οι τυρόπιττες)
τώρα, *tóra*: now

Υ υ
η υγεία, *iyía*: health στην υγειά σου/σας: cheers!
υπάρχει, *ipárhi*: is there? (there is)

Φ φ
το φαγητό, *fayitó*: food (*pl.* τα φαγητά)
ο φάκελλος, *fákellos*: envelope (*pl.* οι φάκελλοι)
το φαρμακείο, *farmakío*: chemist's (*pl.* τα φαρμακεία)
φάω, *fáo*: see τρώω
ο Φεβρουάριος, *Fevrooários*: February
φέρνω, *férno*: bring, carry (*s.p.* έφερα)
η φέτα, *féta*: goat's milk cheese
φέτος, *fétos*: this year
φεύγω, *févgo*: leave, depart (*s.p.* έφυγα)
φημισμένος -η -ο, *fimisménos*: famous
το φθινόπωρο, *fthínoporo*: Autumn
η φιλοξενία, *filoksenía*: hospitality
ο φίλος, *fílos*: friend (*pl.* οι φίλοι)
ο φοιτητής, *fititís*: student (boy) (*pl.* οι φοιτητές)
η φοιτήτρια, *fitítria*: student (girl) (*pl.* οι φοιτήτριες)
η φορά, *forá*: time, occasion (*pl.* οι φορές) (μία φορά: once, δύο φορές: twice)
ο φούρνος, *foórnos*: baker's; oven (*pl.* οι φούρνοι)
η φούστα, *foósta*: skirt (*pl.* οι φούστες)
φτάνω, *ftáno*: arrive (*s.p.* έφτασα) (έφτασα! just a minute)
φτηνός -ή -ό, *ftinós*: cheap
φυσικά, *fisiká*: naturally, of course
η φωτογραφία, *fotografía*: photograph (*pl.* οι φωτογραφίες)

Χ χ
χαίρετε, *hérete*: hello *or* goodbye (formal)
χαίρω, *héro*, χαίρω πολύ: pleased to meet you

χαμένος -η -ο, *haménos*: lost
χαμηλός -ή -ό, *hamilós*: low
χάνω, *háno*: lose (*s.p.* έχασα)
η χαρά, *hará*: joy (μιά χαρά: fine! reply to 'how are you?')
ο χειμώνας, *himónas*: winter (*pl.* οι χειμώνες)
το χιλιάρικο, *hilyáriko*: thousand drachma note (*pl.* τα χιλιάρικα)
το χιλιόμετρο, *hilyómetro*: kilometre (*pl.* τα χιλιόμετρα)
το χιόνι, *hyóni*: snow (*pl.* τα χιόνια)
χιονίζει, *hyonízi*: it's snowing, it snows (*s.p.* χιόνισε)
χοντρός, -ή -ό, *hondrós*: stout, fat
χορεύω, *horévo*: dance (*s.p.* χόρεψα)
ο χορός, *horós*: dance (*pl.* οι χοροί)
τα χρήματα, *hrímata*: money
ο χρόνος, *hrónos*: (i) year (ii) time (*pl.* τα χρόνια) (πόσων χρονών είσαι; how old are you?)
του χρόνου, *too hrónou*: next year
το χρώμα, *hróma*: colour (*pl.* τα χρώματα)
χτες, *htes*: yesterday
η χωριάτικη, *horyátiki*: 'Greek' salad (*pl.* οι χωριάτικες)
το χωριό, *horyó*: village (*pl.* τα χωριά)
χωρίς, *horís*: without

Ψ ψ
ο ψαράς, *psarás*: fisherman (*pl.* οι ψαράδες)
ψαρεύω, *psarévo*: fish (*s.p.* ψάρεψα)
το ψάρι, *psári*: fish (*pl.* τα ψάρια)
ψηλός -ή -ό, *psilós*: tall
ψήνω, *psíno*: roast (*s.p.* έψησα)
ψητός -ή -ό, *psitós*: roasted (μοσχάρι ψητό: roast veal)
τα ψιλά, *psilá*: small change
το ψωμί, *psomí*: bread (*pl.* τα ψωμιά)

Ω ω
η ώρα, *óra*: hour, time (*pl.* οι ώρες) (της ώρας: cooked on the spot)
ωραία, *oréa*: fine! (exclamation)
ωραίος -α -ο, *oréos*: nice

287

Picture Credits:

BARNABY'S PICTURE LIBRARY pages 29 bottom left, 59 right, 216 (all O. J. Troisfontaines), 41 bottom (Vincent Brown), 150 left (S. B. Davie), 227 (Gerald Clyde); KERRY BLASDEL back cover; BARRY BOXALL pages 82 top, 87, 96, 133 bottom right, 148, 158, 163, 183, 221; CAMERA PRESS page 145 (Alfred Gregory); ALIKI CRONEY pages 26 bottom left, 40 bottom, 41 top, 64 left, 67, 88 top, 99 bottom left, 110 right, 111, 123, 132, 135, 141 top, 150 right, 155, 157, 159, 164, 172, 175, 182, 190, 198, 199, 202, 206, 208, 214, 219, 228; C. M. DIXON pages 42 bottom, 142 bottom; ELISABETH PHOTO LIBRARY page 29 top left; ROGER FLETCHER front cover, pages 21, 58, 184, 226; ALISON FRANTZ, AMERICAN SCHOOL OF CLASSICAL STUDIES page 14 bottom; MICHAEL FREEMAN page 42 top right; JENNIFER FRY page 143 top; GALERIE 3, ATHENS page 230; GREEK EMBASSY pages 169, 179; DAVID A. HARDY page 122; OBSERVER MAGAZINE pages 22, 27 and 29 right; EVANGELOS PANTAZOGLOU page 204 left; REX FEATURES page 26 bottom right; SPECTRUM pages 6 (Tony Boxall), 9, 44 right (Tony Boxall), 81 (Carolyn Clarke), 113 top right, 117, 229; MARY SPRENT pages 10, 11, 12, 13, 14 centre left & right, 16, 24, 25, 26, 37, 38, 39, 40, 42 top left, 43, 44 top & bottom left, 47, 50, 54, 55, 59 left, 61, 63, 64 right, 65, 68, 69, 70, 72, 74 bottom, 76, 82 centre, bottom left & right, 83, 84, 85, 88 bottom, 94, 99 top left & right & bottom right, 104, 105, 106, 107, 109, 110 left, 112, 113 top left & bottom, 119, 128, 130, 131, 133 top & bottom left, 134, 136, 140, 141 bottom, 143 bottom, 144, 146 right, 147, 151, 154, 161, 162, 165, 166, 167, 168, 170, 171, 174, 176, 181, 185, 187, 189, 195, 204 right, 218, 222.

The illustrations on pages: 18, 35, 49, 62, 93, 95, 116, 129, are by Valerie Wrightson.

The illustrations on pages: 15, 32, 66, 71, 89, 97, 101, 120, 126, 127, 135, 191, 192, 196, 197, 215 are by Brian Robins.

The illustrations on pages 28, 52 are from 'Instant Greek' © William Pappas reproduced by his kind permission.

The children's drawings on pages 108 are by Melissa and Nathalie Croney.

The map on page 194 is reproduced by kind permission of D. & B. LOUKOPOULOS, Educational & Photographic Map Publishers, 10, Nikoloudi Arcade, Athens 131, Greece.

Acknowledgement is also due to the following:
Jonathan Cape Ltd. for 'Denial' from Collected poems 1924-1955 by George Seferis translated by Edmund Keeley and Philip Sherrard. Also copyright © 1967 by Princeton University Press, USA.